L

–Señorita Carre, sólo
Amanda se dio cuent
devolvió la sonrisa.

–No es mío, no sé de ...hecho, ni siquiera me acuerdo de cómo acabé vestida así –entrecerró los ojos, y le preguntó–: ¿Me desnudasteis vos?

Él se sonrojó, y la mujer soltó una exclamación ahogada antes de preguntarle con incredulidad:

–¡Al parecer, he cometido un terrible error! ¿Vos y la... la hija del pirata?

De Warenne le lanzó a Amanda una mirada extraña y cómplice que contenía una advertencia, aunque su rostro revelaba que la situación le parecía divertida. Consiguió ponerse serio, y se volvió hacia la mujer.

–Señorita Delington, estaba a punto de presentaros a la señorita Carre, mi huésped.

La mujer se había puesto roja como un tomate, y ya no parecía tan atractiva.

–Entiendo. Sí, lo entiendo muy bien –miró a de Warenne, y asintió–. Adiós –sin más, se fue a toda prisa.

Amanda sintió una gran satisfacción al ver cómo se iba. Cliff estaba a su espalda, y le dijo con voz suave:

–Estáis de lo más satisfecha, ¿verdad?

Ella se volvió de golpe. Estuvo a punto de darse de bruces con él, y se apresuró a retroceder un paso. Sentía un extraño nerviosismo al estar a solas con aquel hombre.

–Es una puerca gorda y paliducha que quiere joderos –le dijo, a la defensiva. Supo por su expresión de sobresalto que había cometido un error, aunque no tenía ni idea de cuál era el problema–. No estabais interesado en ella, ¿verdad? Es una tonta, ha llamado «barquito» al Fair Lady –al ver que respiraba profundamente y se alejaba de ella mientras se metía las manos en los bolsillos, su preocupación fue en aumento–. ¿Estáis enfadado conmigo?

Él se volvió de nuevo a mirarla al cabo de un momento, y esbozó una sonrisa.

–No, no lo estoy. Me alegra ver que os habéis levantado, y que al parecer os encontráis mejor.

Sintió un gran alivio, porque había empezado a temer que él se hubiera enfadado lo bastante como para echarla de su casa.

–Si la queréis, puedo ir a por ella y traerla a rastras –le dijo a regañadientes–. No soy idiota, ya sé que habrá creído que soy vuestra amante, o alguna tontería parecida. Podría contarle la verdad.

Se tensó al ver que él permanecía en silencio; de repente, fue más que consciente de que estaba a solas con un hombre fuerte, poderoso e indudablemente viril estando vestida con un camisón, y de que estaba desnuda debajo de la fina capa de algodón.

–La señorita Delington no me interesa.

Amanda sonrió con alivio.

–Señorita Carre... –le dijo él con cautela.

Amanda le interrumpió al acercársele a toda velocidad.

–No, esperad. Los dos sabemos que no soy una dama. Podéis llamarme Amanda, o muchacha. Papá solía llamarme así... o hija –se detuvo al sentir una tristeza avasalladora. Se le había olvidado brevemente que estaba muerto, y de repente lo recordó todo.

–¿Vuestro padre os llamaba «muchacha»?

–Sí –le dijo, mientras se sentaba en un enorme y mullido sofá.

Él arrastró una otomana verde y dorada hacia ella, y se sentó a su lado.

–¿Cómo os sentís?

–Ya no estoy mareada.

–Nos aseguramos de que comierais algo antes de cada dosis de láudano.

–¿He dormido mucho? –Amanda intentó recordarlo.

–A ratos, durante tres días. Empezaba a preguntarme si ibais a despertar.

La miró con una sonrisa de ánimo, y ella le devolvió el

gesto. Sus miradas se encontraron, y ninguno de los dos pudo apartarla.

Algo cambió en ese momento. Amanda lo miró, cada vez más confundida. Era el hombre más apuesto que había visto en su vida, y su amabilidad parecía sincera; además, era todo un maestro de la navegación, y para ella eso era más importante que ser rey. Cuando él aceptara su oferta, iba a entregarle su cuerpo.

Nunca había deseado a un hombre, pero algunas noches se le aparecía en sueños un amante dorado y sin rostro que la besaba con pasión, y despertaba llena de una extraña tensión que no alcanzaba a entender. A veces despertaba a punto de descubrir un gran placer, pero entonces se daba cuenta de que se trataba de un sueño y estaba sola.

Se preguntó si iba a empezar a soñar con Cliff de Warenne; al fin y al cabo, era igual que el amante de sus sueños, ¿no? Corpulento, poderoso, dorado...

Él abrió los ojos como platos, se levantó de golpe, y se alejó un poco de ella. Cuando se sirvió una copa, le temblaba la mano.

Amanda permaneció donde estaba, y se preguntó cómo era posible que estuviera pensando en sus sueños en ese momento. Tenían que hablar de negocios.

–¿Por qué estáis temblando? –al ver que él se limitaba a hacer un sonido gutural, soltó un suspiro y comentó–: Puede que hayáis pillado un catarro, algunos de los marineros lo tienen.

–No es un catarro –le dijo él, muy serio.

Amanda lo miró sonriente.

–Genial –vaciló por un instante. Sabía lo que tenía que hacer, pero le daba un poco de miedo empezar con aquella negociación en concreto. Como además estaba disfrutando de lo lindo del sofá, la habitación y tan noble compañía, intentó retrasar un poco el momento–. ¿Por qué tenéis tantos muebles? ¿Y qué hacía aquí esa mujer, si no queríais fornicar con ella?

La miró horrorizado, y se acercó a ella.

–Sé que habéis pasado por una experiencia horrible y que procedemos de mundos diferentes, pero... alguien tiene que enseñaros unas cuantas cosas.

–¿Como qué?, ¿a leer?

–Eso puede hacerlo un tutor. No podéis usar cierto lenguaje cuando estéis con gente de la alta sociedad; de hecho, no es correcto que habléis sobre fornicar en ninguna circunstancia.

–¿Por qué no? –le preguntó ella con perplejidad–. Es lo que suelen hacer los hombres sin parar.

Tras contemplarla en silencio durante unos segundos, esbozó una sonrisa.

–De acuerdo, admito que somos víctimas de nuestros cuerpos masculinos. Vamos a empezar desde cero. No podéis deambular por la casa vestida así.

Amanda bajó la mirada hacia el precioso camisón, y pensó abatida que de Warenne quería que se lo devolviera. Acarició el encaje de uno de los tirantes, alzó la mirada de nuevo, y se encogió de hombros con indiferencia fingida para que él no se diera cuenta de lo mucho que la fastidiaba renunciar a la prenda.

Él alejó un poco más la otomana, y se sentó de nuevo.

–Tenemos que hablar de otro tema, Amanda.

Al verlo tan serio, se preguntó si iba a sacarla a patadas de la casa.

–Espero no haberme extralimitado al suponer que preferiríais un entierro en el mar.

Ella se tensó, y exclamó alarmada:

–¡No había pensado en eso! ¿Dónde está papá?

–En la funeraria de Kensington. ¿Os parece bien? Yo podría decir unas palabras como capitán de navío, o quizás preferís que haga venir a un sacerdote o a un capellán militar.

Cuando consiguió asimilar que su padre aún no estaba enterrado, que iba a poder asistir a su funeral, miró a de Warenne a los ojos y le dijo:

–Me gustaría que lo hicierais vos.

–De acuerdo.

Era tan amable con ella y tan guapo, que Amanda sintió que le daba un vuelco el corazón. Al mirar aquellos intensos ojos azules se sentía extrañamente reconfortada y a salvo, como si acabara de llegar a puerto tras navegar en medio de una tormenta. Quizás no tenía nada que temer de aquel hombre.

Él se levantó, y le dijo:

–¿Queríais verme por alguna razón en concreto? Si no es así, subiré a darles las buenas noches a mis hijos.

Amanda respiró hondo mientras hacía acopio de valor. Se negó a pensar en lo que pasaría cuando él aceptara el trato que iba a ofrecerle, y se obligó a imaginarse a bordo del Fair Lady, navegando en un mar embravecido. Ella estaría en cubierta, y él en el alcázar con sus oficiales. Avanzarían a toda vela a pesar de que ningún marinero sensato se atrevería a hacerlo con un tiempo tan malo, y los dos estarían riendo encantados.

La imagen era tan vívida, que Amanda sonrió.

–¿Amanda?

Salió de su ensimismamiento de golpe, y su sonrisa se desvaneció. Se mordió el labio, y vaciló por un instante.

Él fijó la mirada en sus labios antes de alzarla hasta sus ojos.

–¿Qué es lo que queréis decirme?

No tenía más remedio que lanzarse de cabeza. Amanda se levantó, y le dijo con firmeza:

–Haré lo que sea, todo lo que queráis, si me lleváis a Inglaterra.

No supo qué pensar cuando él se quedó mirándola en silencio. Era un tipo inteligente, así que debía de haberla entendido, ¿no? Lo miró con una gran sonrisa.

–No puedo pagar por mi pasaje con dinero, pero puedo hacerlo de otra forma.

Él empezó a sacudir la cabeza. El movimiento parecía implicar una negativa.

–Ya veo –dijo al fin, claramente incrédulo.

Amanda empezó a sentir pánico. Tenía que ir a Inglaterra, lo había prometido.

–He dicho que haré lo que sea. Entendéis lo que quiero decir, ¿verdad?

Se sorprendió al ver que los pómulos se le teñían de rojo. Se había dado cuenta de que solía pasarle cuando estaba enfadado, pero no entendía a qué podía deberse su reacción. ¿Acaso no entendía lo que estaba diciéndole?

–Estoy ofreciéndoos mi cuerpo, de Warenne. Es lo único que tengo para pagaros...

–¡Silencio!

–Ya sé que no soy lo bastante finolis para vos...

No tuvo tiempo de decirle que era virgen, porque él la agarró del brazo y sus cuerpos entraron en contacto.

–¿Siempre hacéis lo mismo cuando necesitáis algo?, ¿ofrecéis vuestro cuerpo a cambio de lo que sea? –la soltó de golpe, y retrocedió un paso–. A pesar de que persigo piratas, soy un caballero y un de Warenne –le espetó con furia.

Amanda estaba temblando, y el corazón le martilleaba en el pecho. No entendía por qué estaba tan enfadado.

–Tengo que ir a Inglaterra, y mi padre me dijo que tenía que ir con vos. ¡Sólo quiero pagaros!

Él alzó las manos para que se callara.

–¡Ya basta! ¿Vuestra madre vive allí?

Amanda asintió. No podía apartar la mirada de él. Se preguntó si la rechazaba porque no era una belleza gorda y finolis, y se sorprendió al darse cuenta de que no se sentía aliviada.

–Ya había decidido llevaros a Londres, en caso de que tuvierais familia allí.

–¿Por qué? –le preguntó, boquiabierta.

–Porque tenéis que reuniros con vuestra familia.

–Pero, ¿cómo voy a pagar por mi pasaje? ¡No soy ninguna mendiga, y no pienso aceptar una limosna!

–¡No vais a pagarme nada! –le dijo él con aspereza–. Y nunca he insinuado siquiera que os considere una mendiga. Lo cierto es que pensaba zarpar de todas formas a finales de mes, pero teniendo en cuenta la situación, partiremos mañana mismo.

–¿Mañana? –Amanda empezó a retroceder, mientras la consternación daba paso al pánico–. ¡Es demasiado pronto!, ¿qué pasa con el funeral de mi padre? Es mejor a final de mes –acababa de perder a su padre, y no estaba lista para conocer a su madre.

–Celebraremos el funeral en el mar, después de zarpar. Partiremos mañana, y ni se os ocurra ir vestida así. Os prefiero con ropa de muchacho.

CAPÍTULO 4

Cliff era incapaz de conciliar el sueño. No podía dejar de pensar en unos enormes ojos verdes, en una melena de un pálido tono casi plateado que enmarcaba un rostro exótico y hermoso, en la forma en que los largos mechones reposaban sobre aquellos pechos plenos claramente visibles bajo el fino camisón de algodón. Apenas podía creer que se hubiera atrevido a pasearse por la casa vestida con una prenda tan reveladora.

Bajó la mano hacia su miembro excitado mientras se planteaba comportarse como un jovenzuelo, pero no lo había hecho desde los doce años y se sintió avergonzado por plantearse siquiera la posibilidad de masturbarse. ¿Cómo podía sentirse tan atraído por la hija de un pirata?, ¿por qué se preocupaba tanto por ella? A pesar de que ya sabía su nombre, se negaba a pensar en ella como «Amanda». Era La Sauvage, o la hija del pirata, o la señorita Carre, y tenía que luchar contra aquella atracción insensata.

Se puso boca abajo, e intentó ignorar el ardor que sentía. No podía olvidar que ella era muy joven, demasiado. Además, ni siquiera era su tipo de mujer. Para cuando se había ido de casa a los catorce años, ya había seducido a las hijas de varios de los amigos de su padre. Siempre había parecido mayor de lo que era, y había muchas damas elegantes y hermosas para escoger. Cuando había tenido que elegir entre una flor silvestre y una rosa de invernadero, siempre se había decantado por la segunda.

Pero ella era diferente a todas las demás, le bastaba con recordarla irrumpiendo en King's House armada con una pistola o navegando en el mar embravecido para saberlo. Dejó de sonreír de golpe al pensar en el lenguaje que había utilizado en el salón dorado, pero estuvo a punto de soltar una carcajada al recordar cómo había echado de la casa a la señorita Delington.

Se levantó de golpe de la cama, y fue a servirse un trago. Ni siquiera sabía si era virgen. Ella tenía muy claro lo que estaba dispuesta a ofrecerle, y teniendo en cuenta cómo se había criado, era poco probable que fuera inocente. Eso explicaría por qué estaba dispuesta a negociar con su propio cuerpo. Era una táctica que las mujeres sin recursos habían tenido que emplear a lo largo de la historia, pero le desgarraba el corazón que ella hubiera tenido que llegar a tales extremos.

La idea de llevarla a Inglaterra empezaba a preocuparle.

Sabía que podía controlar y ocultar el deseo que sentía por ella. Iba a ser desagradable y difícil, pero era muy disciplinado. Tenía que recordar que era demasiado joven. Como había acortado tanto su estancia en la isla, los niños iban a acompañarle. Alexi ya había navegado por las islas, y llevaba tiempo insistiendo en que quería realizar un viaje de verdad. Por las indirectas que había ido dejando caer Ariella, sabía que la niña quería viajar al extranjero y ver las maravillas sobre las que había leído. Los niños iban a servirle de distracción, le ayudarían a mantener la mente apartada de ella.

Se sentó en una silla, y tomó un trago en medio de la oscuridad mientras reflexionaba sobre otro asunto que le preocupaba sobremanera. Según los rumores, Rodney Carre había pertenecido a la armada en el pasado, y en ese caso, era posible que la madre de Amanda fuera una dama. La Sauvage no sabía lo que era el recato ni la vergüenza, y carecía de modales. Si su madre era una mujer de buena cuna, el encuentro entre ambas iba a ser un desastre, pero tampoco quería que Amanda descubriera que su progenitora era una ramera o una arpía repugnante. No hacía falta ser un genio para saber que había tenido una vida difícil, y una buena familia materna podría proporcionarle la felicidad que se merecía.

Era posible que en seis semanas lograra adquirir la compostura y los buenos modales mínimos para no escandalizar a la sociedad británica, Anahid podría ser su tutora. Pero no estaba seguro de que fuera posible; de hecho, ni siquiera sabía si La Sauvage estaría dispuesta a aprender a comportarse con decoro. Había accedido a llevarla a Inglaterra, no a transformarla en una dama; además, lo que ella hiciera no era asunto suyo.

Se dio cuenta de que no iba a poder pegar ojo. Faltaba poco para que amaneciera, y tenía un viaje por delante. El equipaje de los niños se había preparado la noche anterior, y la presencia de la señorita Carre había hecho que decidiera incluir al profesor de lengua de los pequeños en el viaje.

Se sentía casi como si tuviera una hija más, pero sólo tenía que recordarla con el camisón para saber que no era así.

Apuró el coñac, y empezó a vestirse. El cielo estaba teñido de fucsia y añil cuando salió de su habitación y fue al ala de los niños. Alexi tenía la puerta de su dormitorio abierta, y estaba vestido y lavándose los dientes. Cuando el niño se volvió al oírlo entrar y sonrió de oreja a oreja, sintió que el corazón se le llenaba de ternura. Le dio una toalla, y le preguntó:

–¿Tu hermana también está lista?

–La he oído hablando con Anahid, quejándose de la hora que es. Hoy tendremos buenos vientos, papá.

–Sí, ya lo sé. Tómatelo con calma, seguro que la señorita Carre aún está durmiendo –dejó al niño terminando de lavarse los dientes, y se dirigió hacia la puerta de la habitación de su hija–. ¿Ariella?, ¿Anahid?

La armenia abrió al cabo de unos segundos.

–¿Sí, mi señor?

Cliff miró hacia el interior de la habitación y sonrió al ver a Ariella en camisón y adormilada, aferrada a un libro que apretaba contra su pecho.

–Buenos días. No te preocupes, Anahid ha metido en tu equipaje un montón de libros. Si te los acabas, siempre puedes empezar a leer mi Biblia.

La niña se limitó a bostezar.

–Estaremos abajo en diez minutos, mi señor –dijo Anahid.

Cliff bajó a la primera planta y atravesó el enorme vestíbulo mientras lo inundaba un entusiasmo creciente. Estaba deseando zarpar, ya que navegando se sentía el hombre más feliz del mundo. Las preocupaciones que le habían impedido conciliar el sueño se habían desvanecido, porque en menos de dos horas estaría con el viento a la espalda, de cara al mar abierto, y en compañía de sus hijos. La vida no podría ser mejor.

La servidumbre había encendido candelabros de pared para iluminar el vestíbulo, y las sombras dibujaban extrañas formas sobre el suelo de mármol. Se sorprendió al ver a su invitada sentada en una silla española cerca de la puerta principal, porque creía que aún estaba durmiendo. Ella se puso de pie en cuanto lo vio, y lo miró con ansiedad.

Sus pasos se ralentizaron un poco mientras iba hacia ella, y se negó a pensar en los quebraderos de cabeza que lo habían mantenido despierto durante toda la noche.

–Buenos días, señorita Carre. Apenas ha amanecido, ¿no podíais dormir?

Aunque la noche anterior había pasado por delante de su habitación y la había oído llorar, su rostro no mostraba rastros de una mala noche. Había ordenado que le lavaran la ropa, y además de la camisa ancha y los pantalones se había puesto un grueso cordón dorado a modo de cinturón que se parecía sospechosamente a los que colgaban junto a las ventanas para recoger las cortinas.

–Zarpamos esta misma mañana, ¿por qué iba a querer haraganear en la cama?

Cliff sintió que el mundo se paraba a su alrededor. Se dijo que debía de estar emocionada porque iba a reunirse con su madre, que era imposible que el poderoso hechizo del mar la afectara tanto como a él.

–Es un viaje de seis semanas, así que vais a tardar un poco en reiniciar la relación con vuestra madre.

–Ya sé lo que dura el viaje. El viento es perfecto, ¿vamos a zarpar ya?

¿Era posible que estuviera tan entusiasmada como él por el viaje inminente?

–¿Por qué me miráis como si estuviera como una cabra?, ¡hace mucho que no navego! ¿Ha pasado algo que vaya a retrasarnos? Desde mi ventana he visto a la tripulación izando velas. De Warenne... digo... capitán... necesito sentir el movimiento de la cubierta bajo los pies, y tener una buena brisa revolviéndome el pelo.

Cliff se quedó mirándola boquiabierto. Sintió que su miembro se erguía, y se apresuró a dar media vuelta para que ella no se diera cuenta de la reacción física que había tenido al verla tan entusiasmada. No recordaba haber estado tan excitado en toda su vida.

–¿De Warenne? Capitán, estamos listos para zarpar, ¿no?

Fue incapaz de contestar. Tenía por delante un viaje de seis semanas, y su reacción ante aquella mujer era inaceptable. Su deber como capitán era protegerla y conseguir que llegara sana y salva, no aprovecharse de ella en un momento de locura.

Menos mal que había decidido que los niños le acompañaran también.

–¿Estáis indispuesto? –la muchacha tiró de su chaleco desde detrás.

Cuando recuperó por completo la compostura, se volvió poco a poco hacia ella y le dijo:

–Mis hijos también vienen. Partiremos en cuanto bajen.

–Empecé a navegar con papá a los seis años. Vuestra hija tiene más o menos esa edad, ¿verdad?

–Sí.

–¡Estáis muy raro!, ¿os pasa algo?

Cliff se cruzó de brazos, y mantuvo la mirada en su rostro.

–¿Cuándo navegasteis por última vez? Sin contar las veces que salíais con la barca de remos.

–La primavera pasada fuimos a Barbados. Papá tenía que ocuparse de unos negocios, nada ilegal.

Él se moriría si no pudiera disfrutar de una verdadera travesía durante tanto tiempo.

–Al parecer, estáis de muy buen humor, señorita Carre.

–Llamadme Amanda –se puso más seria antes de añadir–: No me he olvidado de mi padre, me he pasado toda la noche pensando en él y me he quedado sin lágrimas –se obligó a pensar en temas más gratos–. El Fair Lady es mi barco preferido, tiene algo especial. Todo el mundo sabe que es la nave de quinta categoría más rápida que hay, pero eso es gracias a vos, claro. ¡Además, no habéis perdido ni una sola batalla! Puedo ayudar con la artillería. Vuestro velero es portugués, ¿verdad? Papá me dijo que es uno de los mejores del mundo.

El corazón le martilleaba con tanta fuerza en el pecho, que Cliff era incapaz de articular palabra.

–¿Queréis saber un secreto? –le preguntó ella, sonriente, mientras se ruborizaba un poco–. He soñado con navegar en el Fair Lady, con echarle una carrera al viento. ¡Es un sueño! –se echó a reír, y se echó hacia atrás el pelo.

Cliff tuvo que darle la espalda de nuevo, porque los pantalones cada vez le constreñían más. Había soñado con su barco... ¿habría soñado también con él?

–Apenas puedo esperar –comentó ella.

Se planteó ceder ante la locura, volverse y apretarla contra su pecho, abrirle la boca con los dientes y besarla, hundir la lengua en su boca y llegar tan hondo como pudiera.

Al oír que sus hijos bajaban la escalera charlando animadamente, sintió una mezcla de alivio y de amarga decepción.

Inhaló hondo, esbozó una sonrisa más sincera, y fue hacia la puerta.

–Bueno, ya estamos todos. Vamos al cúter.

Amanda se aferró a la barandilla y cerró los ojos mientras alzaba el rostro hacia el sol y el viento. Hacía rato que habían partido de Kingston, y lo único que se vislumbraba de la isla que habían dejado atrás era una pálida línea de arena blanca enmarcada por montañas de un verde profundo en medio del agua color turquesa. Ante ellos, el mar ondulaba con indolencia. Como de Warenne había optado por usar todo el velamen, avanzaban a unos quince nudos, que era lo máximo que podían alcanzar con una brisa tan suave.

Era tal y como lo había imaginado, ¿no? Sintió un nudo en el estómago, y se volvió un poco para poder ver al capitán en el alcázar. Estaba al timón con su hijo, que al parecer tenía ocho años, enseñándole a gobernar la nave. Parecía más alto, más ancho de hombros y con el pelo más dorado, y sólo con mirarlo le costaba respirar.

Pero aquello daba igual. Tenía seis semanas por delante... las mejores de su vida, y se negaba a pensar en el hecho de que pronto iba a ver a su madre.

De Warenne la miró por encima del hombro. Era obvio que estaba tan entusiasmado como ella por el viaje, porque estaba muy sonriente, pero su sonrisa se desvaneció en cuanto sus miradas se encontraron y se volvió de nuevo hacia la proa muy serio.

Llevaba muy raro desde el día anterior. Quizás le había molestado que interfiriera en sus planes amorosos, pero eso carecía de importancia en ese momento. El sol resplandecía en lo más alto, el cielo estaba salpicado de unas cuantas nubes, y dos delfines nadaban junto al barco a babor.

A pesar de todo, no pudo contenerse; como si fuera una marioneta manejada por otra persona, se volvió a mirarlo de nuevo. Tanto su hijo como él permanecían en silencio. El niño estaba completamente centrado en manejar la embarcación, y parecía muy pequeño junto al imponente cuerpo de su padre.

De repente, sintió una punzada de dolor al recordar a su padre ayudándola a manejar el timón. Era tan pequeña, que tenía que alzarla en brazos. Miró hacia la hija de de Warenne, que estaba sentada cerca de su padre y su hermano como la princesita que probablemente era en realidad. Estaba ataviada con un elegante vestido blanco de encaje, tenía un libro abierto en el regazo, y estaba sentada sobre un cojín de terciopelo que le había dado su padre para que no se ensuciara. Era preciosa y mimada, y como no había alzado la mirada ni una sola vez, estaba claro que la navegación no la entusiasmaba.

No podía ni imaginarse cómo sería estar en la piel de aquella niña rica, que ya sabía leer a los seis años.

No pudo evitar ruborizarse, y deseó no haberle confesado a de Warenne que era analfabeta. Se preguntó si pensaba que era tonta. Se había dado cuenta enseguida de que adoraba a su hijita de cuento de hadas y estaba muy orgulloso de ella. En el puerto, justo debajo de Windsong, habían subido a un cúter que los había llevado hasta el barco, y Ariella había ido sentada en el regazo de su padre con el libro apretado contra el pecho. Cuando su hermano le había dicho que tendría que haberlo guardado con el resto del equipaje, ella le había dicho que era un idiota, porque apenas sabía leer latín. De Warenne había zanjado la discusión al decirle a su hijo que Ariella podía llevar todos los libros que quisiera, y que esperaba que él se aplicara y mejorara su latín durante el viaje. Entonces se había vuelto hacia ella, y había comentado con una sonrisa:

–Mi hija lee mejor que muchos hombres hechos y derechos –había mirado a la niña, y le había preguntado–: ¿Qué estás leyendo, cielo?

–La historia de los faraones, papá.

Ella ni siquiera sabía qué era un faraón.

Le debía a de Warenne una gran deuda de gratitud, pero estaba celosa de su hija. Y encima desearía que la hubiera invitado a estar en el alcázar, como a los niños. Pero como no tenía razón alguna para hablar con él, carecía de una excusa convincente para subir y pedir permiso para permanecer en la cubierta que todo marinero consideraba sagrada. A lo mejor la invitaba a ir allí antes de que el viaje acabara, aunque era improbable.

Por alguna extraña razón, en ese momento se acordó del precioso camisón de algodón y encaje. De Warenne no le había pedido que se lo devolviera, así que lo había metido en su petate junto a su pistola y la cruz y la cadena de su padre. Tenía la daga guardada en el interior de la bota izquierda, y la espada bajo la almohada de su litera.

–Me encuentro un poco mal, papá –dijo Ariella.

Amanda se volvió a mirarla. La pequeña estaba de pie, aferrada a su libro de historia, y por su expresión supo de inmediato que estaba mareada.

–¿Puedo ir a tumbarme en mi camarote con Anahid?

–Eso es lo peor que puedes hacer –le dijo de Warenne.

Al ver que se volvía a mirarla y que parecía vacilar por un segundo, Amanda se dio cuenta de lo que quería. Como estaba ansiosa por pagarle de alguna forma por el pasaje, decidió que iba a ayudarle con sus hijos. No sabía nada sobre niños, pero estaba en deuda con aquel hombre; además, no debía de ser demasiado difícil, ¿verdad?

–Yo me encargo de llevarla a pasear por cubierta, de Warenne.

–Os lo agradezco, señorita Carre. Anahid está abajo, arreglando los camarotes de los niños.

–No temáis, no dejaré que se caiga por la borda –le dijo, sonriente. Al ver que él se sobresaltaba, se echó a reír–. ¡Era broma, de Warenne!

–Pues no ha tenido gracia –le contestó él con seriedad.

Amanda se mordió el labio. Aquel hombre era de lo más estricto en lo concerniente a su hija, seguro que la princesita lloraba cuando le daba una buena tunda. Soltó un suspiro, y alargó la mano hacia la pequeña.

–Anda, ven conmigo.

Ariella sonrió, y alargó la mano libre mientras seguía aferrando el libro con la otra. Después de ayudarla a bajar los tres escalones que conducían a la cubierta principal, Amanda comentó:

–Te sentirás mejor en unos días, en cuanto te acostumbres al mar.

–¿En serio? –la niña sonrió, pero de repente su cara adquirió un tono verdoso.

Amanda consiguió llevarla hasta la barandilla justo a tiempo. Se sentó junto a ella hasta que dejó de vomitar, pero la miró con incredulidad al darse cuenta de que parecía estar a punto de llorar. Aquella niña era una blandengue.

De Warenne apareció de pronto tras ellas, y tomó a su hija en brazos.

–Estarás mejor en un par de días, te lo prometo.

–Estoy bien, papá. Suéltame –era obvio que estaba luchando por contener las lágrimas.

–¿Estás segura?

–Sí. Quiero pasear con la señorita Carre. Estoy mejor, de verdad –la niña consiguió esbozar una sonrisa.

Cuando su padre la dejó en el suelo, Ariella tomó de la mano a Amanda, que se sintió fuera de lugar. Los celos que sentía de la pequeña fueron en aumento, hasta que de Warenne la miró y le dijo con una sonrisa:

–Gracias por ser tan amable con mi hija.

Aquellas palabras fueron como una caricia tangible. Amanda se quedó paralizada y fue incapaz de devolverle la sonrisa, pero se dio cuenta de que para gustarle a aquel hombre sólo tenía que ser buena con sus hijos. Y lo cierto era que quería gustarle, y mucho.

Se humedeció los labios, e intentó sonreír.

–No tardará en acostumbrarse al mar; al fin y al cabo, es hija vuestra.

A juzgar por su expresión, era obvio que a de Warenne le parecía más que dudoso que su hija consiguiera aclimatarse. Cuando regresó al alcázar, lo siguió con la mirada y se preguntó cómo conseguía mantener la ropa impecable. A pesar de que olía a mar más que nunca, conservaba el aroma del mango y de las especias del lejano Oriente.

–Te gusta mi papá.

Amanda se sobresaltó, y echó a andar por cubierta con la niña de la mano para que de Warenne no pudiera oírlas.

–De Warenne se ha portado bien conmigo, y va a llevarme hasta mi madre.

–Ya lo sé, él nos lo explicó. Tu madre está en Inglaterra –los ojos de Ariella eran muy penetrantes, y reflejaban una curiosidad excesiva para una niña de seis años.

–Es una gran dama –se jactó Amanda–. Es preciosa, y vive en una casa muy elegante con un jardín de rosas.

–¿En serio? –Ariella le dio vueltas a aquella información, y al cabo de unos segundos le preguntó muy seria–: ¿Es verdad que tu papá era un pirata?

Amanda vaciló antes de contestar, y finalmente decidió no admitir la verdad.

–La acusación fue falsa, y la ejecución una injusticia. Era el dueño de una plantación, un verdadero caballero, y hace tiempo perteneció a la armada británica.

La niña permaneció en silencio, y Amanda se dio cuenta de que parecía estar reflexionando sobre lo que acababa de decirle. Su actitud le resultó de lo más extraña.

–¿Por qué no te alegras de ir a ver a tu mamá?, ¿porque tu papá está muerto?

Amanda se detuvo en seco y estuvo a punto de soltar una respuesta cortante, pero se obligó a sonreír al ver que de Warenne estaba observándolas.

–Me alegro mucho de ir a ver a mi madre. La última vez que la vi, era más pequeña que tú –sintió un nudo en el estómago a pesar de sus palabras, porque no estaba segura de si a su madre le alegraría verla.

–¿En serio? –Ariella sonrió, pero de repente se puso muy seria y añadió–: Mi mamá está muerta, la mataron cuando nací.

Amanda no pudo evitar sentir curiosidad.

–¿Era una princesa?

Ariella se echó a reír, y le dijo:

–No, no hay hebreos de la realeza.

–¿Era judía? –Amanda la miró sorprendida. Había conocido a gente judía, claro, ya que había ido a Curaçao una vez y allí casi toda la población era judía. Su padre le había explicado que habían llegado a la zona desde España mucho tiempo atrás.

–Papá se enamoró de ella, y me tuvieron a mí. Pero su amor estaba prohibido, y un príncipe bereber ordenó que la ejecutaran. ¿Sabes dónde está la zona de Berbería?

Amanda sintió lástima por la niña, pero se desanimó al enterarse de que de Warenne se había enamorado de la madre. Si la pequeña se parecía a ella, debía de haber sido una mujer muy bella.

–¿Lo sabes?

–Sí –Amanda tiró de su mano, y siguieron paseando.

–Tú también le gustas a papá –comentó la niña de repente.

Amanda trastabilló un poco, y sólo alcanzó a decir:

–¿Qué?

Ariella la miró con una sonrisa.

–No deja de mirarte, y se pone rojo. Sólo se ruboriza cuando tú estás cerca.

–No creo que tu padre se ruborice por nada ni por nadie –le dijo Amanda con incredulidad.

–Por ti sí. Esta mañana se ha puesto rojo como un tomate cuando íbamos en el cúter.

–Porque hace mucho calor –Amanda empezó a irritarse. No quería hablar de Cliff de Warenne con aquella niña mimada que tenía aires de grandeza y leía libros de historia como una adulta.

Acababan de dar una vuelta completa por cubierta y estaban a babor, muy cerca del hombre en cuestión.

–Me encuentro mejor, voy a tomar una siesta –comentó Ariella, con un bostezo. Le soltó la mano, y entró en el camarote del capitán.

Amanda no puso ninguna objeción, ya que estaba convencida de que la niña tenía vía libre para ir y venir a su antojo. Su propio padre jamás le había permitido que entrara en su camarote sin llamar antes, pues a menudo pasaba el rato acompañado de alguna ramera. Siempre había dado por sentado que todos los padres eran iguales, pero empezaba a pensar que la forma en que de Warenne trataba a sus hijos era muy diferente a la forma en que su padre solía tratarla a ella. A él nunca le había importado que fuera analfabeta, y tampoco la había tratado con la actitud afectuosa y mimosa que de Warenne tenía con Ariella.

No pudo contener la curiosidad cuando la niña entró en el camarote, y con la excusa de vigilar a la pequeña, aprovechó para entrar a echar un vistazo.

Las paredes tenían un tono rojo oscuro chino, y las tres alfombras que cubrían el suelo... una tibetana, una china, y una delicada Aubusson... eran también rojas. Pudo distinguirlas con facilidad, ya que las que había robado con su padre a lo largo de los años les habían proporcionado un buen beneficio. Contra una de las paredes había una enorme cama de ébano con cuatro gruesos postes tallados. La colcha era de damasco rojo y dorado, la sábana de seda roja, y varias almohadas en rojo y dorado con borlas y flecos descansaban contra la cabecera.

En el centro del camarote había una elegante mesa inglesa con patas curvadas, y cuatro sillas tapizadas en terciopelo color burdeos. Debajo de varias portillas había un enorme escritorio cubierto de mapas y cartas de navegación, y había tesoros por todas partes... un arcón árabe dorado cerrado con candado, máscaras africanas, coloridos jarrones marroquíes con intrincados diseños, piezas de cristal de Waterford, candelabros de oro... y una estantería que contenía cientos de libros.

Amanda se estremeció. Acababa de entrar en la guarida de de Warenne, y el lugar reflejaba los gustos exóticos de aquel hombre, su naturaleza sensual, su inteligencia, su poder y su virilidad.

Justo cuando estaba diciéndose que no debería estar allí, alguien la agarró por detrás.

–¿Qué hacéis aquí?

Desenfundó su daga, se volvió como una exhalación, y apretó el arma contra un pecho musculoso. Fue una reacción instintiva, pero se dio cuenta de su error al ver la expresión atónita de de Warenne. Se quedó helada y se le aceleró el corazón al darse cuenta de que estaba en sus brazos de nuevo.

–¿Qué es eso? –le preguntó él con calma.

Estaba apretada contra su cuerpo, y no pudo evitar darse cuenta de lo musculosos que eran sus muslos.

–Una... una daga. Lo siento. Si me soltáis, podré guardarla.

Ninguno de los dos pudo apartar la mirada. Amanda notó que su miembro se endurecía justo antes de que la soltara, y contuvo una exclamación. Se quedó boquiabierta al ver que estaba poniéndose rojo. Se preguntó si Ariella tenía razón, o si ella misma estaba tan loca como la niña.

De Warenne retrocedió un paso, y le dijo muy serio:

–Nadie puede entrar en mi camarote sin permiso –fue hacia una de las portillas, y respiró hondo.

Demasiado tarde, Amanda ya se había dado cuenta de que estaba excitado. Volvió a enfundar la daga en la bota sin prisa. No acababa de entender por qué la deseaba. ¿Se debía al breve acto de violencia? Todos los marineros a los que conocía estaban deseando tener relaciones sexuales después de una batalla sangrienta.

–Ha sido culpa mía, papá. Quería dormir un poco –susurró Ariella desde la cama.

De Warenne se volvió a mirarla con una sonrisa, pero era obvio que seguía estando tenso.

–Incluso tú tienes que pedir permiso para entrar aquí, Ariella.

La niña asintió, y miró del uno a la otra con los ojos muy abiertos.

Amanda intentó recuperar la compostura.

–Lo siento –lo miró con cautela, y no supo si sentirse aliviada o decepcionada al ver que parecía tener bajo control de nuevo sus inclinaciones amorosas.

Él les indicó con un gesto que salieran del camarote, y cuando estuvieron fuera dijo con voz firme:

–Esperad un momento, señorita Carre.

A Amanda no le hizo ninguna gracia su tono, pero asintió y se detuvo. Se preguntó si iba a castigarla por haber entrado sin autorización en el camarote; al fin y al cabo, su padre lo habría hecho. Seguro que como mínimo pensaba darle una buena colleja. Sintió un poco de miedo. Su padre era corpulento, pero de Warenne era más alto, musculoso y joven. Se dijo que no iba a amilanarse si la golpeaba, que iba a mostrar una fuerza y una valentía que habrían enorgullecido a su padre.

–Me alegro de que te sientas mejor, Ariella, pero no te iría bien ir bajo cubierta tan pronto. He mandado a llamar a Anahid, podéis leer juntas en aquel banco.

–Sí, papá.

–Venga, ve –le dijo con una sonrisa, antes de darle un beso en la mejilla.

Ariella sonrió encantada y se fue con Anahid, que estaba esperándola a una discreta distancia.

Amanda se puso rígida mientras esperaba el castigo inminente, y vio que él se tensaba antes de volverse hacia ella.

–Señorita Carre, ¿os importaría...? –alzó la mano en un gesto, pero se calló de golpe cuando ella se agachó como para esquivarlo. Se quedó con la mano en alto entre los dos, y le preguntó perplejo–: ¿Qué estáis haciendo?

Amanda se sonrojó. Había quebrantado las normas que él había impuesto en su barco, así que tendría que aceptar el castigo que quisiera imponerle.

–Nada. Tranquilo, no voy a esquivar el golpe.

–*¿Qué?*

–Venga, adelante. Os he desobedecido.

–¿Creéis que voy a golpearos? –de Warenne bajó la mano de inmediato.

–Para eso son las manos, ¿no? –comentó con cautela.

Al ver que daba un paso hacia ella, se olvidó de su determinación y retrocedió, pero se quedó quieta cuando él se detuvo de golpe.

–¡No golpeo a las mujeres, señorita Carre! –exclamó, horrorizado–. No lo he hecho en toda mi vida, y nunca lo haré.

Amanda no supo si creerle o no.

–¿Es un truco?

Él la contempló con incredulidad, y pareció quedarse sin habla. La miró con compasión, y al fin le dijo:

–Estoy intentando invitaros a cenar conmigo esta noche.

–¿Queréis cenar conmigo? –estaba convencida de que se trataba de alguna treta.

–Sí. He pensado que podríamos conversar.

Amanda lo miró con suspicacia. Los hombres sólo querían a las mujeres para una cosa, y no era para conversar. Se le aceleró el corazón al darse cuenta de que debía de haber cambiado de opinión, y había decidido acostarse con ella.

–¿Aceptáis mi invitación?

Amanda no supo qué pensar. ¿Estaba dispuesto a dejar que pagara el pasaje en la cama? La mente se le llenó de imágenes vagas pero ardientes del amante de sus sueños, que de repente dejó de ser un desconocido sin rostro. Se imaginó a de Warenne acariciándola e inflamándola de deseo. A lo mejor no le importaría demasiado acostarse con él; al fin y al cabo, todo el mundo decía que era un amante excepcional. Había oído a las damas de la isla hablando sobre él en innumerables ocasiones, y algunas de ellas, las que habían compartido su lecho, se habían jactado ante sus amigas. De forma instintiva sabía que los rumores eran ciertos.

Sintió un hormigueo en la piel, como si estuviera inmersa en uno de sus apasionados sueños secretos, pero en esa ocasión el ardor era más intenso. Respiró hondo, y asintió.

–Sí, podemos cenar... y conversar.

Él entornó los ojos, y le dijo con firmeza:

–Mis intenciones son honorables.

Amanda no le creyó ni por asomo.

CAPÍTULO 5

Amanda estaba junto a la barandilla de popa, intentando mantener la compostura. No le resultaba nada fácil. Seis marineros habían sacado a cubierta el ataúd que contenía el cadáver de su padre, y aún seguía allí, reluciente bajo el sol caribeño. El Fair Lady contaba con una tripulación de unos trescientos hombres, y todos los marineros disponibles estaban en cubierta y mantenían un respetuoso silencio. De Warenne estaba hablando. En la mano tenía una Biblia de la que estaba leyendo algo, pero ella no entendía ni una sola palabra.

El dolor había aparecido de la nada, y la había paralizado. Horas antes, al zarpar, estaba entusiasmada y había olvidado lo que le había pasado a su padre, pero en ese momento estaba luchando por controlar la angustia que le provocaba su pérdida. Parecía una tarea monumental e imposible, ya que la acometía una oleada de dolor tras otra.

No quería perder la compostura delante de de Warenne, su familia y su tripulación.

«No puedo hacerlo. No puedo vivir sin papá, duele demasiado», se dijo, mientras las lágrimas empezaban a caerle por las mejillas.

Su padre había sido su vida entera. Su madre era una desconocida, y jamás podría reemplazarlo.

«Por favor, que este sueño se acabe. ¡Por favor!»

De repente, se dio cuenta de que todo estaba en silencio. Sólo se oían los crujidos de los mástiles, el aleteo de las velas, y el murmullo del mar. De Warenne había dejado de hablar.

No se atrevió a mirarlo; si lo hacía, iba a echarse a gritar de rabia y dolor.

Él se acercó, y con un tono de voz bajo e insoportablemente amable le dijo:

–¿Deseáis decir algo, señorita Carre?

Amanda se preguntó cómo iba a poder articular palabra si apenas podía respirar. El silencio que imperaba en el barco era horrible.

–¿Queréis despediros al menos? –le preguntó él con suavidad, mientras le posaba una mano en el hombro.

Ella alzó la mirada, y sintió que se ahogaba en el dolor y en la compasión que brillaban en sus ojos azules. Consiguió asentir, y tuvo que sofocar un sollozo.

Cuando la rodeó con un brazo y la llevó hasta el ataúd, Amanda se hincó de rodillas, abrazó la madera y apoyó la mejilla sobre la fría superficie.

«Te quiero, papá. Siempre te querré».

Tienes que ser fuerte, hija. Tienes que serlo siempre. Ahora estás en buenas manos.

Amanda se tensó, porque de nuevo tuvo la impresión de que su padre estaba justo allí, hablando con ella.

–No soy fuerte –susurró–. Es mentira. No puedo seguir adelante sola.

No estás sola, hija. Y claro que eres fuerte. Eres fuerte y valiente, que no se te olvide.

–No, no lo soy –dijo, antes de echarse a llorar.

Alguien le puso una mano en el hombro.

Todo va a salir bien, hija. Deja que me vaya.

–¡No me dejes! ¡Papá! –gritó, abrumada por el pánico.

Unas manos la pusieron de pie, y un brazo fuerte la apretó contra un cuerpo musculoso.

–Dejad que se marche, Amanda –de Warenne miró a sus marineros, y asintió.

Amanda empezó a llorar de nuevo mientras los seis hombres alzaban el ataúd y lo llevaban hacia la barandilla.

–Papá, no me dejes –jadeó.

–Descanse en paz –dijo de Warenne.

–Amén –murmuraron doscientos hombres.

Cuando arrojaron el ataúd al mar, Amanda gritó.

–Será mejor que os tumbéis un rato –le dijo de Warenne con firmeza, mientras la alejaba de la barandilla.

Amanda empezó a golpearle con los puños medio enloquecida, como si él fuera el asesino de su padre. De Warenne la alzó en brazos y la llevó hacia los camarotes, pero ella siguió golpeándolo sin parar. Le odiaba, odiaba a Woods, a los británicos, al mundo entero. Siguió golpeándole, hasta que la rabia se disipó y dio paso al agotamiento.

Amanda despertó al cabo de varias horas. Se quedó mirando el techo del camarote del capitán, más que consciente de que después del funeral de Warenne la había acostado en su enorme cama. Sabía que él le había dado algo de beber, pero no recordaba de qué licor se trataba. Había llorado y sollozado hasta que se había quedado dormida.

Estaba muy oscuro. Miró hacia las portillas abiertas, que dejaban pasar una suave brisa, y alcanzó a ver que era noche cerrada y que el cielo estaba salpicado de estrellas.

Se incorporó hasta sentarse sobre la colcha de damasco roja y dorada, y rozó con los dedos la sensual almohada de piel de leopardo. Su padre se había ido, y no iba a volver. Tenía que aceptarlo.

Al levantarse de la cama, se dio cuenta de que estaba descalza. Se preguntó si de Warenne le había quitado las botas, o si le había ordenado a alguien que lo hiciera. No tardó en encontrarlas, y se sentó en el suelo para ponérselas. El dolor y la angustia habían dado paso a la tristeza y la resignación.

Su reacción era natural. Su padre merecía que se llorara por su pérdida, no tendría que haber estado tan contenta al zarpar.

Se preguntó dónde estaba el capitán, y qué pensaba de ella. Seguro que no la consideraba valiente y fuerte. Había decepcionado a su padre.

–No te preocupes, se ha acabado la histeria femenina –se dijo a sí misma, aunque le habría gustado que él estuviera oyéndola–. Siento haberme portado como una tontorrona, papá.

En esa ocasión, no obtuvo respuesta.

Amanda suspiró. En cuanto salió del camarote, vio a de Warenne.

Su primer oficial, un escocés corpulento llamado MacIver, estaba al timón. De Warenne estaba con la mano apoyada en la barandilla de la cubierta principal, contemplando las formas plateadas que la luz de las estrellas dibujaba sobre el agua oscura. El viento había amainado, y la velocidad del barco había disminuido. La noche era templada y agradable, perfecta para navegar.

Él se volvió de repente. Se encontraban a bastantes metros de distancia, y el barco estaba sumido en sombras y oscuridad a pesar de que estaba mucho mejor iluminado que el de su padre, pero a pesar de todo, sus miradas se encontraron.

Se sintió como hipnotizada, y echó a andar hacia él.

–¿Habéis descansado? –le preguntó él, mientras la observaba con atención.

–Sí. Gracias por dejar que me acostara en vuestra cama.

–No digáis algo así en voz muy alta, pueden malinterpretaros.

Amanda no pudo evitar sonreír.

–Eso no me preocupa, dudo que alguien pueda acusaros de querer acostaros conmigo.

Al ver que apartaba la mirada, Amanda recordó el interés que había mostrado en ella aquella mañana, y la invitación a cenar que en realidad era una invitación a algo más. Empezó a ruborizarse, y sintió una extraña sensación en la parte baja del cuerpo. Se volvió hacia el mar, se agarró a la barandilla, y se dio cuenta demasiado tarde de lo cerca que estaban el uno del otro.

Le lanzó una rápida mirada de soslayo. Por primera vez en su vida, sentía algo por un hombre. Estar tan cerca de él le dificultaba la respiración y la ponía nerviosa. A lo mejor la invitaba a cenar al día siguiente.

Al ver que permanecía callado, se volvió de nuevo hacia el mar y contempló el reflejo de la luz de las estrellas sobre el agua. Hasta donde la vista alcanzaba, lo único que se veía era la negrura reluciente del mar, que parecía infinito, imponente, poderoso... y reconfortante; de hecho, lo último podía decirse también de de Warenne. Era terriblemente consciente de su cuerpo masculino y de la tensión de sus propias extremidades, pero lo más significativo era que se sentía segura y a salvo al tenerlo a su lado.

Esbozó una sonrisa. No le hacía falta preguntar para saber que estaba disfrutando de la belleza y la serenidad del momento. Ella también, pero tenía que admitir que estaba saboreando el hecho de tenerlo cerca, de estar con él.

Tras un largo momento en el que compartieron un silencio sorprendentemente cómodo, ella comentó:

–Es una noche perfecta, ¿verdad?

–Sí.

Amanda sintió que se le aceleraba el corazón cuando sus ojos se encontraron, y se volvió de nuevo hacia la extensión infinita de agua. Su padre se había ido de verdad, pero la noche era perfecta. A pesar de que debería sentirse como una traidora, sabía que él habría querido que disfrutara de aquel momento.

De repente, le sonó el estómago, y de Warenne la miró sonriente.

–Eso no es digno de una dama, ¿verdad? –comentó, sonrojada.

–Me habéis dicho en varias ocasiones que no os interesa ser una dama.

Amanda pensó en el elegante camisón que tenía guardado en su petate.

–No me interesa –como sabía que no estaba siendo del todo sincera, se apresuró a cambiar de tema–. Si de verdad queríais cenar conmigo, he arruinado la velada.

–Sí que quería, y no lo habéis hecho.

Amanda se volvió hasta que estuvieron cara a cara, y le preguntó:

–¿Qué queréis decir?

Él recorrió su rostro con la mirada poco a poco antes de decir:

–No he comido nada. Tenía la esperanza de que cenarais conmigo al despertar.

De modo que había cambiado de opinión, y había decidido acostarse con ella. En vez de sentirse horrorizada, sintió una mezcla de nerviosismo y excitación. Había llegado el momento de pagar por su pasaje. Alzó la mirada hacia él lentamente, pensando en lo que se avecinaba, y se dio cuenta de que quería acostarse con aquel hombre. Sólo quedaba rezar para no quedar como una tonta, pero como era muy lista, seguro que no tardaría en pillarle el tranquillo al asunto en cuanto él empezara.

–Disculpadme, voy a ordenar que preparen la cena.

Amanda inhaló con fuerza mientras él se alejaba, y se aferró a la barandilla. El corazón se le aceleró aún más, y de repente entendió lo que era el deseo.

–Vamos, señorita Carre –le dijo él, sonriente, desde la puerta de su camarote.

Amanda se mordió el labio, y fue hacia él. A pesar de que estaba vestido con una sencilla camisa de lino, unos pantalones claros y unas botas altas, le habría gustado llevar puesto un vestido... aunque lo cierto era que no tenía ninguno.

Se detuvo en seco al ver la mesa. En los candelabros de oro había largas velas color marfil encendidas, y sobre el mantel blanco que cubría la mesa alguien había colocado unas servilletas de lino, cubiertos dorados, vasos de vino de cristal, y unos preciosos platos esmaltados en rojo y azul con los bordes dorados. Junto a varias fuentes humeantes de plata había una bandeja con una botella de vino.

Se quedó petrificada, ya que jamás había visto algo así.

–Por favor –de Warenne pasó junto a ella, y apartó una de las sillas de terciopelo rojo.

–¿Vamos a comer de verdad? –Amanda se preguntó si estaba soñando.

–Por supuesto. Os he invitado a cenar.

Amanda era incapaz de apartar la mirada de aquella mesa tan elegante. Nunca había visto nada igual. No era una mesa apropiada para la hija de Carre, sino para una reina.

–¿Señorita Carre?

Apenas le oyó, pero en ese momento se dio cuenta de que estaba equivocada. De Warenne no habría preparado aquella mesa tan elegante si simplemente quisiera acostarse con ella. Sintió una mezcla de asombro y desconcierto, y al alzar la mirada hacia él vio que seguía junto a la silla.

Se acercó a él con cautela. En una ocasión, su padre había apartado una silla para su amante, pero los dos estaban tambaleantes y borrachos, y se habían reído a carcajadas por aquel gesto que consideraban absurdo mientras se burlaban de los aires de grandeza de los nobles. Su padre había acabado con la pantomima al sentar a la mujer en su regazo mientras hundía las manos en su escote.

Amanda se quedó mirando a de Warenne con perplejidad. ¿Cómo podía ser tan amable, generoso y atractivo? Él le había asegurado que era un caballero y que no tenía intenciones aviesas, y empezaba a creerle; al fin y al cabo, no le hacía falta organizar una elaborada seducción por alguien como ella.

–Sentaos, por favor –le dijo él con voz suave.

–¿Esto no es un intento de seducción?

–No –le contestó, mirándola a los ojos.

–¿Por qué?

A pesar de la luz tenue, Amanda alcanzó a ver que se ruborizaba.

–¿Por qué no es un intento de seducción?

–No, ¿por qué estáis haciendo todo esto? ¿Por qué queréis cenar conmigo? No soy ni un duque ni un almirante, y tampoco guapa o elegante. ¿Por qué?

Él permaneció en silencio, sin dejar de mirarla a los ojos, y tardó unos segundos en contestar.

–Es más agradable cenar acompañado que solo; además, me gustaría que me hablarais de vuestra vida.

–¿Mi vida? –Amanda no supo cómo reaccionar. Su vida carecía de importancia, y era la primera persona que mostraba interés en ella.

–No suelo rescatar a hijas de piratas –le dijo él, en tono de broma.

Ella no pudo contener una sonrisa, aunque si el comentario lo hubiera hecho otra persona, le habría resultado ofensivo.

–Mi vida os aburriría, preferiría que me hablarais de la vuestra.

–¡La mía os resultaría de lo más aburrida!

Amanda se echó a reír.

–¡Sois un miembro de la realeza!

–Eso es muy exagerado, cariño –comentó él, con una carcajada, mientras le indicaba que se sentara.

Amanda obedeció, aunque se sentía un poco aturdida. Era la primera vez que alguien la llamaba «cariño». Bueno, sabía que no se lo había dicho en serio; al fin y al cabo, llamaba así a su hija... pero ella no era su hija, y no quería que la considerara una niña. La forma en que había pronunciado aquella palabra le había resultado de lo más seductora, y anheló con toda su alma que la llamara «cariño» de nuevo... pero en serio.

Después de ayudarla a sentarse, ocupó su puesto frente a ella y agarró la botella de vino, pero pareció vacilar y dejó de sonreír mientras volvía a dejarla sobre la mesa.

–Tengo que preguntároslo. ¿Cuántos años tenéis, señorita Carre?

–Veintiuno –le contestó, sin pensárselo dos veces, mientras el corazón le martilleaba en el pecho. Quería parecerle más madura y experimentada de lo que era en realidad–. ¿Y vos?

Él se echó a reír.

–Amanda, los dos sabemos que distáis mucho de los veintiuno. Yo tengo veintiocho –dudó por un instante, y se apresuró a corregirse–. Digo... señorita Carre.

Amanda había supuesto que debía de estar cerca de los treinta, y había acertado. Se preguntó qué edad podía decirle que fuera plausible.

–Tengo casi veinte. Y ya os he dicho que no soy una dama, y que podéis llamarme Amanda.

Él la contempló en silencio durante unos segundos antes de decir:

–¿En serio?

–En serio. Me apetece un poco de vino –al ver que le servía apenas unos dedos antes de llenar su propio vaso, masculló–: y yo que pensaba que erais un tipo generoso...

–Creo que tenéis dieciséis, puede que diecisiete –le dijo él.

Amanda suspiró con resignación. Tenía diecisiete, y en agosto iba a cumplir los dieciocho. En vez de responder, bajó la mirada y alzó su vaso, pero su pequeño engaño se le olvidó en cuanto tomó un sorbo. El vino que bebía con su padre era espeso y avinagrado, siempre había preferido el ron.

–¿Qué es esto? –le preguntó, atónita.

Él se reclinó en la silla, y sonrió de oreja a oreja.

–A juzgar por vuestra reacción, supongo que os gusta.

–Está buenísimo... es una mezcla de moras y terciopelo.

–Tiene un fuerte toque de mora, y el punto justo de tanino. Procede de la Rioja.

Amanda estaba demasiado ocupada tomando otro trago para contestar. Aquel vino era maravilloso.

–Vais a emborracharos si no vais con cuidado –le dijo él con tono afable. Aún no había tocado su propio vaso, y parecía contentarse con observarla.

Amanda deseó poder leerle el pensamiento. Esbozó una sonrisa, y comentó:

–No sabía que existía un vino tan bueno. ¿Por qué me miráis así?

Él se ruborizó, y apartó la mirada.

–Disculpadme.

–¿Es por mi camisa?, ¿es que tendría que haberme recogido el pelo?

–A la camisa no le pasa nada. He sido un maleducado, no se repetirá –le dijo, con una sonrisa forzada.

Amanda se enroscó el pelo, y admitió:

–La única ropa que tengo aparte de la que llevo puesta es aquel camisón.

–No es por vuestro pelo... es precioso, de verdad... ni por vuestra ropa. Me gustaría que disfrutarais de la cena, mi chef es excelente.

Amanda se quedó boquiabierta. ¿Le gustaba su pelo? Cada verano se cortaba unos treinta centímetros con la daga, pero como no dejaba de crecerle, aquel verano ni siquiera se había tomado la molestia; además, teniendo en cuenta lo de la captura de su padre, el pelo había sido la última de sus preocupaciones.

–Lo llevo demasiado largo.

–No os lo cortéis –le dijo él, aún más sonrojado.

–¿De verdad creéis que tengo un pelo bonito?

Él empezó a tamborilear con los dedos en la mesa, hasta que al final la miró y admitió:

–Sí.

Amanda sintió una alegría inmensa, y sonrió al mirarlo a los ojos. Él apartó la mirada antes de preguntarle:

–¿Cuántos años decís que tenéis?

–Casi veinte, de Warenne –le dijo, ya que no quería revelarle la verdad.

Él la miró con una expresión inescrutable.

–Eso es imposible. Está claro que os encontráis en un periodo intermedio, que sois niña y mujer a la vez.

–Estáis soltando un montón de tonterías –le espetó ella con irritación–. Nadie es mitad niña y mitad mujer, y está claro que esta misma mañana me considerabais una mujer hecha y derecha.

Cuando él se tensó y se irguió en la silla, se quedó mirándolo desafiante y esperó a que respondiera; finalmente, de Warenne esbozó una sonrisa y le dijo:

–Os habéis criado entre marineros sin modales, así que sabéis cómo somos los hombres. He intentado comportarme como un caballero con vos, pero debo admitir mis defectos. Soy un hombre muy viril, nada más. No malinterpretéis mis acciones.

Amanda no alcanzó a entenderle, pero cuando él le lanzó una sonrisa directa y sensual que le derritió el corazón, la mente se le quedó en blanco y se le aceleró el corazón.

–Habladme de vos –le dijo él, mientras le llenaba el vaso de vino.

Ella apenas entendió lo que estaba diciéndole.

–¿Cuándo fuisteis a vivir a Jamaica con vuestro padre, Amanda?

Ella inhaló con fuerza y luchó por recuperar la compostura, pero no le resultó nada fácil sobreponerse a su sonrisa y su mirada.

–A los cuatro años –consiguió decir al fin.

–¿Dónde vivíais anteriormente? –le preguntó. Tenía su propio vaso en la mano, y de vez en cuando tomaba un trago.

–En St. Mawes. Está en Cornwall, nací allí.

–St. Mawes... está en la costa este, ¿verdad?

–Sí, mi madre nació allí.

–¿Cómo se conocieron vuestros padres?

Amanda se sorprendió al ver que parecía realmente interesado en su vida.

–Papá era guardiamarina en un navío de línea de la armada. Mamá estaba de vacaciones en Brighton con su madre y sus hermanas, y él estaba allí de permiso. Fue amor a primera vista –añadió, sonriente.

Creía que él no tardaría en empezar a aburrirse, pero de momento parecía bastante interesado en su historia.

–Había oído que Carre había sido oficial de la armada. Así que sirvió en un navío de línea... impresionante.

Los navíos de línea eran los mayores barcos de guerra de la armada británica. Se trataba de naves de tres cubiertas con más de cien piezas de artillería y tripulaciones que en ocasiones superaban los ochocientos hombres.

–Mi padre era muy aguerrido en aquel entonces.

–Y vuestra madre cayó rendida a sus pies, ¿no?

–Exacto –su sonrisa se desvaneció cuando añadió–: pero entonces él se pasó al otro lado de la ley.

–¿Después de que se casaran?

–Sí, y de que yo naciera. Mamá lo echó.

–Quizás conozco a vuestra familia materna. Mi hermano Rex tiene propiedades en Cornwall que he visitado en alguna ocasión, aunque sin demasiada frecuencia.

–Mi madre era una Straithferne –comentó ella con orgullo–. Es una familia con raíces muy antiguas, que se remontan a los tiempos de los anglosajones.

–Ya veo que se trata de toda una dama.

–Sí, es una gran dama. Papá me contó que se comporta con decoro y corrección bajo cualquier circunstancia, y que es muy guapa.

Amanda sonrió, pero estaba empezando a ponerse un poco nerviosa. Era muy fácil olvidar que en seis semanas iba a presentarse en la casa londinense de su madre. Al darse cuenta de que de Warenne estaba observándola con atención, se apresuró a sonreír con más firmeza, ya que no quería que supiera que ir a Inglaterra la asustaba más que una batalla naval.

–¿Su familia aún tiene propiedades en St. Mawes?

Amanda se sentó muy erguida, y le dijo:

–Estáis haciéndome muchas preguntas sobre mi madre –de Warenne era un mujeriego, y su madre una gran belleza. Se le encogió el corazón ante la posibilidad de que pudiera estar interesado en ella.

–¿Os encontráis bien?

Amanda fue incapaz de sonreír.

–¿Amanda?

–¿Conocéis a mi madre?

–Me temo que no. Y tampoco me suena el apellido Straithferne.

Amanda sintió un alivio enorme, y se reclinó en la silla.

–Me sorprende que vuestra madre permitiera que os trasladarais a las Indias Occidentales con vuestro padre.

Amanda sentía tal alivio por el hecho de que no estuviera interesado en ser el amante de su madre, que no le prestó atención a su tono de voz aparentemente indiferente.

–No lo permitió. Mi padre le rompió el corazón al arrancarme de sus brazos –al ver que enarcaba las cejas en un gesto de sorpresa, se puso a la defensiva–. No le permitían visitarme. Si mamá hubiera sido más comprensiva, no habría tenido que robarme. Pero ella no quería que me visitara, y como me echaba mucho de menos, vino a por mí.

–Lo lamento, es una historia terrible –le dijo él, muy serio.

–Bueno, yo no me acuerdo de nada, ni siquiera de mi madre. Aunque me gustaría recordarla.

–Quizás sea mejor que no recordéis cómo os arrebataron de los brazos de vuestra madre.

–Quiero mucho a mi padre, y me alegro de que me llevara con él.

Él la contempló en silencio antes de decir:

–Lo sé.

A pesar de todo, Amanda se sintió entristecida. Era un dolor muy diferente al que sentía por la muerte de su padre. No podía evitar preguntarse cómo habría sido su vida si su padre no se la hubiera llevado de St. Mawes, y aquella cuestión la había atormentado durante casi toda su vida.

–Yo nunca seré una gran dama como mi madre, pero me da igual. Me encanta el mar, y si pudiera elegir mi destino, optaría por quedarme así, a bordo de un gran barco, y surcar las olas por siempre.

Él bajó la mirada, y permaneció en silencio mientras jugueteaba con los cubiertos.

–Supongo que creéis que soy una tonta. A veces yo misma lo creo.

–No, no creo que seáis una tonta, Amanda –le contestó, sin mirarla.

Su tono de voz fue como la caricia de la seda, pareció rozarle la piel y fue dejando a su paso un extraño cosquilleo. Como seguía sin alzar la mirada, pudo contemplarlo a placer. Era tan guapo, que contuvo el aliento de forma audible. Estaba ruborizado, seguramente debido al vino. Si varios años atrás alguien le hubiera dicho que iba a cenar a solas con Cliff de Warenne en el camarote del capitán de su fragata, se habría reído a mandíbula batiente, pero allí estaban, a solas; además, él le había hecho un montón de preguntas íntimas, así que era obvio que estaba realmente interesado en su vida.

Y le había dicho que le gustaba su pelo, que era precioso. La mujer que había visto reflejada en el espejo en Windsong, la que llevaba el costoso camisón blanco de encaje, le había parecido extrañamente seductora, pero ella no era esa persona. No era más que Amanda Carre, a la que los isleños conocían como La Sauvage o «la hija del pirata», una muchacha delgaducha de pelo largo y desmadejado que vestía ropa usada de chico.

Pero el camisón estaba en su petate, y el pelo podía peinarse...

De repente, se imaginó entrando en el camarote con un lazo en el pelo, ataviada con el camisón. Se imaginó que la miraba tal y como lo había hecho aquella mañana, en el vestíbulo de la casa.

Se puso roja como un tomate, y se le aceleró el corazón. Él alzó la mirada, y sus ojos se encontraron.

De repente, todos los sonidos se desvanecieron. El aleteo de las velas, el murmullo del agua contra el casco del barco, el suave crujido de las cuerdas, el golpeteo de las cadenas... lo único que existía era el hombre poderoso y atrayente que estaba sentado delante de ella, y su propio corazón desbocado.

Amanda quería que la besara. No podía seguir negándolo, apenas podía pensar en otra cosa.

De Warenne carraspeó, y le dijo:

–Deberíamos empezar a cenar antes de que se enfríe la comida.

Amanda se había quedado sin habla. Jamás había deseado que la tocara un hombre, pero anhelaba que de Warenne la besara y la acariciara, e incluso quería tocarlo a su vez. El problema era que él le había dicho que sus intenciones eran honorables.

Cuando él alzó la tapa de una de las fuentes de plata, el delicioso aroma de un guisado de gallina de Guinea llenó el ambiente. Amanda apenas alcanzó a esbozar una sonrisa mientras le veía servir la comida, y se preguntó si era el momento de insinuársele.

–De Warenne... –su propia voz le pareció extraña, ronca y profunda.

Él alzó la mirada, y se puso muy serio.

–Vamos a disfrutar de la cena, Amanda.

–No tengo hambre –miró hacia la cama. ¿Por qué no se limitaba a llevarla hasta allí de una vez?

Él se puso en pie de golpe, y le dijo:

–Disculpadme, he oído a Ariella... debe de tener una pesadilla. No me esperéis, disfrutad de la cena –sin más, salió del camarote.

CAPÍTULO 6

Como el viento no había arreciado, Cliff ordenó que se arrizara casi todo el velamen. La velocidad del enorme barco se había reducido hasta un par de nudos, y el sol naciente empezaba a teñir el cielo de rojo y rosa. Uno de sus oficiales tomó el timón mientras él se quitaba la camisa junto a la barandilla. No era inusual que se diera un baño cuando hacía poco viento o en intervalos de calma. Era posible que sus hombres tuvieran razón al tomarle por loco, porque le encantaba la breve zambullida en las frías aguas del Atlántico.

Mientras se desnudaba no pudo dejar de pensar en lo que había ocurrido la noche anterior. Era obvio que invitar a cenar a Amanda había sido un error, ya que estaba encandilado con su mirada inocente, su sonrisa y su forma de expresarse. Nunca había conocido a una mujer así. Quizás lo que le atraía tanto era la mezcla de inocencia y valor, de candor y descaro, de ignorancia y sabiduría. Era una combinación increíble de belleza y contradicciones. O quizás lo que le afectaba tanto era la compasión que sentía por ella. Quería protegerla, pero también hacer el amor con ella. La noche anterior había tenido miedo de ceder ante la tentación, de dejar a un lado todo decoro y llevarla a la cama; al fin y al cabo, había quedado patente que ella estaba más que dispuesta. No había oído a Ariella, había sido una excusa para alejarse de ella y recuperar algo de compostura y de sentido común.

Pero no había compostura posible, y todo carecía de sentido. En cuestión de varios días, aquella muchacha se había convertido en el centro de su vida.

Amanda necesitaba que la protegiera, eso había quedado claro desde el momento en que se habían conocido en King's House, cuando ella había llegado con una pistola cargada y había exigido hablar con el gobernador. Era obvio que ella misma era su peor enemiga, lo había demostrado al intentar seducir a Woods. No podía abandonarla a su suerte, estaba sola y acababa de perder a su padre. Él era su único recurso, y no iba a dudar en añadirla a sus otras responsabilidades.

La noche anterior no la había invitado a cenar sólo porque deseara su compañía, aunque había disfrutado inmensamente hasta la intromisión de su propia naturaleza lujuriosa, sino porque quería saber más sobre su vida. Había sido muy fácil manipularla, y ella le había contado todo lo que quería saber de momento. A pesar de que quería que Amanda tuviera una familia con una sólida situación económica, le intranquilizaba el hecho de que su madre fuera una dama distinguida que quizás incluso pertenecía a la nobleza.

Madre e hija llevaban separadas unos diez años por lo menos, y tanto el sentido común como su intuición le decían que la reunión no iba a ser fácil ni agradable; además, la historia no acababa de encajar. Estaba claro que ella la creía a pies juntillas, pero él sospechaba que lo que le habían contado a Amanda no era toda la verdad, y su intuición casi nunca le fallaba.

Aunque la historia fuera tal y como ella le había contado, estaba convencido de que Amanda tenía por delante más dolor e incluso humillación. Deseaba de corazón que su madre se mostrara encantada de tenerla a su lado de nuevo, pero era poco probable que se alegrara de la súbita aparición de la hija que había tenido con un pirata. Y suponiendo que la mujer se alegrara, sus amistades y su familia no iban a mostrarse tan tolerantes. Él sabía de primera mano que las damas, a pesar de ser guapas, elegantes y excelentes en la cama, eran unas esnobs de cuidado. En la alta sociedad no había lugar para la excentricidad. ¿Cómo diablos iba a encajar Amanda en la vida de su madre?

Un vestido hermoso no podía ocultar su forma de hablar y de comportarse, ni su ascendencia humilde. A pesar de que a veces su comportamiento le parecía cautivador, en varias ocasiones le había escandalizado de verdad, y eso no era tarea fácil.

Estaba convencido de que la alta sociedad no iba a aceptar a La Sauvage.

No entendía ni aceptaba el deseo que sentía por ella. Tenía que borrarlo por completo. Tampoco entendía aquella necesidad abrumadora de protegerla, pero como era una reacción honorable, podía aceptarla; sin embargo, era consciente de que proteger a Amanda Carre podía enredarlo aún más en su vida. Sólo cabía esperar que su madre fuera una dama que no estuviera demasiado metida en la alta sociedad. Si era una mujer de buen corazón y cariñosa, podría dejar a Amanda en sus manos y marcharse sin más, convencido de que iba a tener un buen futuro. No quería ahondar en la más que probable posibilidad de que Dulcea se mostrara horrorizada ante la súbita aparición de su hija, y reaccionara de forma desfavorable.

De repente, recordó la expresión en el rostro de la señorita Delington cuando había creído que Amanda era su amante. La reacción de aquella mujer era típica del prejuicio y la intolerancia de la alta sociedad, y tenía miedo de que Amanda tuviera que soportar ese tipo de actitud. Sí, era hija de un pirata y podía mostrarse zafia y ordinaria, pero también era inteligente, ingeniosa y decidida... y una de las personas más vulnerables que había conocido en toda su vida. La noche anterior la había encontrado acurrucada en el suelo de su camarote, sobre una de las alfombras. Estaba profundamente dormida e increíblemente bella, y al verla allí, tan necesitada de un buen anclaje en su vida, había entendido por qué necesitaba protegerla. Todo barco iba a la deriva sin un ancla.

–¿Os encontráis mal, capitán?

Aquella voz le arrancó de golpe de su ensoñación. Estaba desnudo junto a la barandilla, con la vista fija en el horizonte, absorto en sus pensamientos. Sin molestarse en contestar al marinero, se subió a la barandilla y se zambulló en el océano.

El agua estaba tan fría, que el impacto lo paralizó por un instante y empezó a hundirse. Su mente fue la primera en reaccionar, y le avisó de inmediato que tenía que nadar si quería vivir; el corazón empezó a latirle con fuerza, impulsado por una corriente de adrenalina. Empezó a nadar, y tuvo que hacer acopio de todas sus fuerzas para avanzar por el agua gélida. Por un instante, pensó que no iba a conseguirlo. Le dolían los músculos, empezó a marearse... de repente alcanzó la superficie, e inhaló profundamente el aire cálido.

Cuando alguien le lanzó una cuerda, se aferró a ella riendo, y subió a bordo revigorizado y lleno de entusiasmo. Dos de sus hombres le ayudaron a pasar por encima de la barandilla, y se sacudió el agua del pelo con una carcajada mientras el corazón seguía latiéndole acelerado después de su lucha por sobrevivir.

–¿El agua estaba lo bastante fría, capitán? –le preguntó MacIver desde el alcázar.

Cliff se incorporó sin dejar de sonreír, mientras el sol de la mañana lo calentaba. Alzó la cara, extendió los brazos, y se sintió poderoso y pagano, en sintonía con el sol y el mar. El ritmo de su corazón fue normalizándose, el temblor se desvaneció, y la euforia fue disminuyendo. Se volvió hacia su primer oficial, y le dijo:

–Tendrías que probarlo alguna vez.

Se volvió para agarrar una toalla de algodón, y se detuvo de golpe al ver a Amanda cerca de su camarote. No tenía ni idea de cuánto tiempo llevaba en cubierta, pero la forma en que lo miraba era inconfundible. Lo contemplaba como si fuera el primer hombre al que veía desnudo... como si deseara verlo mucho más de cerca.

Su miembro se irguió de inmediato, como si estuviera ansioso por complacerla.

Tardó unos segundos en poder apartar la mirada, y en ese instante el tiempo se detuvo y el pensamiento y la razón se rindieron ante el deseo. Al verla humedeciéndose los labios, se le aceleró el corazón y se apresuró a volverse mientras oía la risita encubierta de uno de los marineros. Agarró la toalla para colocársela alrededor de la cintura, pero como su miembro seguía dolorosamente erguido, la usó para secarse el pelo. Se tomó su tiempo, y al final la echó a un lado y empezó a ponerse los pantalones con tranquilidad, como si ella no estuviera allí, a pesar de que sentía su calidez y olía el aroma de su deseo.

Estaba tan afectada como él.

Mientras se ponía los calcetines, se recordó que era fruta prohibida, pero su cuerpo protestó de inmediato y en ese momento no alcanzó a recordar por qué había decidido que no podía tener a aquella mujer.

Antes de empezar a ponerse las botas, supo que se había ido. Se volvió a tiempo de verla entrar en el camarote del capitán. Había pasado la noche allí, sola.

–Todos sabemos lo que está buscando esa preciosidad –dijo uno de los marineros con tono burlón.

Cliff se sacó la daga de la bota, y la apretó contra su cuello.

–Tú no sabes nada –le dijo, mientras hundía la hoja en su piel.

El marinero jadeó horrorizado, pero el corte fue apenas un rasguño.

–Encerradlo –masculló Cliff.

Dos de los oficiales bajaron del alcázar y agarraron al marinero, que empezó a protestar de inmediato. Cliff le dio la espalda, en un gesto que dejaba claro que no pensaba cambiar de idea. La insolencia no tenía cabida en su embarcación, y aquel hombre había insultado a Amanda. Decidió que lo abandonarían a su suerte cerca de la costa española, ya que en la zona había varias islas rocosas en las que uno no podía sobrevivir durante demasiado tiempo. El tipo tenía suerte de que no lo pasara por la quilla, y si era realmente afortunado, algún barco lo rescataría.

Se sentó para ponerse las botas, mientras intentaba aplacar la furia que lo atenazaba.

Amanda se apoyó contra la pared, y luchó por recuperar la respiración. Jamás podría olvidar la imagen de Cliff de Warenne desnudándose bajo la luz del amanecer y dejando al descubierto su cuerpo musculoso, jamás podría olvidar el momento en que había subido a la barandilla y se había zambullido en el océano. Había tenido que taparse la boca con la mano para contener un grito de miedo, y a pesar de que no había pasado más de unos segundos en el agua, le había parecido que transcurría una eternidad hasta que lo había visto salir a la superficie. Después de subir de nuevo a bordo riendo, había alzado los brazos y el rostro hacia el sol mientras saboreaba su valor, su poder, su masculinidad.

Al recordar la forma en que su miembro se había erguido cuando la había mirado, soltó un jadeo ante la oleada de deseo que la recorrió. La noche anterior había pensado que entendía lo que era el deseo, pero se había equivocado, porque acababa de descubrirlo. Era el hombre más apuesto, viril y heroico que había visto en su vida, y la había dejado sin respiración. El anhelo que la desgarraba era tan intenso, que se abrazó con fuerza.

La tensión fue desvaneciéndose poco a poco, y al fin se apartó de la pared y abrió la puerta del camarote. De Warenne estaba en el alcázar con sus oficiales, de espaldas a ella, pero de repente se lo imaginó desnudo, adorando al sol como un pagano, como un dios. Al recordar cómo le había puesto la daga al cuello al marinero que la había insultado, inhaló con fuerza. Nunca había conocido a un hombre como él.

–¿Señorita Carre?

Se dio cuenta de que Ariella se le había acercado, acompañada de la mujer armenia. La niña llevaba un libro, como siempre. Le devolvió la sonrisa, y le dijo:

–Hola –se preguntó cómo habría reaccionado de Warenne si sus hijos le hubieran visto nadando desnudo al amanecer.

–Es la hora de mis clases, y papá quiere que estudie en su camarote.

Amanda se apartó para dejarlas pasar, y le preguntó con curiosidad:

–¿Tu hermano no tiene clase?

–Está abajo, con el velero –Ariella hizo una mueca, y comentó–: Papá le ha dado permiso para que aprenda a arreglar las velas –sacudió la cabeza, como si fuera una idea absurda–. Su latín es casi tan malo como su francés.

Amanda entró en el camarote tras la niña, y le dijo:

–Si tu hermano va a ser el capitán de este barco algún día, tiene que saberlo todo sobre la navegación, incluso cómo se arreglan las velas.

–Si no sabe francés, no podrá negociar con los comerciantes de Francia y de Marruecos –Ariella se sentó en la mesa, y se puso a leer.

Amanda se ruborizó. Aquella niña era muy inteligente, y estaba claro que de Warenne se sentía muy orgulloso de ella.

–¿Qué estás leyendo?

–Una guía de Londres –le contestó la pequeña, sin levantar la mirada.

–¿En serio? –Amanda miró por encima de su hombro, y vio un dibujo precioso de un puente–. ¿Es el Puente de Londres?

–Sí –Ariella la miró con una sonrisa, y le dijo–: ¿Quieres leerlo?, tengo más libros.

Amanda se ruborizó, y al final admitió:

–No sé leer.

Ariella se echó a reír, y Anahid le dijo con reprobación:

–¡Ariella!

–Lo siento, pensaba que era una broma. ¿Por qué no sabes leer?

–Mi padre era un pirata –al recordar que el día anterior había mentido, se apresuró a añadir–: Creía que leer no era importante, así que no me enseñó.

–¿Quieres aprender? Yo podría enseñarte, o *monsieur* Michelle.

Amanda sintió que se le aceleraba el corazón, y la miró a los ojos.

–Me encantaría aprender, pero seguro que tu padre no lo permite –susurró con cautela–. Quiere que aprendas, y tu profesor está aquí para enseñarte a ti.

Ariella sonrió, y miró hacia la puerta.

–Os equivocáis –murmuró de Warenne.

Amanda se volvió de golpe, y se ruborizó al recordarlo de nuevo desnudo y poderoso en cubierta, saboreando su cuerpo y su vida.

Él bajó la mirada, y entró en el camarote.

–No me importa que *monsieur* Michelle o mi hija os enseñen. Saber leer es una bendición, me alegro de que queráis aprender –le dijo, antes de mirarla a los ojos.

Amanda no podía dejar de imaginárselo desnudo y siguió roja como un tomate, pero el tema que estaban tratando era muy importante.

–Me sé casi todas las letras, las aprendí yo sola.

–Estoy seguro de que seréis una estudiante modélica, Amanda. ¿Alguna vez habéis fracasado en algo?

Ella intentó respirar con normalidad, pero la mirada de aquel hombre, su tono de voz, y hasta la postura de su cuerpo, eran de lo más atrayentes. Estaba convencida de que él también había notado la tensión que se había creado aquella mañana y que aún seguía viva en ese momento, ya que llenaba la habitación y parecía permanecer al acecho como un depredador, a pesar de la presencia de Ariella y Anahid.

–Podemos estudiar juntas –dijo la niña.

En ese momento, un caballero entró en el camarote, cargado con un montón de libros y hojas.

–Ah, bonjour, mes amis. Monsieur le Capitaine, bonjour.

–Bonjour, Jean-Paul –le dijo de Warenne, en un francés perfecto–. ¿Conoces a mi invitada, la señorita Carre?

–Mais non.

Antes de que Amanda pudiera reaccionar, *monsieur* Michelle le tomó la mano. Al ver que la alzaba hacia sus labios, se tensó de inmediato.

–Enchanté, mademoiselle, je suis véritablement enchanté.

Amanda se sintió ridícula, y miró a de Warenne sin saber cómo reaccionar. El brillo de deseo de sus ojos azules había dejado paso a una cálida comprensión. Al ver que él le hacía un gesto de asentimiento, permitió que el tutor le besara la mano, pero siguió sintiéndose incómoda y en cuanto pudo se soltó y se metió la mano en el bolsillo.

Michelle parecía un poco desconcertado, pero de Warenne le dio una palmada en el hombro y le dijo:

–Jean-Paul, quiero que enseñes a leer y a escribir a la señorita Carre. Estoy convencido de que para cuando el viaje concluya ya lo habrás conseguido.

–¿Queréis que aprenda en seis semanas? *Capitaine, monsieur, c'est impossible!*

–C'est très possible, je suis sûr –le contestó de Warenne, tranquilo y sonriente–. *D'accord?*

Monsieur Michelle miró a Amanda, y murmuró con resignación:

–Oui.

Amanda se había criado en las islas, así que entendía el español, el francés, el portugués, el hebreo y el holandés. Conocía unas cuantas palabras de cada lengua y podía arreglárselas si hacía falta, así que había entendido toda la conversación.

–*Monsieur, je veux apprendre à lire et je promets d'étudier beaucoup.*

El rostro de Michelle se iluminó.

–*Parlez-vous français?*

–Un poco –Amanda miró a de Warenne para ver si le había impresionado, y el corazón le dio un brinco cuando él sonrió y asintió con aprobación.

De Warenne estaba en el alcázar durante la guardia de media, disfrutando del tacto suave y sensual del timón, del suave balanceo de la cubierta bajo sus pies, de sentirse unido a su nave y a Dios mientras navegaba hacia la inmensa oscuridad de la eternidad. El cielo estaba tachonado de estrellas, la brisa era suave, y el océano brillaba como el satén negro. Las horas entre la medianoche y el amanecer eran sus preferidas. Había descansado dos horas después de cenar y aprovecharía una o dos más antes de que amaneciera, pero mientras tanto, estaba dejando que su mente fuera a la deriva y se había sumido en una profunda serenidad.

–¿Capitán?

No estaba solo, ya que el oficial de guardia se encontraba en la barandilla de babor y había dos marineros junto al mástil principal, pero como ya era más de medianoche, la súbita aparición de Amanda lo sorprendió. Se volvió de inmediato, y ella le sonrió vacilante desde la cubierta principal.

–Permiso para subir al alcázar.

–Concedido –le dijo él con voz suave.

Sus hombres sabían lo mucho que disfrutaba de la soledad a aquella hora, así que nadie le molestaba durante la guardia de media a menos que hubiera alguna emergencia, pero se sorprendió al darse cuenta de que aquella inesperada visita le resultaba de lo más agradable.

Ella subió al alcázar y, sin mirarlo siquiera, se colocó a su lado de cara al bauprés y alzó el rostro para disfrutar de la caricia de la brisa. La contempló embobado, y fue incapaz de apartar la mirada. El corazón le dio un vuelco antes de empezar a martillearle en el pecho, y el cuerpo entero se le tensó mientras lo acometía una oleada de deseo. Se preguntó por qué se sentía tan atraído por ella. Quizás era por el hecho de que el mar la afectaba tanto como a él, o a lo mejor se trataba del deseo primitivo que provocaba una mujer hermosa.

Pero en su vida había habido muchas mujeres hermosas, y ella era diferente. Nunca antes había experimentado un deseo tan intenso, ni una necesidad tan avasalladora de proteger a alguien del peligro y el dolor. Se recordó que tenía que mantener las distancias, sobre todo a una hora tan peligrosa.

–Es una noche preciosa –comentó en voz baja.

–Sí, es verdad –le contestó Amanda, sonriente.

–Es tarde.

–No podía dormir.

La contempló bajo la luz de los faroles, y no vio rastro alguno de angustia en su rostro.

–Tengo entendido que hoy habéis disfrutado de las clases –comentó. Le había pedido a Michelle que le contara cómo había ido todo.

–¡He leído tres frases enteras! –exclamó con entusiasmo. Se ruborizó un poco, y admitió–: Eran bastante tontas, iban de un gato, un perro y un sombrero.

–Ya lo sé, *monsieur* Michelle me lo ha dicho –Cliff sintió una calidez desconcertante al verla tan emocionada.

Ella dejó de sonreír, y miró de nuevo hacia delante.

–Os debo muchísimo, os estoy tan agradecida...

Él se tensó al recordar cómo había pensado pagarle el pasaje al principio, y le dijo con firmeza:

–No me debéis nada, Amanda. No me cuesta nada permitir que Michelle os dé clases, y me complace saber que queréis aprender a leer y que se os da muy bien.

Ella se ruborizó aún más, y susurró sin mirarlo:

–Esta noche no me habéis invitado a cenar.

Cliff se tensó aún más, y aferró con fuerza el timón.

Claro que no la había invitado, por temor a volver a perder el control como la noche anterior.

–Lamento mi comportamiento de anoche. Fue de lo más reprobable que os dejara cenando sola, pero tenía que ocuparme de mi hija.

Tras un largo silencio, Amanda comentó:

–Ariella no recuerda haber tenido una pesadilla, ni que fuerais a consolarla.

–¿Se lo habéis preguntado? –le preguntó, incrédulo.

Ella se encogió de hombros, y lo miró de soslayo.

Cliff no estaba dispuesto a admitir que había mentido, y no quería que ella supiera por qué la había dejado sola de forma tan grosera.

–Mi hija estaba medio dormida –al ver que ella asentía sin demasiada convicción, optó por otra explicación–. Creí que la había oído gritar.

Ella se volvió para poder mirarlo cara a cara, y le dijo:

–No soy estúpida, de Warenne. Sé que no soy una compañía agradable y educada.

Él se quedó boquiabierto, y se apresuró a decirle:

–Disfruto muchísimo de vuestra compañía; de no ser así, no estaríais compartiendo esta guardia conmigo.

Amanda esbozó una sonrisa, y lo miró esperanzada.

–¿En serio? Porque vos me preguntasteis sobre mi vida, pero yo no tuve ocasión de preguntaros sobre la vuestra.

Él soltó una carcajada.

–Preguntad lo que os apetezca, Amanda.

–Todo el mundo dice que sois hijo de un conde, pero vos me dijisteis que no pertenecíais a la realeza, aunque los sirvientes os llaman «su señoría».

–No es lo mismo. Soy el tercer hijo, y también el menor, de Edward de Warenne, el conde de Adare. Por eso soy un noble, no un miembro de la realeza. Me llaman «su señoría» por cortesía, ya que no tengo ningún título.

–No acabo de entender la diferencia entre la nobleza y la

realeza; al fin y al cabo, vivís como un rey. ¿Dónde está Adare?, ¿cómo es?

–Está en el oeste de Irlanda, cerca del mar. Es una tierra de colinas y arboledas verdes, sobre todo en primavera. El océano es más azul que en ningún otro lugar. A menudo hay niebla, y bastante humedad. Es el sitio más hermoso del mundo entero.

–En la isla también hay humedad durante la temporada de lluvias.

–Jamaica es un lugar tropical, pero Irlanda es muy diferente... es agreste e indómita incluso en los días soleados, y el tiempo pasa de forma diferente. Si las islas son un paraíso, Irlanda es magia y misterio. Quizás se debe a nuestra historia ancestral. Mis antepasados procedían de Francia, pero en la rama de mi madre también hay reyes celtas; en cualquier caso, todos ellos eran nobles guerreros. Irlanda es una tierra que tiene una historia oscura y sangrienta, y también se nos conoce por nuestros fantasmas.

–¡Me encantaría ir allí! ¿Vuestro hogar se llama Adare?, ¿se parece a Windsong?

–Nací en Adare, pero pertenece a mi padre y un día pasará a manos de mi hermano mayor, Tyrell. No se parece en nada a Windsong –al ver que parecía decepcionada, añadió–: Es una mansión mucho más majestuosa. La construyeron hace siglos, aunque ha sido renovada varias veces.

–¿Más majestuosa que Windsong? –le preguntó ella con incredulidad.

–Dentro de Adare cabrían tres casas como la que tengo en la isla.

–Así que os criasteis entre criados y riquezas, y vivíais más o menos como ahora, ¿no?

–No me faltaba de nada. Supongo que os resulta difícil imaginároslo.

Al ver que se encogía de hombros y apartaba la mirada, Cliff deseó que hubiera tenido una vida diferente, llena de lujos en vez de delitos y caos.

–¿Vais a menudo a Adare?

–Una vez cada uno o dos años –se sintió un poco culpable al admitirlo–. Voy tanto como puedo. Mis padres tienen una residencia en Londres, y como es un puerto al que voy a menudo, es más habitual que me encuentre allí con parte de mi familia.

–¿Tenéis un hermano? –el rostro de Amanda reflejó la envidia que sentía.

–Dos, además de dos hermanastros y una hermana. Los conoceréis cuando lleguemos a Londres.

–Tenéis mucha suerte de tener una familia tan grande, y tantos hogares.

–Sí, es verdad –Cliff se dio cuenta de que deseaba fervientemente que ella encontrara una vida igual de satisfactoria en Londres.

–¿Cómo fue crecer en Adare?

Cliff sonrió al recordar el pasado, el torbellino de deseos en el que se había sumido cuando estaba a punto de convertirse en un hombre.

–Éramos una panda de granujas revoltosos. Evitábamos nuestras tareas, y pasábamos todo el tiempo posible recorriendo la zona, persiguiendo a mozas descocadas, y haciendo lo que nos venía en gana. No íbamos a clase y salíamos a galopar por las colinas, y a nadar en el río o en el lago. Pero cuando nos pillaban nos ponían unos buenos castigos, claro.

–El conde debía de pegaros unas palizas tremendas.

Él la miró con asombro, y le dijo:

–Me parece que nunca nos levantó la mano, podía hacer que nos sintiéramos culpables con una simple mirada.

–¿No os pegaba cuando no ibais a clase?

–No.

Amanda se cruzó de brazos, y al final comentó:

–Qué raro.

–No todos los padres recurren al castigo corporal. Personalmente, lo considero una brutalidad –Cliff la miró muy serio. Era imposible que la hubieran golpeado con una vara, ¿no?

Amanda alzó la barbilla, y comentó con altanería:

–Pensad lo que queráis, no todo el mundo está de acuerdo con vos.

–Ya lo sé. ¿Carre os pegó alguna vez? –le preguntó con voz suave.

–Claro que sí. ¿Cómo si no iba a aprender lo que está bien y lo que está mal?

Fue como si le hubieran dado una puñalada en el pecho. Cliff sintió una furia avasalladora.

–¿Qué hacía?, ¿os pegaba con una vara?

Se sintió un poco aliviado cuando ella negó con la cabeza, pero la sensación fue efímera.

–Usaba los puños. Tenía bastante mal genio, y no soportaba la desobediencia. Me golpeaba en la parte lateral de la cabeza, normalmente en la mandíbula.

Cliff la miró horrorizado; al darse cuenta de que se había quedado con la boca abierta, la cerró de golpe.

–¡Por el amor de Dios! ¡Sólo erais una niña!

–Pero... eso es lo que hacen los padres –protestó ella. Estaba claro que no entendía su reacción–. Castigan con los puños, con una vara o un látigo. No me importaba. Bueno, me dolía y a veces hasta veía las estrellas, como cuando me pegó en la cárcel. Pero solía fallar, porque yo era más rápida y esquivaba el golpe.

Cliff se volvió de repente, y dijo:

–Ocúpate del timón, Howard.

El guardiamarina se apresuró a obedecer, y Cliff la tomó del brazo mientras luchaba por mantener la calma y controlar la furia que lo cegaba. Fueron a la zona de estribor del alcázar. Allí no iba a interrumpirles nadie, ya que era un lugar reservado para el capitán.

–¿Os pegaba con frecuencia?

–Ya os he dicho que solía fallar –insistió ella con testarudez.

–Habéis dicho que os golpeó en la cárcel. Sin duda... sin duda no os referís a la del juzgado o a Fort Charles. No os pegó durante las últimas semanas, ¿verdad?

Ella se limitó a mirarlo sin responder.

–¿Os golpeó hace poco?, ¿golpeó a una mujer? –Cliff apenas alcanzaba a creerlo.

–¿Qué más os da? –le espetó ella, temblorosa–. Papá me quería, era su forma de asegurarse de que le obedeciera. Se puso furioso cuando le dije lo que intenté hacer con el gobernador Woods.

Cliff la soltó y se frotó la cara con las manos. Era una suerte que Carre estuviera muerto, porque de no ser así, lo mataría con sus propias manos. La miró con expresión adusta, y le dijo:

–Entonces, ¿no fue idea suya que os ofrecierais al gobernador a cambio de su libertad?

–No. A los doce años, me dijo que mi virginidad le pertenecía a mi marido.

Cliff se quedó de piedra, y a pesar de lo indignado y horrorizado que estaba, sintió que un calor abrasador le recorría las venas. Amanda no había estado con ningún hombre. Su instinto le había dicho que era inocente mientras la razón insistía en que era muy improbable, pero ya no había ninguna duda... y tenía una barrera más que podía interponer entre los dos.

–Vos no pegáis ni azotáis a vuestros hijos, ¿verdad?

–No –al ver que se mordía el labio y bajaba la mirada, posó una mano en su hombro y le dijo–: Jamás golpearía a un niño, ni a una mujer. Podéis creer lo que os venga en gana, pero no puedo aceptar que vuestro padre os disciplinara a puñetazos.

–Mi padre me quería.

Ella alzó la mirada, y Cliff se odió a sí mismo al ver que tenía los ojos llenos de lágrimas.

–Claro que sí. Eso era obvio.

Se volvió ligeramente mientras intentaba recuperar la

compostura. Le costaba entender cómo había mantenido su inocencia y la fe en su padre, y a pesar de que no quería arrebatarle ninguna de las dos cosas, lo consumía el deseo de hacerlo. Apretó los labios con fuerza para no decirle lo que pensaba de Carre, y contuvo el anhelo de abrazarla contra su pecho y acariciarle el pelo. Tenía el miembro erguido y palpitante, y sabía lo que pasaría si cedía ante la tentación.

–¿Ariella suele desobedeceros? –le preguntó ella, vacilante.

Cliff exhaló con fuerza al ver que se desviaban hacia un terreno más seguro.

–La verdad es que no, aunque me gustaría que lo hiciera.

–¿En serio?

Él sonrió. Se sentía aliviado al pasar a hablar de un tema tan inocente.

–Mi hija me preocupa. Aunque no esté de acuerdo conmigo, finge que lo está para complacerme, y me encantaría que mostrara objeciones sobre algo que le importe.

–¿Queréis que os desafíe? –era obvio que estaba muy sorprendida.

–Alexis lo hace constantemente.

–Y no le golpeáis.

–Le castigo, pero no lo hago con los puños ni con un látigo.

Ella le dio la espalda, y Cliff deseó que no hubiera tenido una vida tan difícil. Decidió cambiar de tema.

–Me alegra que estéis entablando amistad con Ariella.

–Me ha ayudado con las frases, es muy lista.

–Me preocupa que lo sea demasiado para su propio bien. En el futuro, si no se enamora de un hombre que cuente con mi aprobación, yo mismo tendré que buscarle marido; debido a su inteligencia, será difícil encontrar a alguien adecuado, porque la mayoría de los hombres saldrán huyendo de una mujer así con el rabo entre las piernas.

Amanda se echó a reír.

–A los hombres no les gustan las mujeres listas.

–A algunos sí –Cliff sonrió, pero al darse cuenta de que estaba pensando en lo lista que era ella, se apresuró a centrarse en otra cosa–. Ya sé que parece un poco prematuro, pero he pensado largo y tendido sobre el futuro de Ariella. Le irá bien ser una gran heredera, pero tendré que desalentar a los cazafortunas.

–Sí, será una heredera.

Al ver que dejaba de sonreír, Cliff se dio cuenta de que había metido la pata. Maldijo a Carre por no haberle dejado nada a su hija, ni un mísero céntimo, pero su propia falta de tacto era inconcebible.

–Os ruego que me disculpéis. Estáis preguntándome sobre mi vida, y os aburro con mis preocupaciones por el futuro de Ariella.

–Es muy afortunada –susurró ella con angustia–. Tiene mucha suerte de teneros por padre, y de ser tan rica. No os preocupéis, le encontraréis un marido adecuado.

¿Y qué iba a pasar con Amanda?, ¿quién iba a encontrarle un marido a ella?

Cliff no se había planteado aquella cuestión hasta ese momento y deseó no haberlo hecho, pero a pesar de lo incómodo que se sentía, la caja de Pandora se había abierto. Carre tendría que haberse encargado del matrimonio de su hija, pero era una suerte que no lo hubiera hecho, porque seguramente habría elegido a un pirata o a algún sinvergüenza. Dulcea Carre iba a tener que encargarse del asunto.

El supuesto matrimonio de Amanda no le hacía ninguna gracia, pero también le preocupaba; al fin y al cabo, para concertar una buena alianza iba a tener que cambiar de arriba abajo, y ni siquiera sabía si estaba dispuesta a intentarlo.

–¿Y qué me decís de vos, Amanda? ¿Soñáis con casaros, y con tener un hogar?

–¿Quién querría casarse conmigo?

Aquellas palabras le resultaron insoportables. Posó una mano en su mejilla, y la instó a levantar la cara.

–Estoy seguro de que tendréis pretendientes, y sin duda romperéis docenas de corazones después de pasar algún tiempo con vuestra madre.

A pesar de que estaba siendo sincero, tenía miedo por ella. Iba a transformarse en una dama bajo la tutela de su madre, eso era indudable, pero no podía imaginársela charlando sobre el tiempo o sobre la fiesta de la noche anterior; de hecho, ni siquiera estaba seguro de que hubiera que cambiarla en lo más mínimo. Intentó imaginársela elegantemente vestida y con aires señoriales. No le gustó nada la posibilidad de que perdiera su frescura y su originalidad, pero no sabía si iba a poder combinar las dos facetas.

–No soy como Ariella –se apartó con brusquedad, y lo miró angustiada–. No soy una princesa con una fortuna, os ruego que no seáis tan cruel.

–Lo digo en serio. Seguro que vuestra madre os consigue un vestuario adecuado, un profesor de baile, y cualquier otra cosa que os haga falta para iniciar vuestra nueva vida. Estoy convencido de que al poco tiempo de vuestra llegada, habrá una cola de pretendientes ante su puerta.

–¡Ni hablar!

–¿Qué es lo que deseáis, Amanda?

–Ser libre, formar parte del viento y del mar. ¡Es lo único que he querido durante toda mi vida!

Cliff la entendía a la perfección. Estuvo a punto de alargar los brazos para abrazarla, pero ella retrocedió varios pasos.

–Eso es lo que querrá mi madre, ¿verdad? Convertirme en una dama, encontrarme un marido, y casarme con él.

–Supongo que sí. ¿Acaso hay alguna otra opción?

Ella negó con la cabeza, y retrocedió hasta que su espalda topó con la barandilla.

–Apartaos de la barandilla, Amanda –mantuvo el tono de voz suave, pero era una orden del capitán de la embarcación.

–He cometido un error –afirmó, aunque obedeció y se apartó un poco–. Quiero que me dejéis en cualquier sitio menos en Londres... en Malta, por ejemplo.

–Los demonios que nos acechan siempre parecen más terribles de noche. Sois fuerte y valiente, Amanda. Podéis enfrentaros a un reencuentro con vuestra madre.

Ella asintió, y se secó una lágrima.

–Disculpad que sea tan bobalicona.

–No sois ninguna bobalicona. Lo raro sería que no estuvierais nerviosa –le dijo con naturalidad, antes de alargar la mano hacia ella.

Amanda vaciló por un momento, pero al fin se le acercó y tomó su mano. Mientras la conducía hacia los escalones, Cliff le dijo:

–He dado por sentado que sabéis dónde vive vuestra madre.

Ella asintió, y lo miró con una confianza total.

–Papá me dijo que vivía en un lugar llamado Belford House –al ver que parecía atónito, le preguntó–: ¿Os suena?

Cliff se había quedado sin palabras. Había ido como invitado a Belford House, y conocía a lady Belford... que por cierto, se llamaba Dulcea. Tenía el pelo color platino, de un tono casi idéntico al de Amanda, y si mal no recordaba, unos impresionantes ojos verdes; de repente, el parecido le resultó obvio.

Pero llevaba muchos años casada con lord Belford... Dulcea Belford era hermosa, elegante, sofisticada, y estaba obsesionada con su posición social. Además, era promiscua, y había tenido numerosas aventuras a espaldas de su marido; de hecho, él mismo la había rechazado cuando había intentado conquistarlo. No le gustaban ni su engreimiento ni su altanería, pero al parecer, era el único hombre que no estaba embobado con ella.

En ese momento, supo con certeza que la historia que Amanda le había contado sobre sus padres no era cierta, y que su madre no era Dulcea Carre, sino Dulcea Belford. Y si estaba en lo cierto, era obvio que a lady Belford no iba a alegrarle lo más mínimo reencontrarse con su hija.

CAPÍTULO 7

Amanda estaba sentada en la litera superior del camarote que compartía con Anahid, que ya estaba durmiendo. El mobiliario consistía en una mesa pequeña, dos sillas, y un lavabo. Los hijos de de Warenne dormían en el camarote adyacente, que era mayor y estaba mejor amueblado, pero a ella le daba igual el alojamiento.

Estaba a punto de amanecer. Cuando de Warenne había decidido irse a descansar un par de horas a su camarote, ella había accedido a que la acompañara al suyo y había fingido que estaba cansada, a pesar de los nervios que la atenazaban y de que no quería apartarse de él. Acababa de pasar las horas más maravillosas de su vida navegando a su lado de noche. A pesar de que no le gustaba hablar del futuro que la esperaba en Inglaterra, la compañía de aquel hombre era como el opio... dulce, potente, y adictiva, y nunca le parecía bastante. Desearía haber seguido en cubierta junto a él.

Rozó su pequeño petate con los dedos, sacó el precioso camisón, y se quedó mirándolo. De Warenne era muy diferente a los hombres que había conocido hasta el momento. Era guapo y fuerte, poderoso e instruido, generoso y de buen corazón. La había tratado con una amabilidad increíble. Como sabía que tenía miedo de Inglaterra, había intentado convencerla de que todo saldría bien cuando conociera a su madre, pero ella sabía que no iba a ser así. Su padre le había dicho que su madre la quería cuando era pequeña, pero habían pasado muchos años desde entonces; además, en el caso de que siguiera queriéndola, tenía miedo de que se decepcionara al ver a la mujer en que se había convertido su hija.

Siempre que se cruzaba con damas elegantes en Kingston, se quedaban mirándola con altanería y susurraban entre ellas a sus espaldas.

–¡Mira, es la hija del pirata! ¡Es una verdadera salvaje, hace honor a su nombre!

En ese momento, deseó ser una dama de verdad; si lo fuera, seguro que su madre la recibiría con los brazos abiertos.

Suspiró profundamente. Pensar en aquello era una tontería, además de peligroso. Estar con de Warenne había hecho que olvidara lo que iba a pasar en cinco semanas, cuando se presentara en casa de su madre. Seguro que en cuanto la viera se mostraría impactada, después horrorizada, y finalmente condescendiente. Tenía tanto miedo, que prefería no pensar en el asunto... como cuando de niña se escondía bajo cubierta mientras los piratas se mataban los unos a los otros, cerraba los ojos, se tapaba las orejas con las manos, y luchaba por no pensar en lo que podría pasar.

Pero de Warenne había conseguido que sonriera. Cuando estaba junto a él, tenía los pies bien plantados en el presente, y el futuro parecía tan lejano, que se sentía segura; de hecho, nunca se había sentido tan a salvo en toda su vida, ni siquiera con su padre.

Aun así, en su corazón se escondía algo más, ya que era dolorosamente consciente de su masculinidad. Su atractivo y su virilidad eran patentes, pero al principio, cuando lo veía a bordo de algún galeón español que había capturado, era una niña a la que le parecía un dios. Cuando lo había conocido una semana atrás, la angustia que sentía por la ejecución de su padre había prevalecido sobre la atracción natural que sentía por él. Nunca dejaría de llorar la muerte de su padre, pero la tristeza era cada vez más llevadera; además, ya no era una niña.

Una niña no podía sentir aquel anhelo desbocado e imposible, ni estar dolorida en lugares de lo más íntimos, ni empezar a tener los sueños que ella tenía. Sentía un deseo nuevo y sin embargo familiar que iba acrecentándose, y verlo emerger aquella mañana de las aguas como Poseidón no la había ayudado en nada.

–Por favor, que no me enamore de él –al oír el susurro, se dio cuenta de que había hablado en voz alta y se tensó, pero como Anahid no contestó, supuso que estaba profundamente dormida.

¿Acaso estaba enamorándose de aquel corsario apuesto, rico y de noble cuna? Le pareció verlo ante sus ojos... su sonrisa, su mirada directa, su cuerpo firme y musculoso chorreando agua. Se preguntó con desesperación cómo podía evitar enamorarse de él cualquier mujer, aunque se tratara de una joven de diecisiete años.

No intentó engañarse. Aunque se mostraba bastante afectuoso, sabía que prefería a las damas elegantes, y que jamás sentiría nada por ella; aun así, estaba convencida de que la deseaba. Tenía ojos, y se daba cuenta cuando él se sentía tentado.

Apretó el camisón contra su pecho. Tenía los pezones endurecidos, y el cuerpo frío y caliente a la vez. La forma en que la observaba la dejaba acalorada, pero a pesar de que le había lanzado muchas veces la mirada que un hombre reservaba para la mujer con la que estaba a punto de acostarse, de Warenne no había querido que le pagara el pasaje con su cuerpo. Ella le había insinuado que seguía dispuesta a hacerlo, y aunque él no había picado el anzuelo, su corazón y su cuerpo anhelaban sus atenciones.

La aterraba lo mucho que deseaba ir a buscarlo. Sabía que sería una insensatez entregarle su corazón, porque él se lo rompería sin miramientos. Entregarle su cuerpo sería más fácil, pero no parecía interesado en saciar sus necesidades masculinas.

Cerró los ojos, y deseó saber cuál era el camino correcto. Se imaginó a de Warenne posando la mano en su mejilla, igual que antes, y tembló al sentir de forma casi palpable el contacto de su piel. No podía entender el comportamiento de aquel hombre, pero no era de extrañar, porque era la primera vez que conocía a un caballero de verdad. A lo mejor se contenía porque preferiría acostarse con una dama.

Contempló el camisón. Cuando lo llevaba puesto, la hija del pirata desaparecía y daba paso a una mujer que parecía tan elegante como las que paseaban por Kingston.

Al darse cuenta de lo que tenía que hacer, su miedo se acrecentó. Sabía que los hombres podían portarse como unos necios cuando se trataba de fornicar. Su padre se había dejado guiar un montón de veces por la verga en vez de por el cerebro. Le debía mucho a de Warenne, mucho más que unas cuantas noches en la cama, pero al menos la deseaba desde un punto de vista primario. Quizás estaba intentando actuar como un caballero, a lo mejor no la deseaba demasiado debido a su falta de modales, pero era posible que se dejara guiar por la verga al verla con aquel camisón. Valía la pena intentarlo, ¿no?

A lo mejor no estaba enamorándose de él, y lo que ocurría era que no se diferenciaba tanto de las rameras que entretenían a los marineros. Quizás había llegado a la edad en la que deseaba satisfacer su cuerpo, tal y como hacían todas ellas abiertamente.

No pudo evitar sonrojarse, pero empezó a quitarse las botas, los calcetines, el cinturón, la camisa y la camisola. Se lavó en silencio para no despertar a la armenia, y entonces se puso el camisón y se peinó a toda prisa.

El corazón le retumbaba con tanta fuerza en el pecho, que el sonido la ensordecía. Miró a Anahid, que seguía dormida... o eso pensaba, hasta que la mujer abrió los ojos y la miró. Se volvió hacia la puerta antes de que pudiera articular palabra y se apresuró a salir a cubierta, que estaba bañada por la luz grisácea que precedía al amanecer.

Se detuvo al llegar al camarote del capitán. Estaba actuando sin pensar, dejándose llevar por su determinación. Sabía que quizás cambiaría de opinión si se paraba a reflexionar, así que llamó a la puerta con cierta vacilación y susurró:

–¿De Warenne?

Al ver que no contestaba, lo intentó de nuevo. Estaba convencida de que la puerta estaba cerrada con llave, pero en caso de que no fuera así, entrar sin autorización era una falta grave. Intentó abrir, y se sobresaltó al darse cuenta de que no estaba cerrada por dentro. La abrió con cuidado, y entró en el camarote sigilosamente.

Las lámparas estaban apagadas, pero la luz del amanecer entraba por las portillas. Lo vio tumbado de espaldas en la enorme cama carmesí, con las sábanas de seda subidas hasta la cintura. Estaba desnudo. Se sorprendió al ver que seguía dormido, ¿cómo era posible que no la hubiera oído entrar? Había supuesto que era un hombre que permanecía alerta incluso estando dormido.

–¿De Warenne?

Él permaneció inmóvil, mientras su pecho ancho y salpicado de vello oscuro ascendía y descendía rítmicamente. Le pareció increíble que siguiera durmiendo, pero se acercó a la cama con cautela. Levantó un poco la sábana, y alcanzó a vislumbrar su cadera estrecha y su muslo firme antes de tumbarse a su lado.

El corazón le latía con tanta rapidez, que pensó que iba a desmayarse. Sintió una humedad creciente en la entrepierna.

Antes de que pudiera reaccionar, él se colocó encima de ella, la agarró de las muñecas, y se las sujetó por encima de la cabeza. Soltó una exclamación ahogada, y su mirada se topó con la expresión de furia que brillaba en sus ojos azules.

–¿Qué está pasando aquí? –le preguntó él con indignación.

Amanda se quedó sin habla al darse cuenta de que durante todo ese tiempo había estado despierto, esperándola. A pesar de que no tenía el cuerpo apoyado en el suyo, su peso parecía transferirse hasta ella a través de la firme presión de sus manos y sus piernas. La tenía agarrada de las muñecas y había colocado los muslos entre los suyos, así que se veía obligada a mantener las piernas abiertas. Como el camisón se le había subido, sentía el contacto de su piel. Tenía razón al pensar que estaba desnudo, porque su miembro permanecía erguido entre los dos.

La recorrió una oleada de placer.

Él inhaló con fuerza, y exclamó tembloroso:

–¡Contestadme!

Amanda seguía enmudecida, y no pudo controlarse al notar que su erección se endurecía más y más. Soltó un jadeo, y gimió mientras su cuerpo se arqueaba hacia él. Cuando su sexo húmedo rozó aquel miembro resbaladizo, el placer se intensificó.

Él gimió, frotó la mandíbula contra su mejilla, y cerró los ojos.

–Amanda, estoy a punto de perder la cabeza y el control y poseeros –le dijo con voz ronca–. ¿Es eso lo que queréis?, ¿de verdad deseáis que os use y que abuse de vos, como si no fuerais más que la hija de un pirata?

Lo sacudió un espasmo, y Amanda soltó un gemido mientras se debatía entre el placer físico y el dolor emocional. Cuando él alzó la cabeza y sus miradas se encontraron, luchó por aclararse las ideas.

«Claro que no quiero ser la hija vulgar y barata de un pirata, al menos para ti...»

Él leyó la respuesta en sus ojos.

–Lo suponía –apartó a un lado las sábanas, salió de la cama, y la recorrió abiertamente con la mirada.

Amanda se apresuró a sentarse, y se bajó el camisón

mientras él arrancaba la sábana de la cama y se la colocaba alrededor de la cintura para ocultar su enorme erección. Cuando la miró con furia, ella cerró los ojos con fuerza y luchó por calmarse, pero había estado al borde de un precipicio y parecía imposible recobrar algo de cordura.

Sus palabras crueles le facilitaron la tarea.

–No quiero tener una aventura con vos, Amanda –le dijo con brusquedad.

Ella parpadeó, y estuvo a punto de echarse a reír como una histérica al ver el abultamiento que se ocultaba tras la sábana.

–Sí, sí que queréis.

Él retrocedió hasta quedar a medio metro de la cama, señaló su propio cuerpo, y le dijo:

–Ésta es la reacción que tendría ante cualquier mujer que se metiera en mi cama.

La risa histérica se desvaneció. Cada vez más dolida, se dijo que lo que estaba diciéndole no podía ser verdad.

–Esta mañana me deseabais –susurró, con la mirada centrada en su rostro.

Él soltó una carcajada carente de humor.

–¡Soy un hombre, un hombre viril! Siempre quiero tener sexo.

El dolor del rechazo fue tan certero como un alfanje rebanándole el pescuezo a un enemigo.

–Lo que mi cuerpo desea es irrelevante, porque no soy un animal. Lo que quiere mi mente es totalmente diferente, y no quiero acostarme con vos. ¿Acaso debo ser más claro?, ¿queréis que me explaye?

Amanda no sabía lo que significaba «explaye», pero pudo hacerse una idea. Sintió el escozor de las lágrimas, y bajó la mirada hacia el camisón antes de murmurar:

–No soy una dama elegante.

No iba a cambiar nada poniéndose una prenda bonita, lavándose y peinándose. Él no la deseaba. Era muy diferente a los hombres que había conocido hasta entonces... educado, un caballero de verdad, un noble. Seguro que iría a ver a alguna de sus amantes de sangre azul en cuanto llegaran a puerto.

–No, no lo sois.

Alzó la mirada al notar el cambio en su tono de voz. Ya no parecía furioso, pero seguía tenso. Ninguno de los dos apartó la mirada.

–Sabía que no podía ser cierto, que no era posible que fuerais amable de verdad –bajó de la cama y fue hacia la puerta, mientras intentaba controlar las ganas de llorar y luchaba por mantener la compostura. Aquel hombre había sido muy cruel con ella.

–Amanda...

Ella se detuvo en seco al oír su tono de voz casi normal, y deseó que le pidiera que volviera, que la abrazara con fuerza, que la mirara con una sonrisa y le dijera que todo iba a salir bien, que podían seguir siendo amigos, y que lo que acababa de pasar no iba a cambiar nada.

Él estaba rígido, y su expresión era impenetrable.

–Si hubiera querido disfrutar de vuestros favores, ya me habría acostado con vos.

Amanda soltó un gemido, y salió corriendo de allí.

Él se volvió, y estampó un puñetazo en la pared.

Cliff estaba en la zona de estribor del alcázar, con los brazos cruzados, mirando sin ver hacia el mar. El agua tenía un pálido tono plateado que reflejaba el del cielo nublado, y estaba bastante revuelta. A pesar de que sólo navegaban con las velas mayores y la gavia, avanzaban a una buena velocidad que en condiciones normales le complacería, pero estaba irritado y molesto.

Se volvió a mirar a su pasajera. Era poco más de mediodía, y los niños y Amanda tenían un pequeño descanso. Ariella había bajado a su camarote a leer, y Alexi estaba en la arboladura con sus hombres. Cada día estaba más orgulloso de él, ya que se mostraba ansioso por aprender todo lo posible sobre el barco y la navegación. A pesar de que no era demasiado buen estudiante desde un punto de vista académico, era un marino brillante.

Pero su pasajera era un caso aparte. Michelle le había dicho que estaba progresando con rapidez en los estudios. El francés no dejaba de ensalzar poéticamente la inteligencia y la dedicación de su nueva alumna, y afirmaba que cuando llegaran a Londres sería capaz de leer el *London Times*. Estaba claro que el hombre había sido presa de su encanto, pero era comprensible. A pesar de que apenas acababa de salir del cascarón, era toda una hechicera de larga melena, exóticos ojos verdes, y delgado pero voluptuoso cuerpo.

Cuando sus ojos se encontraron y la vio fruncir el ceño, permaneció serio y se negó a apartar la mirada. Amanda llevaba cinco días sin dirigirle la palabra; de hecho, se limitaba a fulminarlo con la mirada o a ignorarlo como si no existiera.

Sabía que estaba castigándolo por su crueldad, pero ¿acaso quería que la sedujera y la deshonrara? ¿No sabía que podría haberla poseído sin más al tenerla casi desnuda y enloquecida de placer y de pasión? ¿Tenía idea del control y la disciplina que le habían hecho falta para poder apartarse de ella? ¿No entendía que quería tratarla con nobleza?

Había hablado con crueldad de forma deliberada. Había sido una estratagema para apartarla lo máximo posible y evitar que volviera a intentar seducirlo, porque sabía que, si volvía a intentarlo, cedería ante el deseo avasallador y aberrante que lo atormentaba.

Aun así, ya había tenido más que suficiente. Se sentía fatal y culpable, lo lamentaba profundamente, ella tenía razón. No quería volver a sacar a la luz la camaradería previa que habían compartido, ya que era demasiado peligrosa, pero no soportaba que lo tratara con desprecio.

Ella lo fulminó con la mirada antes de darle la espalda y saludó con la mano a Alexi, que estaba sentado en un penol. El niño sonrió, y le gritó:

–¡Sube, Amanda!

¡Qué locura! Las mujeres no subían por los mástiles... aunque en una ocasión la había visto hacerlo años atrás, en la balandra de su padre.

Amanda se volvió hacia él, y le lanzó una mirada desafiante antes de echar a correr hacia el palo mayor. En cuanto llegó, dio un salto hacia los obenques, y subió hasta su hijo con tanta agilidad como el mejor de sus hombres mientras él bajaba del alcázar hecho una furia.

Los marineros se miraron sin saber cómo reaccionar y de inmediato fijaron los ojos en el suelo, como aparentando que no se habían dado cuenta de que había una mujer hermosa cerca.

–¡Es verdad que puedes subir por un mástil! –exclamó Alexi con sorpresa–. ¡Creía que estabas tomándome el pelo!

–Llevo subiendo a los mástiles desde que era más joven que tú –Amanda miró hacia abajo, y se apresuró a apartar la mirada al ver a Cliff.

–Bajad, por favor. Me gustaría hablar con vos –le dijo él.

Ella sonrió a Alexi, y comentó:

–Hace un día perfecto. Si el viento continúa así, nos ahorraremos varios días de viaje.

–Espero que el viaje no se acabe nunca, Inglaterra no me gusta –le dijo el niño.

Cliff apenas podía creer que estuviera haciendo caso omiso de una orden directa. A lo mejor pensaba que se trataba de una petición.

–Amanda...

Ella se tensó, y le lanzó una mirada beligerante.

–Bajad ahora mismo, os espero en mi camarote –Cliff dio media vuelta, y se alejó de allí. Si no le obedecía subiría a buscarla, la cargaría sobre los hombros, y la bajaría a la fuerza, aunque se suponía que los capitanes no subían a los mástiles.

La oyó bajar con el sigilo de un gato. Lo siguió a una distancia prudencial, como si tuviera miedo de que la atacara de repente como un peligroso depredador. Lo cierto era que ya lo había hecho, al decirle que no quería acostarse con ella... ¡maldición, no había tenido otra opción!

Se detuvo en el centro del camarote, y cuando ella entró decidió fingir que no pasaba nada, que no se había pasado los últimos cinco días esperando verla sonreír mientras ella lo miraba con una hostilidad palpable. Se volvió hacia ella, y le dijo sonriente:

–Tengo entendido que habéis alcanzado el segundo nivel de lectura.

Amanda se limitó a mirarlo en silencio, con la boca firme y un brillo acerado en los ojos.

–¿Disfrutáis de los estudios?

Ella se cruzó de brazos, y siguió sin hablar.

–Me parece que acabo de demostrar que no sois una mujer hecha y derecha. Jamás he visto a un adulto comportándose de forma tan infantil –al ver que ella se limitaba a esbozar una sonrisa, le preguntó con incredulidad–: ¿Pensáis ignorarme durante las próximas cuatro semanas?

–¿Acaso estoy ignorándoos, capitán?

Cliff no supo cómo reaccionar. No podía culparla por enfadarse, pero sabía que el enojo era una fachada para ocultar lo herida que estaba. Al querer evitarle más dolor, sólo había conseguido lastimarla aún más.

–Lamento haberos hecho daño, Amanda –le dijo con sinceridad–. Está claro que mi comportamiento previo os confundió. Al menos, ahora los dos sabemos a qué atenernos. Si seguís mirándome ceñuda y negándoos a hablarme, el viaje se va a hacer muy largo.

–Ya es demasiado largo.

–Me temo que no puedo hacer nada al respecto.

–Bueno, al menos podréis volver a vuestras rameras elegantes en cuanto lleguemos a Inglaterra.

Era obvio que estaba muy dolida, y Cliff fue incapaz de responder.

–¿Eso es todo?, tengo que volver a clase.

Al menos estaba hablándole, se dijo con resignación.
–Sí, eso es todo.

Amanda despertó de golpe, y se tensó al oír el sonido inconfundible de un enfrentamiento con sables. ¿Estaban atacándoles? ¿Cómo era posible que no se hubiera despertado durante el abordaje? Se levantó de un salto, sacó la pistola de su petate, y se la puso a la cintura después de cargarla a toda prisa. Agarró su espada, y abrió de golpe la puerta.

El camarote daba a estribor, y no vio a ningún enemigo; de hecho, sólo alcanzaba a ver el océano grisáceo, pero alguien estaba luchando con espadas en la cubierta principal. De repente, oyó la voz de de Warenne.

–Estocadas rectas, firmes y directas. No tuerzas la muñeca.

Amanda empezó a entender lo que pasaba. Se apresuró a rodear el camarote, y se detuvo en seco al verlo practicando esgrima con su hijo. Estaba dejando que Alexi se pusiera a prueba, y era obvio que el muchacho era muy ágil para tener ocho años.

De Warenne era un buen profesor, ya que presionaba lo justo para que su hijo no se cansara ni se desmoralizara. Sintió una punzada de angustia, y aprovechó que estaba ocupado y no podía darse cuenta de su interés para observarlo a placer. Tenía que dejar a un lado el dolor que sentía. Lidiar con la rabia era mucho más fácil, mucho mejor... justo lo que se merecía aquel hombre.

Era un malnacido, un sinvergüenza, un estirado con aires de grandeza. No era amable, sino mezquino y cruel. Lo odiaba.

Si se repetía aquello a menudo, quizás llegaría a creérselo.

Él le indicó a su hijo que parara en cuanto la vio. El niño, que estaba jadeante pero sonreía de oreja a oreja, bajó la espada de inmediato. Antes de mirarla a la cara, de Warenne pareció tomar buena nota del hecho de que estaba armada con una pistola y una espada.

«Lo odio. Está dispuesto a acostarse con una dama finolis, pero no quiere tener nada que ver conmigo. No soy lo bastante buena para él».

Se acercó a ellos, y comentó:

–Alexi llegará a ser un buen espadachín.

–Sí, así es. ¿Qué es eso? –le preguntó él, con una expresión impenetrable.

Amanda alzó el sable poco a poco, y le contestó sonriente:

–Mi espada –sabía manejarla muy bien, incluso podía ganar a su padre. En la esgrima no sólo contaba la fuerza, también había que tener equilibrio, agilidad y destreza.

–¿Queréis enfrentaros a mí?

–He oído las espadas, y pensé que estaban atacándonos –se sacó la pistola de la cintura, y la dejó a un lado sobre la cubierta.

–¿Habéis salido para ayudar a defender la embarcación?

–Claro que sí. No soy una noble blandengue de las que se desmayan ante una buena pelea. Pero estoy un poco desentrenada, hace bastante que no uso la espada. ¿Os importaría practicar un poco conmigo? –sin darle tiempo a responder, avanzó con una estocada.

Él bloqueó el golpe de forma instintiva, y le dijo con cautela:

–Vuestra espada está afilada, Amanda.

Ella sonrió, y volvió a atacar con otra estocada que él esquivó.

–No voy a heriros, de Warenne.

Se planteó hacerle un pequeño corte para ver su reacción, y sintió una excitación enorme avivada por la rabia. Él bloqueó su siguiente estocada, pero al ver que retrocedía un paso, se sintió envalentonada y pasó al ataque. Él pareció asombrarse, pero paró cada estocada y permitió que lo acorralara contra la barandilla de babor.

Amanda soltó una carcajada triunfal, y le dijo:

–¡Podéis hacerlo mucho mejor, de Warenne! No le tendréis miedo a mi hoja desnuda, ¿verdad?

–Seguís muy enfadada conmigo. Es comprensible.

Aquellas palabras la enfurecieron aún más. ¡Aquel hombre no entendía nada! Lanzó otra estocada, y él la bloqueó. Hizo un amago, consiguió superar sus defensas, y rasgó su elegante camisa de lino. Retrocedió de inmediato, y disfrutó del embriagador sabor de la victoria inminente.

–¿Esto también es comprensible? –le preguntó con fingida dulzura.

Él contempló atónito el largo desgarrón antes de alzar la mirada hacia ella poco a poco.

–No os he herido –estaba tan entusiasmada, que se echó a reír.

–Habéis tenido suerte –comentó él, ruborizado.

–No, lo que he tenido es cuidado de no heriros, de Warenne.

Le atacó con tanta rapidez, que le arrancó tres botones de la camisa antes de que él pudiera reaccionar. La prenda se abrió, y dejó al descubierto los gruesos músculos de su pecho.

Alguien se echó a reír por encima de sus cabezas.

De Warenne la miró con incredulidad.

–Luchad, de Warenne –le dijo, jadeante. Estaba decidida a luchar sin cuartel–. ¿Acaso queréis que vuestros hombres se enteren de que una *niña* puede venceros?

Él lanzó una estocada repentina que Amanda alcanzó a bloquear a duras penas. Fue obligándola a retroceder por la cubierta con un ataque tras otro, y la tuvo de espaldas contra la barandilla y sudorosa en cuestión de segundos.

Al verla hecha una furia, sonrió y le dijo:

–No tengo ganas de enfrentarme a vos, sobre todo teniendo en cuenta que vuestra espada está afilada; además, los dos sabemos que no podéis vencerme.

Pero al menos iba a intentarlo, porque estaba decidida a llamar la atención de aquel hombre. No era una dama, pero estaba a su altura en todo lo demás. Lanzó una fuerte estocada, y él la bloqueó antes de retroceder y dar un paso hacia un lado. Empezaron a moverse con rapidez en un círculo mientras las estocadas se sucedían, y Amanda sintió el escozor del sudor en los ojos. Sabía que era un espadachín experto, y aunque no esperaba ganarle, quería hacerle daño de alguna forma. Era lo que más deseaba... ¡maldición, quería que sufriera tanto como ella!

Tenía los brazos doloridos y estaba llegando a su límite físico, pero no estaba dispuesta a rendirse.

–Maldito seáis... –masculló. Fingió que estaba exhausta y dispuesta a someterse a su clemencia, y se detuvo de repente.

Él se tragó el anzuelo, y esbozó una sonrisa.

–Bien hecho, Amanda...

Ella fintó, lanzó una estocada, y le arrancó los botones que le quedaban en la camisa. Él se sorprendió tanto, que se quedó mirando boquiabierto la prenda desgarrada; cuando alzó la cabeza, la miró con un brillo ardiente en los ojos y sonrió.

Era obvio que no estaba enfadado. Amanda leyó el deseo en su mirada, y se sintió triunfal. Aunque estaba decidido a rechazarla, lo había provocado hasta tal punto, que en ese momento la deseaba. Era obvio que la razón había cedido ante la lujuria.

–¿Qué pasa, de Warenne? –le preguntó con tono seductor–. A lo mejor lo que queréis no es una dama finolis.

Él atacó antes de que acabara de hablar, y atrapó el borde de su camisa y su camisola con la punta de su espada; a pesar de que el arma no estaba afilada, con un simple movimiento de muñeca podía rasgar las dos prendas.

Amanda se quedó inmóvil. Estaba jadeante, y su cuerpo entero vibraba con una excitación frenética.

–Hacedlo, rasgadme la ropa.

Él se tensó, bajó poco a poco la punta de la espada hasta colocarla entre sus senos, y le dijo con voz ronca:

–Me parece que hemos acabado.

Tras contemplar la punta de la espada durante unos segundos, Amanda lo miró y le dijo:

–Yo no.

–Mi espada está contra vuestro corazón, querida. En una batalla real, estaríais muerta.

–La mayoría de los hombres me preferirían caliente y viva en sus camas –le espetó ella, desafiante.

Él apartó la espada, y la lanzó a un lado.

–Habéis ganado, Amanda. Admito mi derrota.

Empezó a dar media vuelta, pero se detuvo en seco cuando ella le arrancó con la espada los botones de arriba de los pantalones.

–A lo mejor mi oponente se habría dejado engañar con tanta facilidad como vos, y habría arrojado a un lado su espada al creerse fuera de peligro. Quizás, en una batalla de verdad, la destreza tiene poco que ver con la victoria. Volveos.

Él obedeció, y la miró con incredulidad.

Amanda no pudo mantener la mirada en su rostro, porque tenía los pantalones medio abiertos y una parte muy interesante de su anatomía había quedado al descubierto. Pero lo más interesante era la línea rígida que iba hinchándose visiblemente bajo la tela.

Estaba acalorada, y el deseo le corría como un torrente por las venas. Al darse cuenta de que estaba ruborizada, posó la punta de la espada contra su pecho y consiguió alzar la mirada hasta su rostro.

–Sí, yo gano –le dijo con firmeza.

De Warenne tenía la respiración acelerada, y Amanda se sintió inmensamente satisfecha al ver que había conseguido enfurecerlo.

–Me habéis vencido, ¿y ahora qué? ¿Pensáis arrancarme el corazón porque os hice daño? Lo único que pretendo es llevaros sana y salva hasta lo que queda de vuestra familia.

Parte de la tensión del enfrentamiento se desvaneció, y Amanda empezó a debatirse entre la indignación y la culpa.

Él dio media vuelta, pero sólo se alejó varios pasos antes de volverse de nuevo. Regresó hacia ella, y la agarró de la muñeca antes de que pudiera reaccionar.

–Soltad la condenada espada. Quiero hablar a solas con vos, y no es una petición.

Amanda se dio cuenta de que había ido demasiado lejos. Su excitación iba evaporándose rápidamente. Cuando bajó la espada, él la soltó y le indicó con enfado que fuera hacia el camarote del capitán. Le obedeció cada vez más inquieta, y de pronto se dio cuenta del completo silencio que imperaba en el barco.

La tripulación en pleno había subido a cubierta. Casi trescientos hombres habían presenciado cómo atacaba como una desquiciada al capitán.

Cuando él la agarró del hombro y la instó a ir hacia el camarote, se tensó y sintió que el deseo resurgía. ¿Por qué le había provocado de forma tan imprudente e impulsiva? ¿Estaba lo bastante enfadado para ceder ante la lujuria?

En cuanto entraron, de Warenne cerró la puerta de una patada, se quitó la camisa, y pasó junto a ella. La poca ropa que llevaba encima era más que reveladora, y del todo indecente. Se puso una camisa, y al oírla inhalar con fuerza se volvió hacia ella de golpe.

–¿Qué esperabais? A pesar de vuestra imprudencia y vuestra osadía, sois una mujer. Cualquier hombre se excitaría con un despliegue tan violento, seguro que ése era vuestro plan.

–No tenía ningún plan. Estaba enfadada, y quería haceros daño. Os compraré otra camisa.

–No tenéis ni un penique –se sirvió un whisky, apuró el vaso, y se sirvió otro. Le temblaban las manos–. Tenemos que convivir en un espacio muy reducido, y no podemos seguir así. Os he pedido perdón por mi comportamiento, ya es hora de que aceptéis mis disculpas. Quiero una tregua.

Amanda se dio cuenta de que ella también estaba temblando, y se rodeó con los brazos. No sabía si aceptar sus disculpas, pero lo cierto era que no le gustaba pelear con él. No tuvo más remedio que admitir para sus adentros que no lo odiaba.

–¿Aceptáis una tregua? –insistió él.

–De acuerdo –alcanzó a decir. En ese momento, la verdad la dejó sin habla... se había enamorado de Cliff de Warenne, estaba perdida.

Él esbozó una pequeña sonrisa, pero no se le acercó; al parecer, quería mantener las distancias.

–Le habéis ofrecido a mi tripulación todo un espectáculo, Amanda –le dijo con más calma.

Ella se mordió el labio. No sabía qué decir, ya que aún no se había recuperado después de darse cuenta de que se había enamorado del hombre más inalcanzable del mundo.

Al ver que no hablaba, él le dijo con voz suave:

–¿Queréis cenar conmigo esta noche? Comeremos mientras me contáis cómo os va con los estudios, y también podemos hablar sobre la logística de la próxima reunión con vuestra madre.

Amanda le había echado mucho de menos, y si él sólo podía ofrecerle un par de horas en cubierta o una cena, que así fuera; al fin y al cabo, era mejor que nada, ¿verdad? Porque no sólo le había echado de menos, sino que le necesitaba.

–Me encantará cenar con vos –vaciló por un instante antes de preguntarle–: ¿Qué significa «logística»?

Su sonrisa se reflejó en sus ojos azules, y a Amanda le pareció la belleza personificada.

–Tenemos que hablar sobre algunos detalles, como el momento en que os presentaréis en Belford House con mi ayuda.

Amanda no quería hablar de lo que le esperaba en Londres; al fin y al cabo, estaba profunda e irremediablemente enamorada.

–De acuerdo.

–Hoy habéis sido muy osada, Amanda. Sois muy diestra con la espada, jamás había conocido a una mujer capaz de blandir un arma como vos.

Sus elogios la abrumaron. La admiración con la que la miraba era patente.

–Gracias –Amanda rezó para poder conformarse con su admiración, ya que no tenía ninguna posibilidad de conseguir su amor.

Amanda se retrasaba.

Cliff estaba paseándose de un lado a otro del camarote. La mesa estaba elegantemente preparada para la cena íntima que había organizado. Sabía que estaba pisando terreno peligroso, ya que a pesar de que necesitaba la tregua para sentirse tranquilo, cenar a solas con ella iba a poner a prueba su carácter, su honor, y su fuerza de voluntad. No había podido dejar de pensar en lo magnífica que estaba con la espada, como una princesa guerrera celta de un tiempo remoto en el que las mujeres eran valientes e intrépidas, y luchaban junto a sus hombres. El acaloramiento y la violencia del enfrentamiento habían exacerbado sus instintos masculinos, que ya de por sí eran bastante fuertes.

Deseó haber aceptado su desafío. Después de desnudarla por completo y de obligarla a que se rindiera, la habría tomado en sus brazos y la habría llevado a la cama.

Intentó recuperar algo de compostura, y se pasó una mano por el pelo. Para dejar de recordar la demostración de esgrima sólo tenía que obligarse a pensar en el futuro que la esperaba. Desde que había descubierto la verdadera identidad de Amanda, había estado dándole vueltas a su llegada a Belford House. Ella no tenía ni idea de que era ilegítima, pero él estaba casi convencido de que era así; al fin y al cabo, dudaba que Dulcea Belford hubiera estado casada brevemente con un joven oficial de la armada y que después hubiera obtenido un costoso divorcio. La verdad de su nacimiento iba a ser un golpe muy doloroso para Amanda.

Tuvo ganas de maldecir a Carre por las mentiras que le había contado a su hija, pero sus motivaciones eran comprensibles; en cuanto a lady Belford, la conocía lo bastante bien para saber que no iba a alegrarse de ver a su hija. Ninguna dama de su categoría estaría dispuesta a aceptar abiertamente a una hija ilegítima, ya que eso comportaba el escándalo y la deshonra; aun así, los bastardos eran una parte más de la sociedad. En todas las familias había alguno, y a menudo convivían con sus hermanos legítimos. Para disimular, se solía decir que eran ahijados o primos, y nadie les daba más importancia cuando los chismorreos iban desapareciendo. Seguramente, Dulcea diría que Amanda era una prima lejana, ya que así podría incorporarla a la familia sin poner en peligro su posición social.

Había decidido que iba a tener que ir a hablar con ella antes de llevarle a Amanda. Debía asegurarse de que la reunión fuera bien, y de que Dulcea accediera a reconocerla al menos como prima. Después de alcanzar un acuerdo con ella, le contaría a Amanda la verdad con mucho tacto, aunque sabía que la conversación no iba a ser nada agradable.

Mientras tanto, tenía que animarla a que refinara su comportamiento todo lo posible, porque si no lo hacía, estaba perdida.

¿Dónde estaba?, ¿había cambiado de opinión en lo concerniente a la tregua?

Al darse cuenta de que ya se retrasaba cuarenta minutos, fue a su camarote para averiguar lo que pasaba. Cuando estaba a punto de llamar a la puerta, se detuvo en seco al oírla hablar acaloradamente. ¿Con quién estaba?

–¿Qué voy a hacer? –preguntó, claramente angustiada–. ¡No sé qué hacer!, ¡no tengo ni idea! Ayúdame, por favor.

Cliff se sintió perplejo, y hasta celoso. Abrió la puerta con cuidado, y la vio de pie de espaldas a él.

–¡Por favor, papá! Si tú no me aconsejas, ¿quién va a hacerlo? ¡Por Dios, te necesito!

Lo inundó una mezcla de compasión y de pena. Amanda estaba hablando con su padre, ¿acaso podía ver su fantasma? ¿Creía de verdad que iba a responder a sus preguntas?, ¿hablaba a menudo con Carre?

Creía que ella estaba recuperándose paulatinamente de

su pérdida, pero era obvio que su dolor seguía siendo igual de intenso. Se sintió como un canalla por no haberse dado cuenta.

Estaba a punto de hablar cuando ella dijo con voz ronca:

–Seguro que estás enfadado conmigo. No he olvidado que querías que fuera la amante de de Warenne, pero es un caballero de verdad. Intenté seducirlo, te lo prometo.

Fue como si acabara de apuñalarlo con la pequeña daga que llevaba en la bota. ¿Había intentado seducirlo para honrar una promesa disparatada que le había hecho a su padre? Carre no le había dejado a su hija ni un penique, así que hasta cierto punto podía entenderlo, pero seguía siendo un duro golpe.

–Perdona mi fracaso, papá. Al menos, voy en busca de mamá... no sé qué hacer, estoy tan enamorada...

Cliff no había tenido tiempo de recuperarse de la primera sorpresa, no había tenido tiempo de enfurecerse. Apenas podía creer lo que acababa de oír, y luchó por convencerse de que la había malinterpretado mientras abría la puerta del todo.

–Ya lo sé –susurró ella, como si su padre acabara de decirle algo–. Ya sé que soy una tonta, y que me romperá el corazón, pero no había conocido a ningún hombre como él. ¡No hay nadie como de Warenne! Oh, Dios... intento convencerme de que me bastará con su amistad, pero es muy duro. Estoy completamente enamorada de él. Si me aceptara, estaría encantada de ser su amante, y me daría igual que no pudiera ofrecerme nada más.

Cliff se quedó sin aliento. Fue como si acabaran de darle un puñetazo en la barriga. ¿Cómo había sucedido? ¿Cómo era posible que Amanda Carre, la indómita y libre La Sauvage, una mujer tan independiente que no necesitaba a nadie, se hubiera enamorado de él?

Pero él ya tenía sus sospechas. La forma en que lo miraba, unas veces con esperanza y admiración y otras con un deseo ardiente, era muy reveladora. Sólo quería protegerla, pero quizás ella había malinterpretado su comportamiento más de lo que pensaba.

Intentó hablar, pero fue incapaz de articular palabra.

–Al menos voy a Inglaterra a ver a mamá, que es lo que tú querías –estaba temblorosa, y luchando por contener las lágrimas–. No podía negarte algo así, pero tengo miedo –se limpió el rostro con la manga de la camisa, y añadió–: Soy una cobarde. Voy a decepcionarte, porque Inglaterra y mamá me dan mucho miedo. Le tengo más miedo a ella que a los granujas que a veces abordaban nuestro barco y querían matarnos. Ojalá volvieras para decirme que no tengo que ir a Inglaterra.

Cliff retrocedió, y cerró los ojos mientras lo recorría una compasión abrumadora. Podía lidiar con el problema de la llegada a Inglaterra, pero lo que Amanda sentía por él era un tema muy diferente.

Volvió a su camarote en silencio.

CAPÍTULO 8

Cliff no podía quitarse de la cabeza lo que había oído, pero en ese momento Amanda estaba tomando un trago de vino y nada revelaba que había estado llorando. Cuando alzó los ojos y lo contempló con una expresión esperanzada, se sintió incómodo y apartó la mirada. Había trazado un plan de acción, y pensaba llevarlo a cabo costara lo que costase. Iba a hacer todo lo posible para que el encuentro de Amanda con su madre fuera un éxito, pero para eso necesitaba que ella colaborara.

–¿Os gusta la *soupe du poisson*? –le preguntó con naturalidad.

Ella dejó a un lado la cuchara, y lo miró sonriente.

–Sí, mucho.

–Avanzamos a buen paso. He calculado que ya hemos completado un tercio del viaje –al ver que se tensaba, añadió–: Supongo que estáis muy emocionada.

Ella fijó la mirada en su plato, y dijo sin demasiada convicción:

–Sí.

Cliff la contempló mientras buscaba la manera de conseguir que le confesara sus miedos, ya que quería sugerirle un curso intensivo de buenos modales. Amanda no tenía más remedio que aprender a comportarse como una dama si quería entrar a formar parte de la sociedad londinense.

–¿Vais a dejarme a mi suerte en el puerto de Londres? –le preguntó ella, claramente aterrada.

–Claro que no. Pienso acompañaros a Belford House.

–¿Y me dejaréis allí?

–Quiero ayudaros a causar una buena impresión, Amanda. Tendremos que conseguir un vestido adecuado, así que en cuanto lleguemos me encargaré de que una modista vaya a veros a Harmon House. Cuando estéis vestida tal y como corresponde, os llevaré a Belford House.

–Harmon House es donde viven vuestro padre y su esposa la condesa, ¿verdad?

–Sí, suelo alojarme allí cuando estoy en Londres. No sé quién estará en la casa cuando lleguemos. Puede que esté la familia entera, o puede que no haya nadie –al ver que se ponía muy roja, como si estuviera enfebrecida, comentó–: Es obvio que estáis un poco ansiosa, pero os aseguro que mi familia os recibirá con los brazos abiertos. Si lo deseáis, permaneceré a vuestro lado durante el encuentro con vuestra madre.

–Ya, pero después os iréis. Mi madre me asignará una habitación en su casa, así que voy a vivir el resto de mi vida en Belford House.

Cliff suspiró, y sintió una gran pena por ella.

–Sois joven y ella es vuestra madre, por supuesto que se hará cargo de vos. Es su deber. Pero cuando alcancéis la mayoría de edad, podréis hacer lo que queráis... si tenéis los fondos necesarios, claro.

Cliff no pudo evitar recordar que Carre le había aconsejado a su hija que se convirtiera en su amante. No podía culparlo del todo, ya que Amanda era hermosa y apasionada, justo el tipo de mujer que un caballero adinerado querría poseer, pero le extrañaba que el pirata no hubiera aspirado a algo más para ella. Se preguntó si era cierto que Amanda había vivido los primeros años de su vida con su madre, y se dio cuenta de que era poco probable. Maldición, ¿por qué no la había mandado Carre a alguna escuela de señoritas, para que lo aprendiera todo sobre el protocolo?

–Me falta poco para ser mayor de edad.

–Desde un punto de vista legal, pero seguro que vuestra madre querrá seguir cuidándoos. No se deshará de vos en cuanto cumpláis los dieciocho, Amanda. Muchas damas casaderas viven en casa de sus padres hasta entrados los veinte; de hecho, algunas se quedan solteras.

Ella se limitó a sacudir la cabeza con consternación.

–Yo puedo ayudaros, Amanda –Cliff se inclinó hacia delante, y contuvo justo a tiempo el impulso de tomarla de la mano.

–¿A qué os referís?

–Vais a necesitar más que un vestido bonito para causar buena impresión.

Amanda se tensó de inmediato, y le dijo:

–Eso ya lo sé. Llevar ropa elegante no va a hacer que se me olvide que no soy una dama; de hecho, nunca me he puesto un vestido.

Cliff se dio cuenta de que aquello iba a ser más difícil de lo que pensaba.

–Vuestra originalidad me resulta cautivadora, pero no todo el mundo compartirá mi opinión.

–¿Estáis de broma? –le preguntó ella con incredulidad–. ¿Tenéis idea de cuántas damas finolis de Kingston se reían de mí al verme pasar? En la iglesia, se negaban a sentarse en el mismo banco que yo. Una remilgada hasta cruzó de acera para no pasar por mi lado. Hablaban de mí en voz alta, así que sé muy bien lo que pensaban. Soy una basura, y tanto en casa de mi madre como en la vuestra todo el mundo va a despreciarme.

Cliff sintió una punzada de dolor en el corazón.

–No sois una basura. Sois cien veces más fuerte, valiente y hermosa que todas vuestras detractoras. Y os equivocáis respecto a mi familia, todos os aceptarán y os tratarán con respeto porque estáis a mi lado, y llegarán a apreciaros de corazón cuando os conozcan mejor. Pero tenéis razón al pensar que ni vuestro candor ni vuestra destreza con la espada van a ser bien recibidos en Belford House. Tenemos que planear con esmero el reencuentro con vuestra madre, Amanda. He estado pensando largo y tendido en el asunto, y aunque desearía disponer de más tiempo, sólo nos queda un mes. Debéis aprender las pautas básicas del comportamiento en la alta sociedad... cómo andar, hablar, comer... y bailar, por supuesto.

Amanda estaba a punto de echarse a llorar.

–Ya sé andar y hablar, pero no lo hago bien, ¿verdad? –tras un breve silencio, añadió–: No quiero comer con finolis, de Warenne, y tampoco quiero ir a Inglaterra. No quiero ver a mi madre en estas circunstancias, pero se lo prometí a papá –la silla se volcó cuando se levantó de golpe. Se puso muy pálida, y se apresuró a levantarla.

Cliff se levantó de inmediato, rodeó la mesa, le quitó la silla de las manos, y la colocó en su sitio antes de decirle con voz tranquilizadora:

–No pasa nada.

–Claro que pasa, ni siquiera puedo levantarme bien de la mesa.

Él la tomó de la mano, y comentó:

–De hecho, vuestras imitaciones son muy buenas.

–¿Os referís a cuando me burlo de algún tontorrón?

–Exacto. Imitáis el acento de la alta sociedad a la perfección, os he oído hacerlo en más de una ocasión. No será tan difícil como creéis.

Ella lo miró en silencio durante unos segundos, y al final apartó la mano.

–Puedo practicar todos esos aires finolis, pero nadie va a tragárselo. No quiero ser una dama, lo único que me interesa es navegar.

Cliff sintió que se le derretía el corazón, y escogió con sumo cuidado sus siguientes palabras.

–Por desgracia, Carre está muerto, y no tenéis nada. Vuestra madre se ocupará de vos, vais a tener que adaptaros.

–Os tengo a vos –susurró ella, mientras lo miraba con los ojos inundados de lágrimas.

–*¿Qué?* –fue todo lo que alcanzó a decir. El corazón se le aceleró de golpe.

Ella se rodeó con los brazos, y le dijo:

–Podría quedarme aquí... con vos. Creo que eso habría complacido a mi padre.

Cliff la miró con incredulidad, pero en ese instante todos y cada uno de los momentos que habían pasado juntos en la fragata se le arremolinaron en la mente con una claridad chocante.

–¡Soy muy buena marinera!, seguro que no hay nadie a bordo capaz de subir más rápido que yo por la verga de mayor.

Cliff empalideció de golpe.

–¡No vais a subir esa verga!

–Puedo cargar balas de cañón como el mejor artillero, tengo buena puntería con la pistola, y vos mismo comprobasteis que soy una excelente espadachina. ¡Por favor, dejadme navegar con vos!

–Queréis navegar conmigo –el corazón le martilleaba con un ritmo atemporal que reconoció al instante. Amanda quería permanecer a bordo de su navío, surcar los mares a su lado. Tuvo que volverse hasta darle la espalda, ya que su miembro se había excitado al instante.

–¡Os juro que no os molestaré! No como mucho, y puedo dormir con el resto de marineros.

Cliff se volvió de golpe hacia ella, y le dijo con firmeza:

–No.

–Voy a ser un desastre en Inglaterra, lo sabéis tan bien como yo –le susurró ella.

Al verla tan temerosa y angustiada, tuvo el alocado impulso de acceder a su petición, pero era imposible.

–No vais a ser un desastre. Ariella, Anahid y yo mismo os ayudaremos a aprender.

Amanda se sentó en la cama, y le preguntó:

–¿Y si mamá no me quiere?

Era el peor de los temores de Cliff. Se acercó a ella, pero se recordó que no podía tocarla ni reconfortarla en ese momento.

–Entiendo que estéis nerviosa, pero os ruego que confiéis en mí. Antes de marcharme de Inglaterra, me aseguraré de que tenéis un buen futuro por delante. Os lo prometo.

Amanda lo miró con incertidumbre, y susurró:

–Confío en vos, pero... ¿y si mamá me mira como aquella puerca de Windsong, como todo el mundo?

Cliff se tensó de golpe. Lady Belford iba a arrepentirse si se atrevía a mirar con desprecio a Amanda.

–No puedo predecir el futuro, pero podemos hacer lo posible para que todo esté a nuestro favor. Vais a tener que trabajar muy duro durante las próximas semanas, y yo os echaré una mano durante el reencuentro con vuestra madre. Creo que juntos podemos conseguir que todo salga bien. Yo pienso poner de mi parte, pero vos también debéis hacerlo.

Amanda se mordió el labio, y le dijo:

–Voy a intentarlo, pero desearía tener tanta seguridad como vos.

–Tendré suficiente seguridad para los dos. Ella es vuestra familia, Amanda. Yo soy un comerciante la mayor parte del tiempo, un corsario en mis ratos libres, y a la postre un soltero. No podéis navegar conmigo, no es correcto.

Ella apartó la mirada, y le preguntó:

–¿Por qué no? Vos hacéis lo que os da la gana, todos saben que no obedecéis a nada y a nadie.

Lamentablemente, eso era cierto. Cliff vaciló por un instante antes de admitir con gravedad:

–Por desgracia, mi vida sería muy diferente si no fuera un excéntrico, ya que he permanecido apartado de todo el mundo. No me arrepiento, pero a la larga es mejor encajar.

–Pero yo también soy diferente –susurró ella.

Cliff se dio cuenta de que los dos eran unos inconformistas.

–Vuestro destino está en Belford House, y el mío en el

mar. Somos completamente diferentes –se sentó a su lado, mientras intentaba no pensar en lo mucho que tenían en común–. ¿Qué me decís?, ¿estamos de acuerdo en el plan de acción?

Ella vaciló antes de asentir.

–Voy a intentar mejorar mis modales, aunque no soy tan optimista como vos.

–Estoy convencido de que vais a lograrlo –antes de darse cuenta, añadió–: No voy a abandonaros, Amanda.

Los dos parecieron igual de sorprendidos por aquellas palabras.

Amanda estaba exhausta, ya que llevaba los últimos cinco días inmersa en sus nuevas clases. El plan de acción estaba claro, así que estaba esforzándose al máximo por aprender a comportarse con educación y aires finolis. Estaba casi convencida de que no iba a poder engañar a nadie, pero no podía quitarse de la mente la imagen de una joven sin rostro que vestía elegantes vestidos y caminaba sin esfuerzo con elegancia. La mujer tomaba el té con su madre en un jardín lleno de rosas de todos los colores, y contaba con el apoyo de un galante admirador que la acompañaba por todo Londres, y que casualmente se parecía mucho a de Warenne.

El protocolo no la fastidiaba tanto como esperaba, pero lo que no soportaba era ser tan torpe e inepta. Sus esfuerzos resultaban cómicos, ya que cuando no tropezaba con la falda del caftán que le habían dado, se le olvidaba andar con pasos cortos. Alexi se había partido de risa al verla andar con falda pero con paso de chico, hasta que al final le habían dicho al niño que se marchara mientras Anahid, Ariella y Michelle seguían ayudándola. Más tarde se había enterado de que de Warenne había castigado al pequeño por reírse, y le había ordenado escribir en un solo día dos redacciones, una de ellas en latín, además de una carta de disculpa. El caftán le resultaba muy incómodo, y no sabía si iba a poder acostumbrarse a llevar algo así. Si ni siquiera podía caminar como las damas de Kingston, ¿cómo iba a aprender a bailar? Al quinto día, estaba totalmente desalentada. ¿Iba a conseguir ser lo bastante elegante como para engañar a alguien?

Tenía miedo de humillarse delante de la sociedad y de de Warenne, pero a pesar de que no había querido admitirlo, siempre había sabido de forma instintiva que no podía presentarse en casa de su madre como la hija de un pirata. Le faltaban agallas para hacerlo.

Se quitó el odiado caftán. En un gesto desafiante que nadie había parecido notar, siempre llevaba debajo la camisa y los pantalones, y su daga seguía dentro de la bota. ¿Acaso estaba aferrándose a su antigua vida, por si la nueva no se materializaba? Tiró al suelo el caftán bordado en tonos turquesa, violeta y dorado, y lo alejó de una patada. Se había sentido mortificada cuando había estado a punto de caerse de cara al hacer una reverencia, pero lo peor de todo era que de Warenne había estado observándola desde la puerta. En vez de impresionarlo, había quedado en evidencia delante de él por enésima vez.

Se cubrió la cara con las manos. ¿Por qué su madre no podía quererla tal y como era? ¿Por qué no podía quererla de Warenne?

Le dio un vuelco el corazón. Se negaba a comportarse como una bobalicona en lo concerniente a aquel hombre. Era su protector, incluso su amigo, pero jamás se plantearía tener como amante ni como una simple aventura pasajera a una mujer vulgar como Amanda Carre, a una desvergonzada como La Sauvage... aunque quizás la desearía si se convertía en una dama.

Apenas lo había visto desde que había empezado con las nuevas clases. Creía que iba a ayudarla en cierta medida a aprender a caminar, hacer reverencias y bailar, pero o le había entendido mal, o él había decidido no participar en su educación. Había intentado ir a hacerle compañía durante la guardia de media, pero él le había dejado claro que no era bien recibida y le había ordenado que se fuera a dormir. Había sido un golpe muy doloroso, ya que además de lo mucho que disfrutaba de su compañía y de que ansiaba que la felicitara por sus progresos, lo echaba de menos. Estaba claro que estaba manteniendo las distancias porque no quería que ella intentara seducirlo de nuevo.

Deseó no haber sido tan tonta.

Oyó que llamaban a la puerta, y al volverse para ir a abrir vio a través de las portillas que el cielo estaba cada vez más nublado. Se sintió entusiasmada, ya que hacía años que no navegaba durante una tormenta.

Abrió la puerta, y su rostro se iluminó al ver a un sonriente Michelle.

–¿Vamos a leer más? –la lectura le gustaba casi tanto como la navegación.

–*Non. Actuellement,* vamos a empezar con las clases de baile.

Se le cayó el alma a los pies; hasta el momento, las clases se habían limitado a caminar, hablar y hacer reverencias básicas. ¿Iba a ser Michelle quien la enseñara a bailar? Si no tenía más remedio que aprender, quería que su maestro fuera de Warenne. Pero quizás fuera mejor así, no quería volver a quedar en ridículo delante de él.

–No me encuentro bien, ¿podemos dejarlo para mañana?

–¡Nos queda muy poco tiempo, *mademoiselle*! Debéis aprender a bailar el vals, aunque no dispongamos de música. *Maintenant, allez-vous!*

–Que arricen las gavias y los juanetes.

–Sí, señor –el guardiamarina Clark se apresuró a dar las órdenes correspondientes.

Cliff se volvió hacia el bauprés. El viento había alcanzado los veintitrés nudos, y el tiempo iba empeorando con tanta rapidez, que en unas dos o tres horas iba a tener bajado casi todo el velamen. Se cruzó de brazos mientras intentaba calibrar el alcance de la tormenta que se avecinaba. La situación no tenía demasiada buena pinta.

–Tenemos por delante muy mal tiempo, MacIver.

–Sí, señor.

–Va a llover –fue hacia el borde del alcázar y observó cómo descendían las velas, tal y como había ordenado–. Encárgate de que haya doble guardia.

–Sí, señor –Clark ordenó de inmediato que una segunda guardia tomara posiciones.

Cliff sabía que, para cuando llegara la puesta de sol, iba a tener que ordenar que todos los hombres estuvieran en cubierta; el cielo estaba tan encapotado, que el sol ya ni se veía.

De repente, vio a Anahid acercándose por la cubierta principal. La mujer avanzaba con dificultad, ya que el balanceo del barco era cada vez más fuerte.

–Mi señor.

Se inclinó hacia delante, y la agarró del brazo para ayudarla.

–¿Cómo están los niños?

–Muy bien. Alexi quiere subir a cubierta, y Ariella está tan absorta en sus tareas de francés, que ni siquiera se ha dado cuenta del mal tiempo.

El oleaje era cada vez más fuerte, y el tiempo iba empeorando rápidamente.

–Alexi no puede subir a cubierta hasta que pase la tormenta, y dudo que sea antes del amanecer. Adelante con el informe, Anahid.

Cada día, a las cuatro en punto, la mujer le informaba de los progresos de Amanda, que de momento parecían esperanzadores.

–Es una estudiante muy aplicada. No me preocuparía si tuviéramos más tiempo, pero sólo nos quedan tres semanas. Durante toda su vida ha ido a su aire y se ha comportado como un muchacho, un comportamiento tan arraigado no puede cambiar en cuestión de semanas.

–Debe causar una buena impresión en Belford House.

–Vos mismo la visteis caminar como un marimacho el otro día. Necesita más tiempo, mi señor. ¿Puedo hablar con franqueza?

–Adelante.

–Es muy orgullosa, pero cada día deja a un lado su dignidad. Cada pequeño fallo la mortifica. Creo que quizás sería mejor que pospusierais su entrada en sociedad hasta que esté mejor preparada.

–Eso podría arreglarse –comentó Cliff, pensativo–. Pero me gustaría que se reuniera con su madre cuanto antes, y para eso no necesita estar perfecta. ¿Habrá aprendido lo suficiente cuando acabe el viaje como para parecer una mujer de buena cuna?

–No lo sé.

La situación lo preocupaba. Sabía lo decidida que estaba Amanda y la admiraba por su tenacidad, sobre todo teniendo en cuenta lo orgullosa que era y lo mucho que la avergonzaban sus errores, pero lady Belford querría una hija de modales impecables.

–Quizás sería buena idea que la animarais y la alabarais, mi señor. Os admira muchísimo.

Cliff se ruborizó, y empezó a sospechar que Anahid estaba al tanto de la inaceptable pasión que había enturbiado su relación con Amanda.

–Vamos, te acompañaré hasta los camarotes.

La agarró del brazo, y la ayudó a mantener el equilibrio mientras la conducía hasta el camarote de los niños. Justo antes de que entrara, Amanda salió del suyo y sonrió al verlo.

Entraron juntos en el camarote de los niños, y al ver que estaba sonrojada y que tenía los ojos brillantes comentó:

–¿Queréis compartir conmigo alguna buena noticia?

–Se avecina una tormenta, hace años que no navego durante una de las fuertes –le dijo ella con entusiasmo.

Cliff la miró con perplejidad. La mayoría de las mujeres ya habrían empezado a ponerse nerviosas, en una hora estarían al borde de las lágrimas, y estarían llorando desconsoladas al creerse al borde del naufragio para cuando hubieran alcanzado el corazón de la tormenta.

–Nos espera un mar muy revuelto, y vientos fuertes. Ya hemos alcanzado los veintitrés nudos. Quiero que permanezcáis bajo cubierta, al igual que los niños –como ella lo miró con incredulidad, añadió–: Es una orden.

Al volverse hacia sus hijos, vio a Alexi mirándolo con una expresión similar a la de Amanda. Era obvio que Ariella ya había notado el mal tiempo, porque estaba muy pálida. Había cerrado el libro que estaba leyendo, y permanecía sentada muy quieta en la litera inferior.

–¡Tengo que ayudarte a navegar durante la tormenta, papá! Va a haber una, ¿no? –le dijo Alexi.

–Se avecina un temporal, pero tienes ocho años y voy a darte una orden directa: Quiero que te quedes en este camarote, y que cuides de tu hermana.

–¡Pero...!

–¡Nada de peros! Soy tu capitán, y vas a obedecerme. ¿Está claro?

Alexi se ruborizó y asintió.

Cliff sabía que tenía que ser firme. Aunque el pequeño no le había desobedecido nunca, estaba deseando subir a cubierta y presenciar la tormenta, y corría el riesgo de caer por la borda.

–Voy a dejártelo muy claro: Si me desobedeces, te castigaré con una vara –era la primera vez que le amenazaba así, pero no podía correr el riesgo de que su hijo le desobedeciera.

El niño abrió los ojos como platos, y permaneció en silencio.

Cliff lo observó durante un largo momento para asegurarse de que había entendido que, en aquella ocasión, una infracción podía costarle muy caro.

–Bien –su expresión se suavizó cuando se acercó a Ariella y la alzó en brazos–. ¿Qué estás leyendo?

–*La Ilíada* –le contestó ella en un susurro.

–¿Es un buen libro?

–Sí. ¿Vamos a volcar, papá?

Cliff se rió para intentar tranquilizarla.

–¡Claro que no! ¿Cuándo ha volcado tu padre?, ¿cuándo ha naufragado? Los vientos arrecian, eso es todo. Después empezará a llover, pero tú estarás profundamente dormida, cómoda y arropada –la sentó de nuevo en la litera–. Ni siquiera te darás cuenta de que ha habido una tormenta, porque cuando te despiertes por la mañana ya habrá salido el sol –le dio un pellizquito en la barbilla.

La niña asintió, pero fue incapaz de sonreír.

–El barco se mueve mucho, no voy a poder dormir.

–Anahid va a prepararte un té, y te prometo que el balanceo del barco te ayudará a conciliar el sueño.

La niña sonrió por fin.

Amanda estaba junto a Anahid, observando fascinada cómo hablaba con sus hijos. Cliff se acercó a ellas, y le dijo en voz baja a la criada:

–Dentro de una hora, pon un poco de brandy en el té de Ariella. Será mejor que duerma durante toda la noche.

La mujer asintió.

Cliff fue hacia su hijo, y posó una mano en su hombro.

–Quiero que tranquilices a tu hermana. Juega con ella, léele algo, distráela.

–Sí, papá.

Cliff suspiró al ver que parecía contrito pero desafiante. En un par de años, iba a ser un muchacho testarudo difícil de controlar. Fue hacia la puerta, pero antes de salir se volvió hacia Amanda y la vio junto a su hijo.

–No está siendo malo contigo, Alexi. Una tormenta es peligrosa. El viento podría lanzarte por encima de la borda, y entonces tu padre se lanzaría al mar a salvarte y os ahogaríais los dos.

El niño asintió con seriedad, y dijo:

–Es verdad. Voy a cuidar de mi hermana.

Cliff se despidió de Anahid con un gesto de asentimiento, y salió del camarote. El viento había arreciado, y arrastraba la espuma de las olas embravecidas. Aceleró el paso, y subió al alcázar.

–¿Fuerza del viento?

–Veinticuatro nudos –le dijo Clark.

–Aferrad los juanetes. Arrizad los foques.

–¡Sí, señor!

–¿Permiso?

Cliff se volvió de golpe al oír la voz de Amanda. Estaba en cubierta, luchando contra el viento, y sus ojos verdes brillaban de entusiasmo. Sin pararse a pensar en lo que hacía, bajó de un salto y la agarró con fuerza.

–¡Pesáis poco más que mi hijo! ¿Cómo se os ocurre subir a cubierta?, ¿estáis loca?

–¡No estamos en medio de un huracán! Veinticuatro nudos... ¡No es más que viento de tormenta!

–¡Bajad ahora mismo!

–¡Por favor!

Sus miradas se encontraron. A pesar de que sabía que era una locura dejar que se quedara, la condujo hasta el alcázar, agarró una cuerda, le ató la cintura a uno de los extremos, y después ató la suya propia al otro.

–Podéis quedaros media hora; en todo caso, quería hablar con vos –le dijo en voz alta, para que pudiera oírlo a pesar del viento–. Una tormenta no es lugar para una dama.

Por la forma en que bajó la mirada, era obvio que estaba tramando algo. Lo miró de soslayo, y murmuró:

–No soy una dama.

–Perfecto, justo el tema del que quería hablaros.

–¿Qué? –Amanda se llevó la mano al oído, como indicando que no le oía.

Cliff se la bajó sin miramientos.

–Sé que podéis oírme –aun así, bajó el rostro hacia ella–. Me complace lo mucho que habéis progresado en las clases de decoro, Amanda. Anahid no deja de elogiaros.

Ella lo miró boquiabierta.

–Si seguís así, estoy convencido de que no sólo enorgulleceréis a vuestra madre, sino que tendréis pretendientes haciendo cola para conseguir vuestra atención.

–¿Cómo podéis decir tal cosa?, ¡si hoy casi me caigo de bruces! –le gritó con incredulidad.

–Tengo completa confianza en vos –le dijo él con sinceridad–. Pero como sé que estáis preocupada, he decidido que lo pospondremos todo cuanto sea necesario si no estáis lista cuando lleguemos a Londres.

Ella lo miró claramente aliviada, y asintió sin dejar de mirarlo a los ojos.

De repente, Cliff se la imaginó con un hermoso vestido en un salón de baile, y se le aceleró el corazón. Dios del Cielo, estaría tan arrebatadora... se quedó sin habla por un segundo, y se dio cuenta de que iba a tener docenas de pretendientes.

Su boca pareció actuar como por voluntad propia, y se oyó decir:

–Quiero que me guardéis vuestro primer baile en vuestra presentación en sociedad.

–¿En serio? –Amanda apenas podía creérselo.

Lo sacudió un deseo posesivo tan abrumador, que tuvo que apartar la mirada.

–Sí. De hecho, me aseguraré de estar en Londres cuando asistáis a vuestra primera fiesta, si me prometéis ese baile.

Amanda lo miró con incredulidad. Intentó volverse, pero la cuerda que los unía por la cintura se tensó.

–Por supuesto que os lo prometo, pero no entiendo por qué me lo pedís.

–Sois mi protegida, ¿no?

Cliff intentó comportarse con naturalidad, pero sabía que estaría irresistible con un elegante vestido, bailando en brazos de un caballero. Se dio cuenta de que la situación no iba a hacerle ninguna gracia, porque ningún hombre sería inmune a su belleza, y de repente deseó ese primer baile con todas sus fuerzas.

–¿Acaso no tengo derecho a bailar con vos antes que todos los demás?

Estaba perdiendo el control. Se encontraban cerca del timón con un viento de tormenta mientras el barco se balanceaba de un lado a otro, pero su atención estaba centrada en ella, en su belleza y su encanto. Sabía que bailar con aquella mujer sería casi tan excitante como acostarse con ella.

Amanda esbozó una sonrisa, y le dijo:

–Soy bastante torpe.

Cliff soltó una carcajada al oír algo tan absurdo.

–¡Eso no es cierto! Cuando nos enfrentamos con las espadas comprobé de primera mano lo ligera que sois de pies. Vais a ser una bailarina excelente, y acabaréis dominando todas las destrezas que estáis aprendiendo.

–De acuerdo, os concederé el primer baile... si me permitís permanecer aquí durante toda la tormenta.

–¡Ni hablar! ¡No quiero que caigáis por la borda!

Amanda le dio un tirón a la cuerda que los unía, y le lanzó una seductora mirada de soslayo.

–Dudo que pueda caerme por la borda estando así.

Cliff sacudió la cabeza. Le enfurecía que ella se hubiera atrevido a usar aquel baile como una moneda de cambio. Miró hacia el mar embravecido, y al darse cuenta de lo oscuro que estaba el horizonte, se volvió hacia ella de nuevo y le dijo:

–No pienso negociar por ese baile –no le importaba lo que ella pudiera decir, estaba decidido a conseguirlo.

Amanda le lanzó una mirada de lo más femenina... demasiado, incluso... que decía a las claras que se sabía vencedora, pero de repente soltó un grito. Él se volvió, y vio a uno de los gavieros colgando de un penol; antes de que pudiera reaccionar, la vio por el rabillo del ojo cortando de golpe la cuerda que los unía con su daga. Intentó agarrarla de forma instintiva, pero logró esquivarlo al pasar por debajo de su brazo y bajó de un salto a cubierta.

–¡Amanda! –gritó, mientras saltaba tras ella.

Se le detuvo el corazón al verla subir a los obenques. ¿Acaso iba a intentar salvar al marinero? Echó a correr hacia ella para intentar agarrarla antes de que subiera demasiado, pero era muy ágil y ascendía con tanta rapidez, que ya casi había llegado a los obenques del mastelero. Estaba a una altura peligrosa, una caída podía ser mortal.

Se debatió entre varias posibilidades: podía intentar subir tras ella y obligarla a bajar, o volver a cubierta para intentar agarrarla si se caía.

Se decidió por la segunda opción. Saltó a la cubierta, y al ver que Clark se le acercaba, le dijo con voz tensa:

–Atrápala si se cae.

Con el corazón en un puño, la vio luchar contra los vientos, que a aquella altura eran incluso más fuertes y podían arrancarla de la arboladura de un momento a otro. Ya estaba en los obenques del mastelero, pero el marinero estaba por encima de ella, colgando de la verga de gavia principal como una marioneta. El pobre no iba a poder aguantar mucho más.

Amanda se detuvo para recuperar las fuerzas, pero reemprendió el ascenso de inmediato cuando el marinero le gritó pidiendo ayuda. Fue acercándose a él poco a poco mientras luchaba contra el viento, que parecía empeñado en tirarla. Cliff contuvo el aliento al verla alargar la mano hacia el muchacho, mientras esperaba que de un momento a otro el viento arrancara su cuerpo menudo de la arboladura y se la llevara volando.

El marinero se negó a soltar el penol y ella le gritó algo, pero la tormenta ahogó el sonido de su voz.

Al recordar su daga, Cliff se llevó las manos a la boca y le gritó:

–¡Amanda, cortad el cabo y lanzádselo! ¡Cortad el cabo!

Ella se sacó la daga, y cortó uno de los cabos de los obenques. Cuando se lo lanzó al marinero y éste lo agarró, Cliff supo que estaba ante un milagro. El muchacho soltó el penol, y bajó hasta la cubierta colgado del cabo. Cliff dejó que sus hombres se encargaran de agarrarlo de las piernas para acabar de bajarlo, ya que toda su atención estaba centrada en Amanda, que había empezado a descender. Cuando por fin la vio llegar a una altura desde la que podía romperse varios huesos al caer pero no matarse, saltó hacia los obenques y empezó a subir hacia ella.

En cuanto lo vio, esbozó una sonrisa no sólo triunfal, sino además petulante.

Él apenas podía creer lo que acababa de pasar. La rodeó con un brazo, y le gritó:

–¡Soltaos!

Cuando ella obedeció, la apretó contra su cuerpo, y por un momento se balancearon colgando de los obenques.

–Dios –era lo único que pudo alcanzar a decir. No se habría recuperado jamás si ella hubiera muerto–. Dios...

–¿El chico? –le gritó ella, con la mejilla apretada contra su pecho.

–¡Está bien! –al notar que el viento soplaba con más fuerza, se dio cuenta de que tenían que bajar de inmediato–. Tenemos que bajar, no me soltéis.

–¡Puedo bajar sola!

Y un cuerno. Cliff empezó a bajar con cuidado, ya que tenía miedo de dar un resbalón y dejarla caer sin querer. Al ver que sus hombres se colocaban debajo de ellos y alargaban los brazos para agarrarla, se la entregó antes de bajar a la cubierta de un salto.

–Que alguien la lleve abajo. Asegurad de nuevo las gavias.

Amanda lo agarró del brazo, y le dijo con calma:

–Dejad que me quede, me parece que acabo de demostrar que puedo ayudar.

–No vais a permanecer en cubierta –le dijo él con firmeza.

–Le he salvado la vida al marinero.

–¡Ha sido una locura! Bajad ahora mismo con los niños.

–Por favor, de Warenne. Os juro que os obedeceré en todo.

¿Qué mujer en su sano juicio desearía permanecer junto a él durante una tormenta? Sólo la que acababa de arriesgar la vida para salvar a un marinero al que ni siquiera conocía.

Jamás iba a olvidar la imagen de Amanda subiendo por la arboladura, arriesgándose para salvar al muchacho. Había sido el acto más valiente que había presenciado en toda su vida, no había duda de que era la mujer más valerosa que había conocido jamás.

–Tendríais que estar atada al trinquete, y no sería nada agradable.

Ella sonrió de oreja a oreja.

Unas horas después de que anocheciera, el cielo se había teñido de negro. El viento había alcanzado los cincuenta y seis nudos, y aún no había amainado. La fragata sólo tenía izada la vela de estay de capa. El mar estaba completamente blanco, y no había visibilidad; el aire estaba saturado de espuma y roción. La embarcación escoraba sin control. MacIver estaba al timón con Cliff a su lado, y la tripulación en pleno estaba en cubierta.

Amanda estaba delante de los dos hombres, con una cuerda alrededor de la cintura que la mantenía sujeta al trinquete, y que impedía que pudiera caer por la borda.

Ya habían pasado unas ocho horas desde el rescate del marinero, así que Cliff suponía que debían de ser las tres o las cuatro de la madrugada. Amanda había permanecido a su lado, navegando bajo la tormenta como si formara parte del viento y el mar.

Sentía una admiración inmensa por aquella mujer.

–¿Creéis que vamos a meternos de lleno en un huracán, señor? –le gritó MacIver.

–No. Estamos en el centro, Mac. En una hora lo peor ya habrá pasado.

–Sí, señor.

Cliff fue a estribor luchando contra el viento, y Amanda lo miró sonriente. No se había molestado en preguntarle si estaba cansada y deseaba ir abajo, porque sabía de antemano su respuesta.

–Estamos en el centro de la tormenta, Amanda.

–Ya lo sé, lo noto –señaló hacia la proa, y comentó–: Ya se ve algo de luz.

Él siguió su mirada, pero no vio nada que pudiera presagiar el amanecer. Permaneció junto a ella, y al cabo de una hora alcanzó a ver la luz cada vez más intensa. Le pareció notar que el viento amainaba, y al recorrer el mar con la mirada se dio cuenta de que tenía razón al pensar que la tormenta estaba perdiendo intensidad. Miró a Amanda, que le dijo con una sonrisa:

–La fuerza del viento ha bajado al menos diez nudos.

La capacidad que tenía para analizar el viento y el tiempo era increíble.

–Sí, es cierto, pero nos espera un buen aguacero.

Aquello no pareció preocuparla en lo más mínimo.

Cliff fue a informarse sobre la fuerza del viento, y cuando le dijeron que había bajado once nudos, ordenó que se aumentara la vela. Cuando regresó junto a Amanda, alzó el catalejo y lo fijó en el horizonte; acababa de centrarlo en el sol que empezaba a surgir cuando le cayó una gota en la mano, seguida de otra y de una tercera. Antes de que pudiera pronunciar palabra, empezó a caer un aguacero.

Amanda se echó a reír, y le preguntó:

–¿Puedo cortar la cuerda?

Cliff sonrió. Como el viento ya no superaba los veinte nudos, cortó la cuerda él mismo. No hacían falta palabras. La miró con una expresión elocuente, y ella lo siguió hasta el timón.

–Ya me ocupo yo, Mac. Has hecho un buen trabajo, baja y disfruta de un buen trago.

–Sí, capitán –le contestó MacIver, muy sonriente. Se volvió hacia Amanda, y se llevó una mano a la gorra en un gesto de saludo antes de marcharse.

Aunque parecía imposible, la lluvia arreció más; aun así, Cliff siguió manejando con suavidad el timón mientras la fragata surcaba el agua sin problemas.

–Tendríais que ir abajo, Amanda.

–Me gusta la lluvia.

Él no contestó. Tendría que parecer una niña desaliñada, pero su aspecto era el de una diosa del mar. La camisa mojada se le amoldaba al cuerpo y revelaba sus pechos plenos, sus pezones endurecidos y su estrecha cintura. Como la ropa parecía opaca, debía de llevar alguna prenda barata debajo, pero eso no lo reconfortó en absoluto. Se dijo que no debía observarla y se apresuró a apartar la mirada, pero el daño ya estaba hecho. Lo peor de la tormenta ya había pasado, y jamás había deseado tanto a una mujer como a Amanda Carre.

El aguacero terminó poco después. El cielo fue aclarándose mientras el viento iba perdiendo fuerza, y de repente el sol se alzó ante ellos y tiñó de rojo el cielo y el mar mientras el azul luchaba con el gris. Era un momento glorioso.

Compartió con Amanda una sonrisa llena de camaradería, pero se tensó al ver que ella se quedaba seria y lo contemplaba con un deseo casi tangible. La muchacha a la que había rescatado semanas atrás en Spanish Town había desaparecido, y había dado paso a una mujer seductora.

Cuando se volvió para ordenar que izaran las velas, ella murmuró algo ininteligible y bajó a cubierta. El alcázar le pareció extrañamente vacío sin ella, pero se dijo que era mejor así y respiró hondo mientras intentaba controlar la pasión que lo inundaba. Amanda tenía razón, no había nada comparable a navegar en medio de una tormenta... con la excepción de hacerlo acompañado de una mujer como ella, o de gozar de su compañía en la cama.

Se tensó al imaginársela en la cama, debajo de su cuerpo, con el rostro alzado hacia él, tan enloquecida y apasionada como el mar. Se imaginó arrancándole la camisa empapada y lo que llevaba debajo, dejando al descubierto sus senos, bajando la boca hasta su piel...

Era una suerte que lo hubiera dejado solo; en ese momento, ya debía de estar durmiendo en su camarote.

–¿Permiso, capitán?

Se sobresaltó al oír su voz suave. Al verla con dos vasos en la mano, sonrió y le dijo:

–Concedido.

Amanda le devolvió la sonrisa y se le acercó.

–A papá le gustaba tomar un buen trago después de una tormenta.

–Gracias, Amanda –le dijo con voz ronca.

Ella le dio el vaso, y sus miradas se encontraron. A ninguno de los dos se le había pasado por alto el tono ronco de su voz. Cliff se volvió ligeramente, y la calidez del licor lo recorrió cuando apuró el vaso de un trago. Creía que el segundo vaso era para ella, pero Amanda se lo dio también.

Fue incapaz de controlarse, y la recorrió con la mirada. La camisa se le amoldaba a los senos de forma indecente, y revelaba los pezones endurecidos mientras los pantalones hacían lo propio con las curvas de su entrepierna.

Se puso rojo como un tomate, y susurró:

–Id a acostaros, Amanda. Descansad un poco. Sois una marinera valiente y experimentada.

–Estáis empapado, y tan exhausto como yo –le dijo ella, mientras lo miraba con una expresión intensa–. Bajaré cuando os retiréis.

A pesar de sus palabras, se apoyó en el timón. Era obvio que estaba muy cansada, y no era de extrañar. Cliff tomó conciencia de su propio agotamiento, y comentó:

–Ha sido una noche muy larga, vos ganáis.

Ya era hora de que empezara el siguiente turno de guardia. Miró hacia atrás, y con un gesto le indicó al guardiamarina que estaba a la espera que ya podía acercarse para hacerse cargo del timón.

Cuando el hombre tomó el timón, Amanda se volvió para bajar a la cubierta principal, pero estaba tan exhausta que tropezó. Cliff logró agarrarla a tiempo, y le dijo con preocupación:

–¡Vais a enfermar si no descansáis!

Estaba tan cansada, que sólo alcanzó a esbozar una débil sonrisa. La rodeó con el brazo para que pudiera apoyarse en él, y mientras la conducía por cubierta luchó por no prestar atención al contacto de sus senos. Era una suerte que estuviera medio dormida, aunque eso no le facilitara en nada las cosas a él.

Cuando pasaron por delante del camarote del capitán, Amanda se apartó de él y entró en vez de pasar de largo. Se quedó atónito, pero no protestó... era incapaz de hacerlo, ya que el deseo le nublaba la mente.

Entró tras ella, y se quedó allí parado como un idiota mientras la veía meterse en la cama. A pesar de lo cansada que estaba, le lanzó la mirada más seductora que había visto en su vida. A pesar de sí mismo, cerró la puerta de un puntapié sin molestarse en volverse.

–Ha sido una noche fantástica –le dijo ella, adormilada, mientras se llevaba las manos a la camisa.

–Sí, es verdad –le contestó muy serio. Jamás había estado tan excitado en toda su vida–. Tenéis que quitaros la ropa mojada –se debatió por unos segundos, y al final se impuso el honor–. Voy a cambiarme tras el biombo. Podéis dormir aquí, yo me iré al camarote de los niños.

–No quiero echar a perder esta colcha tan fina –murmuró ella, mientras le lanzaba otra de sus miradas.

Cliff se tensó al ver que se llevaba las manos al borde de la camisa. Era obvio que estaba a punto de quitarse la prenda sin más, y a pesar de que sabía que tendría que protestar, permaneció inmóvil y callado, a la espera. Quería ver cómo se quitaba la ropa, quería verla desnuda.

Amanda bajó los ojos, y se sacó por la cabeza la camisa y la camisola. Lo miró con otra de sus sonrisas seductoras, y se echó hacia atrás hasta que quedó reclinada contra las almohadas de terciopelo.

Cliff permaneció donde estaba mientras contemplaba a aquella Venus medio desnuda que lo esperaba, y que era más peligrosa que una sirena. Llevaba demasiado tiempo deseándola, y quizás comprobar su valentía había sido lo que lo había despojado de todo su autocontrol. Fue incapaz de apartar la mirada de sus senos, que estaban enmarcados por su larga y rizada melena color platino. Echó a andar hacia ella sin apenas darse cuenta, se sentó en la cama a la altura de su cadera, y cubrió sus senos con las manos.

Sintió que una excitación salvaje lo consumía, y al oírla soltar un gemido de placer luchó por aferrarse al poco control que le quedaba.

–Sois más que valerosa, y tan increíblemente bella... –le dijo, con voz ronca–. ¿Cómo puedo rechazar un ofrecimiento así?, soy humano –a pesar de sus palabras, su mente no dejaba de advertirle que estaba cometiendo una locura. Quizás no había perdido del todo la razón.

Ella posó una mano en su hombro, y susurró:

–Por favor.

La conciencia y el honor lucharon contra las exigencias de su cuerpo, pero ya era demasiado tarde. El contacto de su mano lo sacudió de pies a cabeza, y el deseo estalló en su interior. No quería besarla, ya que era un acto demasiado íntimo, pero fue incapaz de contenerse; enmarcó su rostro entre las manos, y le hundió la lengua en la boca. Hacía mucho que deseaba saborearla, pero estaba tan enloquecido, que necesitaba saciar su sed cuanto antes. Hundió la lengua aún más, y cuando ella empezó a gemir de placer, empezó a acariciarle los pechos enfebrecido. Bajó la cabeza, y empezó a besárselos mientras frotaba el rostro contra ellos. Cuando por fin empezó a chuparle un pezón, Amanda gritó extasiada.

Bajó una mano hasta su entrepierna, y respiró jadeante mientras ella se estremecía. Tenía el miembro dolorosamente erguido, y la presión de los pantalones era insoportable.

El pensamiento y la razón se habían desvanecido. Estaba inmerso en un torbellino de lujuria, deseo, y emociones que no se atrevía a intentar descifrar. Ya había abierto los pantalones de Amanda, y sus dedos recorrían aquella piel húmeda y cálida. Ella gritó de placer y abrió las piernas todo lo que pudo mientras se arqueaba para recibir sus caricias, su sabor masculino, su virilidad. Siguió acariciándola hasta que ella sollozó de placer.

Sabía de forma instintiva que era su primer amante, y la excitación salvaje se convirtió en una vorágine de deseo posesivo y de anhelo.

Le quitó los pantalones y los calzones mientras ella permanecía jadeante. Fue incapaz de darle tiempo a que se recuperara del orgasmo, no podía esperar más. Se inclinó sobre ella, y bajó la boca hasta su entrepierna.

Mientras la chupaba y la saboreaba, la sangre le corría por las venas en un torrente ensordecedor. Amanda gritó una y otra vez al alcanzar de nuevo el clímax, y él bajó la mano y aferró su miembro a través de los pantalones. Luchó contra el placer mientras se estremecía contra ella, pero fue un esfuerzo inútil. Cuando no pudo seguir controlándose, bajó de la cama de un salto, se apresuró a colocarse tras el biombo, y se abrió los pantalones. Colocó la frente contra la pared, y el orgasmo lo sacudió en cuanto agarró su miembro y movió un poco la muñeca.

Cuando empezó a recuperarse, permaneció inmóvil. Apenas podía creer lo que acababa de hacer. Después de inhalar profundamente, se apartó de la pared y se colocó bien la ropa. Se secó el sudor que le cubría el rostro, mientras luchaba con el anhelo de volver a la cama y retomar las cosas donde las habían dejado.

Pero lo cierto era que no la había deshonrado... aún.

Se quitó la camisa mojada, y salió de detrás del biombo. Amanda estaba justo donde la había dejado, y se había quedado dormida.

La contempló enmudecido. Estaba tan exhausta, que ni quiera había tenido fuerzas para moverse; seguía encima de la colcha, completamente desnuda, con las mejillas sonrosadas y la respiración rítmica y pausada. Se acercó a ella poco a poco. Podía repetirse una y otra vez que sólo era una niña, pero sabía que estaba intentando engañarse. Era tan hermosa, que sintió una punzada en el corazón; además, era tan apasionada como había soñado... y apenas habían empezado.

Se tensó de inmediato. ¡No habían empezado nada!, ¡no había nada que empezar! Tenía que ser su protector, no su amante. No era un granuja amoral.

Estaba tan agotada, que en caso de despertarse se dormiría otra vez de inmediato. Cuando la alzó y la colocó bajo la sábana, ella se limitó a suspirar. Fue a sacar una de sus camisas del arcón, y después de ponérsela, la arropó bien. Al verla sonreír un poco, se preguntó si estaba medio despierta.

Se sentó en una de las sillas, y se quitó las botas antes de hacer lo propio con los pantalones; por desgracia, tenía de nuevo una dolorosa erección. Después de ponerse ropa seca, se sirvió un whisky, y mientras se lo bebía se sentó de nuevo y se quedó mirándola. Se preguntó qué iba a decirle cuando despertara. Era un hombre inteligente y honesto, pero en ese momento no se le ocurría ninguna buena explicación para lo que había hecho.

Era posible que tuviera suerte, y que ella no recordara lo sucedido. El problema era que tenía un ego bastante grande, y esa opción no le gustaba demasiado.

¿Cómo demonios iba a soportar lo que quedaba de viaje después de lo que había compartido con ella? Si seguían según lo previsto, tenían dos semanas enteras por delante.

No pudo encontrar respuesta alguna a la pregunta. Siguió contemplándola mientras el sol ascendía en el cielo, y tuvo que ajustarse mejor los pantalones para que no le apretaran tanto.

CAPÍTULO 9

Amanda se sorprendió al despertar en la cama de de Warenne, y se quedó inmóvil mientras sentía la caricia sensual de la sábana de seda. Bostezó mientras se preguntaba qué estaba haciendo allí, pero al recordar de pronto a un amante dorado que la besaba, la acariciaba y la devoraba, se incorporó de golpe y se le aceleró el corazón.

Se acordó de la tormenta, y miró hacia las portillas abiertas para poder situarse. Al ver el cielo azul salpicado de unas cuantas nubes, se dio cuenta de que ya era entrada la tarde. Bajó la mirada, y vio que no llevaba puesto el camisón, sino una camisa de lino masculina. Tragó con dificultad, ya que sabía que debía de ser de de Warenne.

Intentó recordar todo lo que había pasado. Poco antes de que amaneciera habían ido al camarote del capitán. Los dos estaban empapados y exhaustos, y recordaba vagamente que se había tumbado y que habían conversado un poco mientras él permanecía a los pies de la cama. No alcanzaba a recordar con claridad lo que había pasado después, pero en su mente se agolpaban imágenes de besos apasionados, caricias enloquecedoras, y una explosión de placer. En todas ellas aparecía de Warenne, pero no sabía si habían hecho el amor de verdad o si había sido un sueño.

El hecho de que estuviera en su cama y cubierta con una

fina camisa parecía indicar que sólo había una conclusión lógica, pero no se sentía magullada ni dolorida, y estaba convencida de que notaría algo si hubieran hecho el amor.

Al salir de la cama se dio cuenta de que alguien le había dejado preparado aquel horrible caftán y sus botas. No vio su ropa, pero seguramente la habían colgado para que se secara. Se acercó al aguamanil, empezó a lavarse con un trapo, y se sintió decepcionada al no encontrar ni rastro de sangre.

Se sentó en el borde de la cama. El hecho de que no hubiera sangrado indicaba que no había hecho el amor con de Warenne, así que seguía siendo virgen. Debía de haber sido un sueño, aunque era la primera vez que soñaba con un comportamiento tan explícitamente carnal. Lo que alcanzaba a recordar era tan vívido, que se le aceleró el corazón.

Sacudió la cabeza para intentar aclararse las ideas. A pesar de que estaba enamorada de él, a lo largo del último mes había quedado claro que de Warenne jamás sería suyo. Aquel hombre era honorable de verdad, jamás había conocido a alguien tan noble.

Pero era tarde, y sólo había sido un sueño. Después de terminar de lavarse, se trenzó el pelo. Se preguntó si podía quedarse con la camisa, y finalmente se la dejó puesta y se puso el caftán encima.

En cuanto salió a cubierta, vio a de Warenne en el alcázar con Alexi. Tenían la atención centrada en la brújula, así que supuso que estaba enseñando al pequeño a navegar. Mientras contemplaba el reflejo del sol en su pelo, sus hombros anchos y sus muslos firmes, empezó a recordar cómo habían luchado juntos contra la tormenta, y el anhelo que sentía se intensificó. Siempre había sabido que era un gran marino, pero la noche anterior lo había comprobado en persona. Lo deseaba tanto, que le resultaba casi doloroso.

—¡*Mademoiselle* Carre!

Se le cayó el alma a los pies al oír a Michelle, pero no tuvo más remedio que volverse hacia él. Le habría gustado poder ir con de Warenne y Alexi, pero sospechaba que el profesor tenía otros planes para ella.

–*Bonjour* –le dijo a regañadientes.

–Buenas tardes –Michelle hizo una reverencia, y esperó a que ella hiciera lo propio.

Amanda soltó un suspiro de impaciencia. Después de lo de la noche anterior, se le habían quitado las ganas de intentar aprender a comportarse como una dama. Lo que quería era subir al alcázar, y hablar de navegación con de Warenne y su hijo. Pero iba de camino a Londres, su comportamiento seguía distando mucho de ser adecuado, y le quedaba muy poco tiempo para mejorar.

–Estoy esperando vuestra reverencia, *mademoiselle. Monsieur le capitaine* ha sido muy claro, quiere que acelere el ritmo de las clases y que aprendáis todo lo posible. Gracias a la tormenta, vamos varios días por delante de lo previsto, ya que conseguimos mantener el rumbo milagrosamente. ¿Y bien, *mademoiselle*?

Amanda hizo una reverencia, y le dijo:

–Tengo que hablar con de Warenne, *monsieur*.

–De acuerdo, pero daos prisa.

–Gracias –estaba tan contenta, que hizo otra reverencia. Se levantó un poco la falda del caftán, y empezó a alejarse a toda prisa.

–¡No corráis, limitaros a andar! ¡Las damas no corren!

–¡Yo sí! –Amanda se echó a reír.

Antes de que llegara al alcázar, de Warenne se volvió; cuando la vio, esbozó una sonrisa forzada que no se reflejó en sus ojos.

–Hola, Amanda.

Su actitud la sorprendió. Parecía cauteloso, casi distante.

–¿Permiso?

–Denegado.

Su rechazo la dejó atónita, porque la noche anterior habían compartido más de lo que la mayoría de la gente compartía en toda una vida. Estaba convencida de que la relación que los unía había cambiado, sentía que entre los dos se había creado una verdadera camaradería.

–Tenéis que ir a clase, Amanda. Ya casi ha anochecido, acabaréis pasada la medianoche si no os ponéis manos a la obra –esbozó otra sonrisa forzada, aunque la contempló con una mirada extrañamente penetrante.

–¿No puedo dejar las clases para mañana? –se sentía confusa, y también dolida.

–¿Por qué? No parecéis enferma; de hecho, da la impresión de que habéis capeado muy bien la tormenta. ¿Cómo os encontráis?

Su pregunta parecía tener un significado oculto que Amanda no alcanzó a entender.

–Me encuentro bien.

Lo miró con una sonrisa para ver si conseguía que él le devolviera el gesto, pero se limitó a seguir contemplándola con expresión inescrutable.

–¿Habéis dormido bien?

Estaba haciéndole unas preguntas de lo más extrañas.

–Sí, muy bien –al recordar que llevaba su camisa al despertar, le dijo–: Gracias por prestarme ropa seca –vaciló por un instante antes de añadir–: No me acuerdo de cuándo me puse la camisa, ni de haberme quedado dormida. La verdad es que sólo me acuerdo de la tormenta y la lluvia –y del vívido sueño, pero no pensaba contárselo a nadie, y mucho menos a él; al ver que se limitaba a seguir mirándola en silencio, se mordió el labio–. ¿Estáis enfadado porque me he levantado tarde?

–No, pero mantuvimos el rumbo y llegaremos dos o tres días antes de lo previsto, a menos que nos quedemos sin viento; en cualquier caso, ahora estoy ocupado enseñando a Alexi.

Amanda se dio cuenta de que estaba insinuando que quería que se fuera, y tuvo la impresión de que estaba ante un desconocido indiferente y distante que se había adueñado del cuerpo de de Warenne.

–Estáis enfadado conmigo, pero no entiendo el porqué –susurró.

–¿Por qué iba a estar enfadado con vos? –por primera vez desde que se conocían, la miró con impaciencia–. ¿Acaso habéis olvidado nuestro acuerdo? Debéis esforzaros en mejorar, y yo me encargaré de organizar el reencuentro con vuestra madre. El tiempo apremia.

Se sintió destrozada. Intentó convencerse de que no se había convertido en un desconocido sin corazón, de que aún seguían siendo amigos. A lo mejor seguía cansado después de la larga noche. Asintió sin apartar la mirada de su rostro, y le dijo:

–De acuerdo, lo entiendo. Tenéis razón, si quiero causarle una buena impresión a mi madre, a vuestra familia y a todos los demás, me queda mucho por hacer en diez días –se le formó un nudo de temor en el estómago. ¿Cómo iba a convertirse en una dama en tan poco tiempo?

Él vaciló, y su expresión se suavizó un poco.

–Tengo fe en vos, Amanda.

Ella se sintió tan aliviada al ver de nuevo al hombre al que amaba y al que necesitaba tan desesperadamente, que cerró los ojos por un segundo. Cuando volvió a abrirlos, sus miradas se encontraron.

–¿Cuando acabe con las clases, puedo venir a haceros compañía durante la guardia de media?

Al ver que se ponía tenso, se dio cuenta de que iba a denegar su petición.

–No es propio de una dama.

–¿A qué viene todo esto? –le preguntó, cada vez más incrédula.

–A que empiezo a pensar que he estado alentando vuestro comportamiento inadecuado. Será mejor que os centréis en comportaros como una dama.

–¡Es lo que estoy haciendo! Por favor, de Warenne... vivo para momentos como los de anoche. Sabéis que me encanta navegar bajo las estrellas, y esta noche tendremos cielos despejados y vientos moderados.

Él alzó una mano para indicarle que se callara.

–¿Creéis que podéis estudiar durante todo el día y compartir la guardia conmigo durante casi toda la noche?

–¡Claro que sí! ¡Maldita sea...! ¡Si me negáis la guardia de media, no quiero ser una dama!

–Si dejáis las clases, seréis vos quien salga perdiendo.

Amanda se cruzó de brazos.

–Me esforzaré el doble si dejáis que esté con vos en el alcázar, os lo juro. Si consideráis que permanecer despierta durante la guardia empieza a perjudicar mis progresos, claudicaré sin protestar, pero no me castiguéis hasta entonces cuando he estado esforzándome tanto –empezó a llorar, y se apresuró a secarse las lágrimas–. ¡No neguéis la camaradería que se ha creado entre los dos!

De Warenne, que había empalidecido, respiró hondo y le dijo:

–No estoy castigándoos. De acuerdo, podéis compartir la guardia de media conmigo, siempre y cuando sigáis esforzándoos al máximo y no os canséis demasiado.

Amanda sintió un alivio tan grande, que se aferró a la barandilla para evitar derrumbarse.

–¡Voy a ser la mejor estudiante que hayáis visto jamás!

–En ese caso, os sugiero que no retraséis más las clases.

Amanda sonrió de oreja a oreja. Estuvo a punto de besarle, pero se lo pensó mejor y se alejó a la carrera por cubierta mientras llamaba a Michelle a gritos.

Amanda fue a toda prisa hacia el alcázar, y vio a de Warenne al timón. Estaba bañado por la luz de la luna, y tenía un aspecto imponente. Estaba exhausta después de esforzarse al máximo en las clases, pero no quería acostarse. Lo que quería era pasar otra noche a cielo abierto en aquella nave grandiosa, sentirse en comunión con el mar y con aquel hombre. Llevaba horas esperando a que llegara el momento de compartir con él aquella guardia.

Empezó a ponerse un poco nerviosa, y se detuvo justo antes de subir al alcázar.

–¿De Warenne?

Él tardó unos segundos en volverse hacia ella, y cuando por fin lo hizo, no la miró directamente.

–Subid.

Su comportamiento seguía extrañándola, pero se apresuró a subir los tres escalones y fue hacia él. En cuanto lo tuvo cerca, su poderosa presencia pareció envolverla, y se tensó cuando la recorrió un intenso deseo.

Se dijo que estaba loca y respiró hondo, pero sólo consiguió inhalar su aroma masculino sumado al del mar. Era imposible que no sintiera lo mismo que ella, pero en ese caso, ¿por qué no la abrazaba? Quizás estaba engañándose a sí misma.

Se quedó sin aliento cuando se volvió hacia él y vio la intensidad con la que estaba observándola, pero se le cayó el alma a los pies cuando él se apresuró a apartar la mirada. Se volvió hacia el bauprés mientras luchaba por controlar el doloroso deseo que la atormentaba; era obvio que el sueño de la noche anterior había sido su perdición.

No entendía por qué estaba tan huraño. Se preguntó si estaba enfadado con ella, o si había pasado algo

–Hoy he estudiado muy duro –estaba dispuesta a hacer lo que fuera con tal de verlo sonreír.

Él asintió, pero no la miró.

–Sí, ya me lo ha dicho Anahid. Estoy muy complacido.

Amanda se estremeció. ¿Por qué se había convertido de nuevo en aquel desconocido distante?

–Creía que os alegraríais.

–Estoy muy complacido con el progreso que habéis conseguido hoy.

Por alguna razón, parecía reacio a mirarla.

Amanda se quedó mirando su rígido perfil. La noche anterior, en su sueño, la había besado como si estuviera bebiendo de su misma alma, y le había metido la lengua prácticamente hasta la garganta. Después había hundido el rostro entre sus senos, y la había acariciado hasta que ella había alcanzado el éxtasis. Sintió el anhelo abrumador de tocarlo y pedirle que la besara y la acariciara de nuevo.

De repente, él carraspeó y le dijo:

–Michelle me ha dicho que mañana os dejará elegir uno de los libros de mi colección.

–Sí, es verdad. Me ha dicho que sabe que me costará bastante, pero que elegiremos un párrafo y leeremos juntos las palabras en voz alta.

Él se volvió a mirarla por fin, y le preguntó:

–¿Qué queréis leer?

Amanda se humedeció los labios, y sintió que se le aceleraba el corazón.

–Algo sobre Irlanda.

Sus miradas se encontraron.

–¿Por qué?

–Lo sé todo sobre las islas y sobre navegación. Me sé los nombres de todos los continentes, océanos y mares, porque papá me los enseñó. Ahora quiero saberlo todo sobre el mundo.

–Irlanda no es el mundo.

–Ya lo sé, pero quiero aprender sobre su historia y su cultura antes de pasar a las de Inglaterra y Francia –lo miró sonriente, y le preguntó–: ¿Qué os parece?

Él apartó la mirada antes de contestar.

–Que es un objetivo muy loable. ¿Por qué queréis empezar por Irlanda?

«Porque te quiero, y eres un irlandés que ama su hogar. Me dijiste que es el lugar más bonito del mundo».

–Me hablasteis a grandes rasgos de cómo fue crecer en Adare, y me dio la impresión de que es un lugar precioso. Supongo que no tendré ocasión de ir, pero al menos puedo leer cómo es.

De Warenne acarició el enorme timón. El roción salpicaba el casco de la nave, y el velamen ondeaba bajo el soplido del viento.

–Podríais empezar por Inglaterra, ya que es la tierra natal de vuestros padres.

–Me interesa Irlanda –insistió ella con testarudez.

Él la miró, y esbozó una sonrisa casi imperceptible.

–Estoy convencido de que tendréis ocasión de ir allí en el futuro, y siempre seréis bien recibida en Adare.

Sus palabras la entusiasmaron tanto, que le puso la mano en el antebrazo, pero el contacto hizo que recordara hasta el último detalle de su sueño y se apresuró a apartarse.

–¿Me llevaréis vos mismo? –consiguió decir con voz ronca.

–Lo dudo.

Amanda no pudo ocultar su decepción.

–Vuestro marido no permitirá que viajéis de un lado a otro conmigo, Amanda.

Ella lo miró boquiabierta.

–¿Qué marido?

–Ambos sabemos que tendréis que casaros algún día, es lo que hacen las mujeres.

–Lo que estáis diciendo es que mi madre me obligará a casarme, ¿verdad?

Cuando se volvió a mirarla, en su rostro no quedaba rastro alguno de la máscara de indiferencia tras la que se había parapetado.

–Nadie os obligará a hacer nada. Os dije que no os abandonaría y que me aseguraría de que tuvierais un buen futuro, y voy a cumplir con mi palabra. Si lo que deseáis es ser una solterona, que así sea, pero los dos sabemos que debéis ir a vivir a Belford House.

Amanda apenas podía respirar.

–Si me lleváis a piratear con vos, obtendría mi parte del botín y no tendría que ir a Belford House.

Cliff se quedó sin palabras. Cuando recuperó el habla, le dijo:

–En primer lugar, no me dedico a piratear; en segundo lugar, si estáis preguntándome si estaría dispuesto a llevaros conmigo mientras persigo a un pirata, la respuesta innegociable es no; y en tercer lugar, vuestro sitio está junto a vuestra madre.

–Tengo entendido que vos os escapasteis de casa a los catorce años.

–¿Dónde habéis oído eso?

–Es lo que se chismorrea. Todo el mundo habla de vos en las calles... las mujeres con las que os habéis acostado en Kingston, en Spanish Town, en Barbados... he oído muchísimos rumores. Ése es uno de ellos, pero se me había olvidado hasta ahora. ¿Es cierto que os escapasteis de casa a los catorce años?

–No me escapé, me fui para abrirme mi propio camino en la vida.

–Erais menor que yo –comentó ella, fascinada.

–¡Era un muchacho, pero vos sois una joven!

–¿Por qué escapasteis de un lugar como Adare?

–Porque llegó la hora de que me fuera, Amanda. Eso es todo. Me di cuenta de que allí no iba a tener un futuro de verdad. Ya os conté que Tyrell, mi hermano mayor, es el heredero. Rex, el hermano mediano, estaba predestinado por orden de nacimiento a entrar en el ejército, pero yo no tenía ningún futuro concreto al que aspirar. Mi hermanastro Nevlin pertenecía a la armada real y a mí me atraía el mar, pero decidí ser independiente porque no me gusta acatar órdenes.

–¿Qué pasó?

–Preparé un pequeño petate, y me fui a Limerick. Allí vendí mi caballo por una buena suma, y puse rumbo a Boston. Como aún estábamos en guerra y los americanos no hacían caso del bloqueo británico, no me resultó nada fácil, pero cuando conseguí llegar obtuve un puesto como gaviero en un barco mercante americano.

–¡Me cuesta imaginaros de joven, izando velas! –comentó ella, sonriente.

Él le devolvió el gesto.

–Fue hace mucho tiempo y se trataba de un trabajo peligroso y difícil, pero como empecé prácticamente desde abajo, sé valorar a todos mis marineros.

–Sí, eso es obvio. Qué me decís de vuestros padres, ¿por qué no se opusieron a que os marcharais?

De Warenne vaciló por un momento antes de contestar.

–Antes de irme hablé con mi padre, y él lo entendió. Es un gran hombre al que admiro y respeto, y le debía una explicación. Me dio su permiso, aunque me pidió que esperara hasta los dieciséis y yo me negué.

–¿Dejó que os marcharais de todos modos?

–Entendió que tenía que hacerlo, Amanda.

–Mi padre me habría dado una buena tunda si hubiera intentado algo parecido, no me habría dejado tomar esa decisión.

–Vuestro padre tendría que haber controlado mejor sus puños. No hace falta recurrir la violencia con tanta premura.

Amanda se dio cuenta de que tenía razón. Su padre la golpeaba a veces cuando estaba de mal humor, aunque ella no hubiera hecho nada malo. Se sintió incómoda, porque era la primera vez que le cuestionaba.

–¿Y cómo reaccionó vuestra madrastra, la condesa?

–Bastante mal. Lloraba cuando creía que estaba sola, pero no me arrepiento de mi decisión a pesar de que me sentí mal por lastimarla. Tenía que dar el primer paso, y era mejor que lo hiciera cuanto antes. No conseguí mi primer barco hasta los dieciocho, no era más que una goleta de doce cañones.

–Teníais una embarcación propia a los dieciocho años –susurró Amanda, mientras lo miraba con admiración–. A mí me falta poco para cumplirlos.

–Pero vos sois una mujer.

–Ha habido mujeres pirata.

–¡Ni se os ocurra! –exclamó, horrorizado.

Amanda sonrió al ver que al menos seguía preocupándose por ella.

–¿Por qué no? Sabéis que soy una marinera experimentada, y una buena espadachina. ¿Por qué no puedo tener mi propia embarcación?, así podría olvidarme de toda esta tontería de intentar ser una dama –lo dijo muy seria, a pesar de que estaba bromeando.

–Estáis intentando provocarme, los dos sabemos que no podríais controlar a una tripulación.

–Sí, estaba intentando provocaros, y ha sido muy fácil –lo miró con picardía. De hecho, había sido demasiado fácil, tanto como conseguir que la deseara gracias a un poco de esgrima–. No quiero controlar a una tripulación, un capitán no puede hacerlo si no es capaz de matar a alguien en caso de que sea necesario. Papá mató a un buen número de sus marineros, pero yo no soy una persona violenta y jamás he matado a nadie.

–Gracias a Dios –dijo él, con voz estrangulada.

–¿Alguna vez habéis matado a algún miembro de vuestra tripulación?

–No, pero en alguna ocasión, sobre todo en los inicios de mi carrera, he tenido que usar una dura disciplina. Nunca he pasado a nadie por la quilla, pero soy la excepción de la regla.

–Contadme cómo conseguisteis el Fair Lady.

–Es tarde, y mañana os espera un día agotador...

–¡Me pondré a estudiar en cuanto amanezca! Por favor, contádmelo. Llevo tiempo preguntándome cómo fue.

–Es una historia bastante aburrida.

Amanda sabía que eso era imposible.

De Warenne había acertado. Al cabo de diez días exactos, Amanda estaba en cubierta mientras la fragata se acercaba a Londres. Cuando tenía ocho años había estado en Lisboa, pero no se acordaba de gran cosa. Había estado varias veces en Nueva Orleans y en Charleston, pero nunca había visto una ciudad como aquélla. El puerto estaba abarrotado de gente, y la cantidad de edificios e iglesias que se perfilaban en el horizonte era inacabable. Londres era enorme.

Se aferró a la barandilla, mientras lo observaba todo con los ojos como platos. Los últimos diez días habían pasado en una vorágine de actividad. De Warenne había ordenado un plan de estudios aún más intensivo, y las clases se habían sucedido desde el amanecer hasta el crepúsculo. Para cuando anochecía estaba tan cansada, que solía ir a su camarote sin cenar siquiera y se quedaba dormida de inmediato, pero a medianoche se despertaba sin que nadie la avisara, y después de comerse un buen trozo de pan con queso, subía al alcázar. Era incapaz de dejar pasar la posibilidad de estar junto a él durante la guardia de media.

Cada noche empezaba igual... él parecía reacio a mirarla y se mostraba frío, pero ella sentía que iba atrayéndola más y más de forma inexorable, a pesar de que en ningún momento había intentado abrazarla; al cabo de unos minutos, empezaban a charlar. Él siempre sabía lo que había estudiado ese día, le preguntaba sobre las lecciones, y se interesaba en saber si las había disfrutado.

Por su parte, ella le preguntaba todo lo que se le ocurría, ya que quería saberlo todo sobre Adare, Irlanda, y la vida que había tenido. Él siempre contestaba a todo, y para cuando la noche llegaba a su fin, los dos solían estar sonrientes; aun así, cuando la acompañaba hasta el camarote y la dejaba sola, se sentía profundamente decepcionada. El dolor no se limitaba a su entrepierna, sino que se extendía también a su corazón.

Había ido poniéndose cada vez más nerviosa al ver que se acercaba el final del viaje; a pesar de que se había esforzado todo lo posible, sabía que sólo era cuestión de tiempo que alguien se diera cuenta de quién era y lo que era. Por si eso fuera poco, la noche anterior se había echado a llorar al darse cuenta de que jamás volvería a compartir la guardia de media con Cliff de Warenne.

Sin embargo, no esperaba que Londres fuera un lugar tan imponente e increíble. Al navegar junto a la costa habían ido dejando atrás torres, ruinas y castillos, y la ciudad parecía estar llena de catedrales y palacios.

Supo que de Warenne se acercaba antes de oírlo, ya que su presencia se había vuelto muy familiar. Su poder era casi palpable, y la envolvió en un manto de virilidad y calidez.

–¿Qué opináis, Amanda? –la miró sonriente, pero expectante.

Lo tomó de la mano, y exclamó:

–¡Es lo más increíble que he visto en mi vida!

Él se echó a reír, pero apartó la mano.

–Londres es impresionante, ¿verdad? Es una ciudad que me gusta mucho, la prefiero mil veces a París. Se trata de una gran dama que tiene un carácter complicado, y que está llena de contradicciones... ricos y pobres, opulencia y pobreza, elegancia y lujuria, devoción y pecado –se dio cuenta de lo nerviosa que estaba, y le dijo con voz suave–: ¿Queréis que os lleve a hacer un recorrido por los lugares más relevantes?

–¡Me encantaría! ¿Lo haremos hoy mismo?

Él se echó a reír.

–Ya es muy tarde, pero dependiendo del tráfico, tardaremos unos tres cuartos de hora en llegar a Harmon House. Vais a tener ocasión de ver bastantes cosas, pero me temo que la zona del West End es una exhibición de opulencia y grandeza.

–No lo sabía –Amanda miró hacia la ciudad, y señaló hacia un alto castillo gris que había a estribor–. ¿Qué es eso, Cliff? –al ver que no contestaba, se dio cuenta de que le había llamado por su nombre, y se sonrojó de inmediato–. Perdón... capitán.

–No pasa nada, pero no deberíamos tratarnos con demasiada familiaridad. Nadie entendería la camaradería que puede nacer a bordo de un barco –sonrió por fin, y añadió–: Eso es la Torre de Londres, y ya casi hemos llegado al Puente de Londres.

–No podemos pasar de ese puente, ¿verdad?

–¿Habéis leído la guía entera de Ariella?

–Todo lo que he podido. Si me vais a llevar a hacer un recorrido, voy a tener que hacer una lista de lo que quiero ver.

–Estaré encantado de mostraros todo lo que queráis.

–En ese caso, vais a tardar años en poder marcharos de la ciudad.

Él se echó a reír.

–Nunca me he quedado más de un mes más o menos, la falta de aire fresco acabaría conmigo.

Amanda se puso seria de repente al recordar que él se marcharía tarde o temprano mientras que ella se quedaba allí.

–¿Cuánto tiempo pensáis quedaros esta vez? –susurró.

–Aún no lo he decidido –la miró en silencio durante unos segundos antes de añadir–: Esta vez, me quedaré más de un mes. Nunca habéis ido ni a la ópera ni al teatro, ¿verdad?

–He visto algunas funciones en la calle –Amanda sintió que el corazón se le aceleraba, y le preguntó boquiabierta–: ¿Estáis pensando en llevarme a un teatro de verdad y a la ópera?

–Si vais a ser una dama, os pedirán que asistáis a esos eventos. Será un placer acompañaros; de hecho, si vais a contemplar las funciones con la misma expresión que habéis puesto cuando habéis visto Londres, debo insistir en ello.

–¡Y yo acepto encantada! –se sentía como si estuviera en un cuento de hadas con su propio Príncipe Azul. Tuvo que recordarse que él no era su príncipe, aunque se había convertido en su paladín.

–Vamos a atracar, desembarcaremos en una hora.

Amanda asintió, y lo siguió con la mirada mientras él se alejaba y ordenaba acortar vela; al cabo de unos segundos, se volvió de nuevo hacia la barandilla y contempló las otras embarcaciones, los caballos y los carruajes que circulaban por el puerto, y los edificios enormes.

Cuando el carruaje que Cliff había alquilado pasó junto a unas imponentes puertas de hierro situadas en paredes de ladrillos igual de monumentales, Amanda se tensó y se aferró al borde de la ventanilla del vehículo. El West End era mucho más opulento de lo que se había imaginado. Habían pasado junto a innumerables mansiones, a cuál más imponente y majestuosa. Windsong siempre le había parecido un palacio, pero era la única mansión que había en la calle del puerto, y en todo Kingston no debía de haber ni una docena de casas igual de grandes. Creía que lo sabía todo sobre la alta sociedad, pero en ese momento se dio cuenta de lo equivocada que estaba. No alcanzaba a entender cómo era posible que hubiera tanta riqueza acumulada en un solo sitio. En comparación con la sociedad londinense, la de la isla era insignificante.

Por fin, llegaron a un camino de entrada bordeado por preciosos jardines de flores y un césped inmaculado. Al ver la enorme mansión de piedra gris flanqueada por dos torres de mayor altura, se le formó un nudo en el estómago. Una hora antes quería ver Londres, pero en ese momento se sintió reacia a dar aquel primer paso en la alta sociedad. Dios del Cielo, no estaba preparada.

–Ya hemos llegado –le dijo Cliff con voz suave.

Logró a duras penas arrancar la mirada de la casa y volverse hacia él. Estaba sentado junto a ella con despreocupación, y como era tan corpulento, acaparaba la mitad del asiento. Su vestimenta era la misma que había llevado durante el viaje, pero se había puesto las espuelas. Como había visto una enorme cuadra bordeada de rosas a la izquierda de la casa, se preguntó si pensaba salir a pasear a caballo.

–¿Belford House está en el West End? –le preguntó, aturdida.

–Sí.

–¿Es como esta casa?

–Es una mansión muy grande, pero no tanto como ésta. Belford no es tan rico.

–¿También es conde?

–No, barón.

Amanda intentó asimilar el hecho de que su madre vivía en casa de un barón. Creía que iba a encontrarla en una casa modesta pero elegante, ni se le había pasado por la cabeza que pudiera estar en un castillo, ni en una mansión, ni con un noble.

–¿Es posible que sea una criada?

–No lo sé –le contestó él, tras vacilar por un instante.

Amanda miró por la ventanilla cuando el carruaje se detuvo. Dos criados vestidos con librea se apresuraron a acercarse. Su uniforme consistía en una chaqueta roja ribeteada en oro, pantalones y calcetines blancos, y zapatos negros con hebilla.

–Por favor, decidme que el conde y la condesa están en Irlanda –susurró, aterrada.

–No sé dónde están, Amanda, pero van a recibiros con los brazos abiertos. Confiad en mí, por favor. No os he mentido jamás, nunca lo haré.

–Pero éste es su hogar –le dijo ella con rigidez.

–Prefieren Adare. Si hay alguien en la casa, puede que se trate de Ty, que haya venido a ocuparse de algún asunto relacionado con las propiedades familiares.

–Pero sería más probable que estuviera con su esposa. Vos mismo me dijisteis que están profundamente enamorados, y que apenas se alejan el uno del otro –durante sus largas conversaciones, él le había hablado a menudo de su familia.

Cliff sonrió, y comentó:

–Son un par de tortolitos embobados, pero me alegro por ellos. Es posible que no haya nadie, Amanda. Venga, vamos. Si un temporal en medio del mar no os amilana, seguro que podéis entrar en la casa de mi familia.

Amanda deseó llevar un vestido apropiado, pero no tenía más remedio que salir del carruaje tal y como estaba. Jamás se había sentido tan aterrada.

Cuando el postillón le ofreció la mano, se quedó mirándolo como una tonta. Era obvio que quería ayudarla a bajar, pero se les había olvidado enseñarle lo que había que hacer en una situación como aquélla. Oyó una risita histérica, y se dio cuenta de que procedía de sus propios labios.

Se preguntó si su madre también tenía criados vestidos con librea.

–Dadle la mano para que os ayude a bajar, Amanda –murmuró Cliff.

Ella obedeció, y empezó a bajar del carruaje antes de darse cuenta. Cliff bajó de un salto tras ella, y fue hacia el carruaje donde viajaban los niños, Anahid, y Michelle. En cuanto abrió la puerta, Alexi bajó mientras lanzaba un grito de guerra.

–Vas a asustar a los caballos, Alexi.

El niño ni siquiera pareció oír a su padre, y fue corriendo hacia Amanda.

–¿Qué te parece? ¡La ciudad huele mal! –el pequeño frunció la nariz–. Aquí no se está tan mal, pero el puerto apestaba. ¿Has visto lo sucias que están las calles? ¡Además, está nublado y hace frío!

Amanda se dio cuenta de que había bastante humedad, y echó de menos la calidez de las islas.

–Sí, hace bastante frío –alcanzó a decir.

Cliff se acercó a ellos con Ariella, y les dijo:

–Estoy seguro de que vais a sorprenderos gratamente. Vamos.

Antes de que pudieran dar un paso, la puerta principal se abrió y vieron salir a un hombre alto y moreno. Amanda creyó que se trataba del conde y tuvo ganas de que se la tragara la tierra, pero entonces se dio cuenta de que se apoyaba en una muleta y había perdido la mitad de la pierna derecha.

–¡Hola, Rex! –exclamó Cliff.

El hombre sonrió de oreja a oreja, y bajó los escalones de la entrada. Cliff fue hacia él, y se dieron un fuerte abrazo.

–¿Qué es esto? ¿Una compañía circense, o un grupo de gitanos? –dijo Rex, en tono de broma. Se acercó a Alexi, que estaba mirándolo con los ojos como platos, y comentó–: Vaya, me parece que estoy ante un príncipe gitano. No sé qué hacer, los gitanos tienen prohibida la entrada en Mayfair.

–No soy ni un gitano ni un príncipe, pero mi madre sí que es una princesa. Tú eres mi tío el caballero, sir Rex.

–Y tú debes de ser Tom, ¿verdad?

Alexi hizo un gesto de negación con arrogancia. Parecía bastante molesto.

–Soy Alexander de Warenne.

Rex le dio una palmada en el hombro, y le dijo:

–Ya sé quién eres, muchacho. Bienvenido a Harmon House –se volvió hacia Ariella, que estaba mirándolo con timidez.

–Ariella, te presento a tu tío Rex –le dijo Cliff a su hija–. Si alguna vez necesitas algo y yo no estoy, acude a él.

Ariella, que estaba inusualmente callada, se limitó a asentir y se acercó aún más a Anahid. Amanda deseó ir junto a ellas, pero ya era demasiado tarde; Rex acababa de verla, y estaba mirándola sorprendido de pies a cabeza.

–La niñera de mis hijos, Anahid, y su tutor, *monsieur* Michelle –estaba diciendo Cliff.

Rex esbozó una sonrisa cortés, y Amanda se sonrojó cuando volvió a mirarla de nuevo.

–Anahid, lleva a los niños adentro, por favor. Alexi, puedes explorar la casa y los jardines, pero no salgas de la propiedad –siguió diciendo Cliff.

Se volvió hacia ella mientras el grupo empezaba a dispersarse, y la calidez de su mirada la dejó sin aliento.

–Amanda, me gustaría presentaros a mi hermano –cuando ella se acercó a regañadientes, añadió–: Rex, te presento a la señorita Amanda Carre. Procede de las islas, pero le urgía venir a Londres y me ofrecí a traerla.

Rex lo miró con las cejas enarcadas.

–¿En serio? –se volvió hacia Amanda, y la saludó con una reverencia natural y elegante a pesar de la muleta–. Es un placer conoceros, señorita Carre. Como supongo que vais a hospedaros en casa, os doy la bienvenida.

Amanda se mordió el labio. Supuso que quizás debería hacer una reverencia, pero no pensaba hacerlo llevando pantalones.

–Gracias –se acercó aún más a Cliff, y sintió que él le tocaba el codo.

Rex bajó la mirada hacia la mano de su hermano, que seguía tocándola. Era obvio que el pequeño gesto no le había pasado desapercibido.

–Un criado os conducirá a vuestra habitación, Amanda –Cliff habló con ella como si estuvieran a solas–. Ya sé que sois incansable, pero quizás os apetece descansar un poco.

Amanda inhaló profundamente, y deseó estar en cualquier otro lugar.

–Estoy muy cansada, realmente exhausta –miró a Rex para ver si se había creído su mentira, y su mirada penetrante la puso aún más nerviosa–. Tengo una jaqueca terrible, y me duele el estómago.

–A lo mejor tendrías que llamar al médico, Cliff –comentó Rex.

Cliff la tomó del brazo, y la alejó un poco de su hermano. Sus caderas se tocaron cuando se acercó aún más a ella.

–No os preocupéis. Si preferís quedaros en vuestra habitación esta noche, no hace falta que bajéis a cenar. Yo mismo me encargaré de presentar vuestras disculpas.

De nuevo estaba salvándola de un destino peor que la muerte. Sintió un alivio y una gratitud enormes, y lo miró con la esperanza de encontrar en sus ojos la seguridad que necesitaba.

–Sí, creo que será mejor que me quede en mi habitación.

–Como queráis –posó una mano en la base de su espalda, y la volvió hacia la casa. El mayordomo estaba esperando ante la puerta–. Ése de ahí es Harrison, el mayordomo. Él os llevará a vuestra habitación y se encargará de acomodaros.

Amanda asintió, y fue hacia la casa.

Mientras la seguía con la mirada, Cliff deseó poder tranquilizarla. Finalmente, se volvió hacia su hermano Rex, que tenía dos años más que él. Estaban muy unidos a pesar de que eran tan diferentes como el día y la noche, pero llevaban año y medio sin verse. Estaba a punto de preguntarle si quería tomar un trago con él, pero su sonrisa se desvaneció en cuanto se dio cuenta de cómo estaba mirándolo.

–¿A qué viene esa mirada, Rex?

Su hermano se le acercó y le dijo:

–¿Tú qué crees? Apareces con una muchacha desgarbada que lleva pantalones y que al parecer está metida en algún aprieto, y la abrazas tan tranquilo delante de la casa, donde cualquiera puede verte. ¿Te has vuelto loco?

–No la he abrazado –le contestó Cliff con rigidez.

–¿En serio? Los dos os miráis como si fuerais amantes, camináis tan juntos que parecéis pegados el uno al otro, y hace un momento, cuando estabas susurrándole algo y mirándola a los ojos, estaba prácticamente en tus brazos. ¿Eres mi hermano, o un impostor? Y si es lo segundo, ¿dónde demonios está mi hermano y qué le ha pasado?

CAPÍTULO 10

–Tu hermano no se ha vuelto loco, está justo delante de ti, y no se acuesta con una muchacha de diecisiete años –Cliff fue hacia la casa hecho una furia. Apenas podía creerse la actitud de su hermano, cuya ética siempre había sido excesiva e irritante.

Fue a la biblioteca, y se sirvió un trago antes de volverse a mirarlo. Rex lo había seguido con celeridad a pesar de la muleta.

–Sabes que siempre he preferido a mujeres un poco mayores que yo –añadió con brusquedad, antes de dejar de golpe el vaso sobre la mesa.

–Pues será mejor que te plantees la forma en que te comportas con tu amiguita, porque cualquiera que te vea pensará lo mismo que yo –le dijo Rex con calma, aunque parecía bastante intrigado.

–¡Tú eres el que se ha vuelto loco! No tiene a nadie más, así que estoy protegiéndola. Y no es mi amiguita, sino mi protegida... al menos, de momento.

–¿Es tu protegida?, ¿qué diablos quieres decir con eso? ¿Y desde cuándo tienes una relación con una mujer más allá del dormitorio?

–La rescaté de una multitud sedienta de sangre. Estaban a punto de ajusticiar a su padre, y unos jóvenes estaban apedreándola. Si hubieras estado en mi lugar, habrías hecho lo mismo.

–Ya veo que tienes una buena historia que contar, tengo toda la noche para oírla.

Cliff empezó a calmarse; además, sabía que iba a necesitar que su hermano le ayudara.

–Es una historia increíble. Su padre era pirata, y ella se ha pasado media vida navegando con él en busca de buenas presas.

–¡Dios del Cielo! ¡No parece una sanguinaria!

–No lo es; de hecho, es sorprendentemente ingenua. Su padre no permitió que presenciara ninguna batalla, y empezó a dejarla en tierra cuando cumplió los doce años. Pero se ha criado entre granujas y ladrones, y campaba a sus anchas por toda la isla de Jamaica. Antes de rescatarla en la ejecución la había visto de vez en cuando por la zona, nadando en alguna cala o a bordo de una balsa. La gente la llamaba La Sauvage –Cliff esbozó una sonrisa–. Era una fiera salvaje, pero ahora... –se detuvo en seco, y finalmente añadió–: Ahora, está enjaulada.

Rex se cruzó de brazos, y lo miró con perplejidad.

–¿Qué quieres decir?

–En cierto modo, me asquea lo que he hecho... y no me refiero a acostarme con ella –mientras paseaba de un lado a otro, recordó el amanecer tras la tormenta, cuando lo había hecho todo menos arrebatarle la inocencia.

–¿En serio? ¿Debo entender que no te sientes culpable?

Cliff se volvió de golpe hacia él, y le dijo con énfasis:

–Es virgen.

–¿Cómo lo sabes?

Cliff tuvo ganas de pegarle un buen puñetazo a su hermano.

–Me lo dijo ella misma.

–Entiendo. Sí, es un tema de conversación muy apropiado entre un hombre y su protegida. Por cierto, la condesa, Lizzie y Eleanor están aquí.

–Amanda tiene miedo de la alta sociedad. Pasó una noche a mi lado mientras navegábamos en medio de vientos huracanados y no dejó de sonreír como una diosa del mar, pero tiene miedo de las burlas y el desprecio de la gente de alto copete. La he traído para que conozca al único pariente que le queda, y ha recibido clases de buenos modales durante el viaje. Nunca había visto a alguien esforzándose tanto en dominar un tema que no soporta. Me alegro de que la condesa, Lizzie y Eleanor estén aquí, son las tres personas perfectas para ayudarla a cambiar.

–¿Estás intentando convertir a la hija de un pirata en una dama? –le preguntó su hermano, boquiabierto.

–Me pareció la opción lógica.

–No lo dudo.

–Como es inocente, tengo la obligación de protegerla, sobre todo a partir de ahora. Los libertinos creerán que es presa fácil y no tardarán en intentar cazarla.

–Sí, claro que es tu obligación. Mi hermano encantador, mujeriego y sin conciencia, famoso por haber seducido a cortesanas y condesas, es el paladín de la hija de un pirata. Me parece que va a ser una temporada de lo más interesante, ¿piensas quedarte mucho tiempo? –Rex se echó a reír.

–Le prometí que me aseguraría de que tuviera un buen futuro –mascculló Cliff–. ¡Ya veo que te parece muy divertido!

Rex abrió mucho los ojos en un gesto de fingida inocencia.

–Claro que no me parece divertido; de hecho, apenas puedo creerlo. ¿También vas a encargarte de asegurarle el futuro?

–Por supuesto. No tiene a nadie más –Cliff se interrumpió, y fue a cerrar la puerta–. La verdad es que su madre vive en Londres. Ha venido en busca de la mujer que cree que se casó con su padre, y que según le dijeron, se llama Dulcea Straithferne Carre y vive en Belford House. ¿Conoces a lady Dulcea Belford?

Rex lo miró con expresión de sorpresa, y se acercó cojeando al sofá. Después de sentarse, comentó:

–He oído hablar de ella, y sé lo que estás pensando. Crees que su madre es lady Belford, y que por lo tanto Amanda es su hija ilegítima.

–Perder a su padre la destrozó, y ahora va a enterarse de que sus padres no estaban casados –Cliff fue a sentarse junto a él–. A pesar de lo poco que conozco a Dulcea, tengo miedo de cómo pueda reaccionar, pero estoy decidido a conseguir que el reencuentro sea un éxito. Amanda ya ha sufrido bastante, se merece tener algo de suerte en la vida.

–Debes de estar encandilado con ella. La sociedad es despiadada, y tú lo sabes mejor que nadie. No prestas atención a los chismorreos, pero tengo la impresión de que Amanda es demasiado joven y vulnerable. A pesar de lo que puedas haberle enseñado durante el viaje, no parece estar preparada para entrar en sociedad, y no lo digo porque lleve ropa de hombre. Entiendo que intentes ese reencuentro con su madre, pero yo me pensaría dos veces lo de introducirla en la alta sociedad.

–Lleva ropa de hombre porque no tiene ningún vestido. En cuanto llegamos a puerto, le mandé una misiva a una modista de Regent Street, y espero recibir su respuesta en breve. Amanda no quedará en ridículo al entrar en sociedad, porque yo estaré junto a ella; además, esperaremos hasta que todo el mundo convenga en que está lista. Y no estoy encandilado, sólo estoy siendo honorable.

Rex le dio unas palmaditas en el hombro mientras soltaba una carcajada.

–Ya era hora. Bueno, puedes seguir afirmando que lo que sientes se debe al honor. ¿Cuándo piensas presentarle a su madre?

–No lo sé. Estoy deseoso de contar con la ayuda de la condesa, Lizzie y Eleanor, y estoy dispuesto a acatar sus consejos; de hecho, es todo un alivio –ignoró otra sonora carcajada de su hermano, y añadió–: Voy a visitar a lady Belford hoy mismo, pero iré solo. Cuanto antes me asegure de que está dispuesta a encontrarse con Amanda, mejor.

La sonrisa de Rex se desvaneció.

–Soy consciente de que tanto Devlin como tú gobernáis en vuestros barcos, pero la sociedad londinense no es un océano. El poder que tienes aquí es limitado, Cliff. Que yo sepa, nunca has sido un bastión de la alta sociedad, y siempre te ha encantado alentar las murmuraciones que circulan a tus espaldas. Aunque te esfuerces por escudar a la señorita Carre, no podrás obligar a lady Belford a que la acoja, y tampoco conseguirás a la fuerza que la sociedad acepte sin más su comportamiento peculiar; de hecho, muchos se preguntarán lo mismo que yo al verte con ella.

Cliff se levantó del sofá, y le contestó con firmeza:

–Te equivocas. Puedo escudar a Amanda, y voy a hacerlo. He tolerado las murmuraciones porque me divertían, pero se cortarán en seco en cuanto empiece a hacer alarde de mi enorme riqueza. No he fracasado en toda mi vida, y no pienso hacerlo ahora –sin más, fue hacia la puerta.

–¿Adónde vas? –le preguntó su hermano con voz suave.

–A ver cómo se encuentra Amanda, y a asegurarme de que está cómoda en la habitación que se le ha asignado. No está acostumbrada a tener servidumbre, así que seguramente no habrá pedido nada.

–Espera, Cliff –Rex se puso de pie, y le dijo–: Aunque lleva pantalones, es una mujer joven y preciosa. No estás en tu barco, no puedes presentarte como si tal cosa en su habitación. La servidumbre empezaría con los chismes, y antes de mañana se habría enterado la ciudad entera. ¿Quieres arruinar su reputación antes de su presentación en sociedad? Tú solo ya eres pasto de los chismorreos, pero ahora hay que sumar a La Sauvage a la ecuación. Quiero que tengas éxito, pero tienes que ser cauto.

Cliff se sintió frustrado al darse cuenta de que su hermano tenía razón.

–Voy a ver cómo está... brevemente. Hablaremos en el pasillo.

Rex se limitó a mirarlo en silencio, pero era obvio que estaba pensando que no iba a ser una misión nada fácil.

Amanda se levantó al oír que Cliff se acercaba por el pasillo, y abrió la puerta de golpe sin darle tiempo a llamar. Al verlo allí, un poco sorprendido por tan enfático recibimiento, tuvo que contener las ganas de abrazarlo con todas sus fuerzas.

–¡No os habéis olvidado de mí!

–Me resultaría imposible hacerlo –le dijo él, con una sonrisa.

–Estáis coqueteando conmigo, de Warenne.

–¿En serio? –él miró hacia el interior de la habitación, y le preguntó–: ¿Os sentís cómoda aquí?

–¿Que si me siento cómoda?

Amanda creía que Windsong era una mansión lujosa, pero aquel lugar era muy diferente. La habitación tenía la impronta de siglos pasados, de una herencia y una tradición familiares que ella apenas alcanzaba a entender. A lo largo del pasillo había retratos antiguos con marcos dorados, y el secreter que había en su habitación parecía sacado de una época lejana. Era obvio que Harmon House formaba parte de la historia familiar de los de Warenne, y podía sentir la presencia de sus ancestros acechando entre las sombras.

–¿Debo entender que la habitación os gusta?

–Me encanta. ¿Por qué no entráis?, ¿no podéis sentaros para que charlemos un rato? –no pudo contenerse, y le preguntó lo que realmente quería saber–. ¿Qué os ha dicho vuestro hermano cuando me he ido?, ¿qué os ha dicho sobre mí?

–No puedo entrar, Amanda. Soy un soltero, y si algún criado me ve cruzando este umbral, vuestra reputación quedará hecha añicos de inmediato.

Amanda se puso aún más nerviosa al darse cuenta de que, en cierto modo, ya había entrado en la alta sociedad.

–No me importa –afirmó, aunque no era cierto.

–Pero a mí sí. Me encargaré de que os suban la cena.

–No me habéis contestado, de Warenne.

–Rex me ha dicho que sois joven y hermosa, y que le sorprende que sea vuestro protector.

–¿Nada más?

–Nada más. Pero tengo que daros una noticia. Es buena, así que debéis tomároslo con calma.

Amanda se puso aún más nerviosa.

–¿De qué se trata?, ¿es algo relacionado con mi madre?

–No. Mi madrastra, mi cuñada y mi hermana están en Londres. En este momento están fuera, han salido a tomar el té.

Amanda se sentó en un precioso confidente tapizado en tonos azules, marfileños y dorados, y fijó la mirada perdida en el pequeño fuego que ardía en una chimenea con la repisa de madera tallada. Todo estaba pasando muy deprisa, no estaba preparada para conocer a la condesa, a la hermana de de Warenne, ni a la mujer que algún día se convertiría en la siguiente condesa de Adare.

Sintió que se le revolvía el estómago, y cuando pensaba que iba a vomitar, Cliff entró en la habitación y le dijo:

–Amanda, os juro que no son como las damas de Kingston. Son amables y generosas, y estarán encantadas de conoceros.

–Estoy perdida incluso antes de conocer a mi madre.

–Creía que confiabais en mí.

–Y así es, pero dudo mucho que esas mujeres sean amables conmigo. A lo mejor fingen que me toleran, pero me mirarán con desprecio.

–No voy a intentar convenceros de lo equivocada que estáis. Os las presentaré esta misma noche si queréis, para que no sigáis preocupándoos hasta mañana.

Amanda se levantó, y lo miró a los ojos. Fue incapaz de sonreír.

–Prefiero esperar hasta mañana.

De repente, oyeron pasos que se acercaban, y los dos miraron hacia la puerta. Una mujer hermosa y elegante empezó a pasar por delante de la habitación, pero se detuvo en seco y dijo con incredulidad:

–¿Cliff?

–Hablando del rey de Roma... –dijo él, en tono de broma.

La mujer pareció sorprenderse aún más al ver a Amanda, y en sus ojos apareció un brillo travieso cuando entró en la habitación.

–Ya veo que has traído una invitada –dijo, con una dulzura sospechosa.

Él la rodeó con un brazo, y la apretó contra su costado.

–Sí, una invitada con la que espero que llegues a entablar una buena amistad.

La joven soltó una exclamación de protesta, se zafó de él, y le dio un pequeño puñetazo en el pecho antes de mirar a Amanda con una sonrisa. Sus ojos color topacio reflejaban una curiosidad patente.

Amanda se ruborizó mientras intentaba calmarse.

–¡Ay! Oye, ven aquí –Cliff agarró a la recién llegada de la oreja, y la besó en la mejilla.

La mujer le dio un fuerte abrazo, y le dijo con una carcajada:

–¡Eres incorregible! –después de soltarlo, se volvió de nuevo hacia Amanda–. Hola. Soy la esposa de Sean O'Neill, y este granuja es mi hermano. A veces le quiero muchísimo, y otras sueño con la mejor manera de darle su merecido. Puede ser un verdadero pesado.

–No le hagáis caso, Amanda. Soy encantador y agradable... a menos que me provoquen, claro –Cliff se echó a reír–. Eleanor es la hermana pequeña de la que ya os había hablado, es una verdadera amazona. Señora O'Neill, os presento a la señorita Amanda Carre.

Amanda no supo qué pensar. Era obvio que los dos hermanos se adoraban, pero la había sorprendido ver a una dama dándole un puñetazo a alguien, por mucho que fuera su hermano. La mujer era una verdadera dama... hermosa, elegante, y además hija de un conde, y estaba claro que se había dado cuenta de que ella iba con pantalones.

–Hola –empezó a desear que se la tragara la tierra, y esperó a recibir la inevitable mirada despectiva.

Eleanor la sorprendió al sonreír con cordialidad.

–Hola. No te importa que te tutee, ¿verdad? Llámame Eleanor, todo el mundo lo hace. ¿De qué conoces al incorregible de mi hermano?, ¿por qué eres su invitada?, ¿has montado a caballo bajo la lluvia?, ¿cuántos años tienes?

–¡Eleanor! –exclamó Cliff, antes de echarse a reír.

–Tu hermano ha tenido la amabilidad de traerme a Londres para que me encuentre con mi madre. No se me da demasiado bien montar a caballo, y acabamos de llegar. Procedo de las islas –su sorpresa fue en aumento cuando la mujer, en vez de reírse de ella, siguió sonriendo como si ya fueran amigas.

–Qué interesante. Mi hermano es muchas cosas... guapo, rico, valiente, egoísta, un pesado... pero la amabilidad no es su fuerte.

Amanda se tensó de inmediato.

–¡Es un hombre muy amable y generoso! Me ha traído desde las Indias Occidentales, a pesar de que yo no tenía forma de pagar por mi pasaje.

Eleanor miró con incredulidad a su hermano, que frunció el ceño y le dijo:

–El padre de Amanda falleció recientemente, no había nadie más que pudiera ayudarla.

–Así que has rescatado a una damisela en peligro –dijo su hermana con perplejidad.

–Exacto. Por cierto, he traído a Ariella y a Alexi.

Eleanor soltó una exclamación de entusiasmo.

–Y yo he traído a Michael y a Rogan, están en el cuarto de los niños con los tres diablillos de Lizzie.

–En ese caso, es posible que los primos ya se hayan conocido.

Amanda se sentó en la silla más cercana. ¿La hermana de de Warenne iba a aceptarla sin más? ¿No le importaba que estuviera vestida como un hombre? ¿Sabía que su padre había sido pirata y había muerto en la horca?

Cliff se volvió hacia ella, y le dijo:

–Tengo que salir. ¿Necesitáis algo?

A Amanda no le hizo ninguna gracia que fuera a dejarla a solas con su familia.

–No, gracias. Estoy bien –sintió náuseas. Ya era casi la hora de la cena, ¿adónde iba? No pudo evitar preguntarse si pensaba visitar a alguna de sus amantes, pero la mera idea le resultó demasiado dolorosa.

Él vaciló por un instante, y fue a sentarse junto a ella.

–Volveré enseguida. ¿Queréis que os presente a la condesa y a Lizzie antes de irme?

–Creo que prefiero descansar, ya las conoceré mañana.

Cliff la observó con atención y ella le devolvió la mirada mientras deseaba estar a bordo del barco.

–Mañana saldremos de paseo por la ciudad –le dijo él.

Amanda sonrió de oreja a oreja.

–¡Estoy deseándolo!

Él le devolvió la sonrisa antes de levantarse. Le hizo un gesto a su hermana, pero al ver que ella fingía no captar la indirecta, le dijo con firmeza:

–Amanda está cansada, ha sido un viaje muy largo.

–Iba a pedir que nos trajeran té y unos emparedados, para que podamos charlar y empezar a conocernos.

Al verla esbozar una sonrisita traviesa, Amanda empezó a inquietarse.

–Tendrás tiempo de sobra para llegar a conocer a Amanda.

–Querrás decir a la señorita Carre, ¿no? –la sonrisa de la mujer se ensanchó aún más.

–Sigues tan impertinente como siempre, hermanita –le dijo él, mientras la conducía hacia la puerta.

–Me pregunto si tú sigues siendo tan granuja como siempre. ¡Mira que estar a solas con una dama en su propia habitación a estas horas!

Cliff se volvió hacia Amanda, y le dijo:

–No le hagáis caso. Vendré más tarde a ver cómo estáis.

Amanda esperaba haber malinterpretado las palabras de Eleanor, porque no quería que pensara que estaba teniendo una aventura con de Warenne en la mismísima casa de la condesa; sin embargo, la otra mujer se despidió con un gesto despreocupado antes de marcharse, como si no le importara lo más mínimo la relación que su hermano pudiera tener con ella.

–Es una mujer muy descarada y franca, quizás incluso más que vos –le dijo él–. Por cierto, también le gusta ponerse pantalones. Hasta luego, Amanda.

Ella lo miró boquiabierta, y no alcanzó a pronunciar palabra mientras él se marchaba.

Cliff tardó unos diez minutos en llegar a Belford House, y para cuando lo hizo, había empezado a llover. Al ver cuatro elegantes carruajes alineados en la calle se dio cuenta de que seguramente iba a interrumpir una cena, pero como apenas eran las siete, los invitados debían de haber llegado poco antes. Le daba igual que no fuera demasiado correcto presentarse de improviso; en todo caso, nadie esperaría que él se comportara con corrección. Llamó a la puerta, consciente de que todo el mundo daría por sentado que estaba interesado en lady Belford... todos menos el propio Belford, que parecía ajeno al comportamiento licencioso de su mujer.

Al cabo de unos segundos, le abrió la puerta un mayordomo que se esforzó por no mostrarse sorprendido al ver su pendiente de oro y sus espuelas. Se había puesto unos pantalones oscuros, una elegante camisa, una corbata, y una chaqueta azul marino.

–¿Está Belford?

–Su señoría está en Escocia –el hombre parecía más interesado en la daga que llevaba enfundada en la cadera que en la pregunta que acababa de hacerle.

–En ese caso, he tenido suerte –Cliff le entregó su tarjeta de visita–. Por favor, informad a lady Belford que tengo que hablar con ella de un asunto muy importante.

El mayordomo le hizo pasar al vestíbulo antes de ir en busca de su señora. Cliff empezó a pasearse de un lado a otro bajo una enorme araña de luces, mientras alcanzaba a oír el sonido de voces masculinas mezcladas con algunas risitas femeninas. La decoración del vestíbulo no era ninguna maravilla. Había una alfombra oriental preciosa pero raída, dos sillas rojas bastante desgastadas, y una lámpara con una pantalla que debía de haber sido de color marfil tiempo atrás. Era obvio que los Belford tenían problemas económicos.

Tal y como esperaba, a lady Belford no pareció molestarle la interrupción y apareció al cabo de unos minutos. Al verla llegar, el parecido entre madre e hija le resultó evidente. Podrían haber pasado por hermanas, aunque Dulcea era una versión mucho menos impactante de Amanda; en cualquier caso, cualquiera que no las conociera daría por hecho que estaban emparentadas, y teniendo en cuenta la situación, no se sintió nada complacido.

Por su parte, Dulcea se mostró claramente encantada de verlo. Llevaba un vestido sin mangas color burdeos con un pequeño estampado floral en tono dorado, y un colgante con un rubí. Se acercó a él muy sonriente, y le dijo:

–¡Qué sorpresa tan agradable, lord de Warenne! Aunque me habría gustado saber que ibais a venir, para ordenar que prepararan otro cubierto en la mesa –se acercó a él, y posó una mano en su brazo.

Cliff se dio cuenta de que aún seguía deseando acostarse con él. Ocultó la repugnancia que sentía, y se obligó a sonreír y a hacer una reverencia.

–Gracias por recibirme, lady Belford. Soy consciente de que se trata de una hora de lo más intempestiva.

–La hora jamás es intempestiva cuando se trata de vos, milord –Dulcea bajó la mirada, y le devolvió la reverencia. Ella tenía una posición social muy superior a la suya, así que el hecho de que lo tratara con un título de cortesía le pareció obsequioso.

–En ese caso, soy muy afortunado.

–¿Acabáis de llegar a la ciudad?, ¿queréis cenar con nosotros? Acabamos de sentarnos a la mesa –lo miró con una sonrisa mientras volvía a tocarle el brazo.

–Me temo que no puedo demorarme demasiado, y no quiero que descuidéis a vuestros invitados por mi culpa. Pero hay un asunto extremadamente urgente del que debemos hablar, y os ruego que me concedáis unos minutos.

Ella sonrió, lo miró con coquetería, y lo agarró del brazo. Cliff luchó por controlar las ganas de apartarse de ella mientras lo conducía hacia un pequeño salón con paredes tapizadas con una tela color verde, muebles dorados, y tapicería verde y dorada. Al ver que todo parecía bastante desgastado, se convenció aún más de que los Belford estaban pasando por un bache financiero.

Lady Belford le soltó, cerró la puerta, y se apoyó en ella mientras lo miraba con una sonrisa.

–Tendréis que venir a cenar otro día, antes de que Belford regrese –murmuró.

Cliff retrocedió unos pasos, y vaciló por un momento; sin embargo, sabía que no había forma de darle la noticia con delicadeza.

–Será mejor que os sentéis, lady Belford. Tengo que daros una noticia.

Ella aceptó la silla que le ofreció, y comentó:

–Espero que se trate de una buena noticia.

–Creo que sí –a pesar de sus palabras, estaba convencido de que no iba a mostrarse nada complacida–. He traído a vuestra hija a Londres.

–¿Qué? –ella siguió sonriendo. Era obvio que no había asimilado lo que acababa de oír.

–Vuestro apellido de soltera era Straithferne, ¿verdad?

Lady Dulcea se puso pálida, y su sonrisa se esfumó.

–¿Qué es todo esto?

–Vuestra hija, Amanda Carre, se encuentra en este momento en Londres, en Harmon House.

Ella abrió los ojos como platos, y se quedó mirándolo estupefacta.

Cliff sintió un poco de lástima por ella. Miró a su alrededor, y al ver las licoreras, le sirvió un vaso de jerez y se lo dio.

Ella sacudió la cabeza, y dejó el vaso a un lado.

–Disculpadme. Mi hija está en el piso de arriba con mi hijo. Se llama Margaret, y tiene trece años.

El efímero atisbo de lástima se esfumó. Cliff sintió que lo llenaba una sensación gélida y acerada similar a la que experimentaba ante un adversario. Aquella mujer le debía a su hija una vida adecuada.

–Vamos a dejar las cosas claras, lady Belford. Podría contratar a un detective, y seguro que no tardaría más de uno o dos días en comprobar que vuestro apellido de soltera era Straithferne; pero como vuestra hija se parece tanto a vos, ni siquiera voy a tomarme esa molestia. Sin duda no os habéis enterado de que Rodney Carre murió en la horca en junio. He traído a Amanda a Londres para que se reúna con vos, ya que sois la única familia que le queda.

Lady Belford soltó una exclamación ahogada, y pareció derrumbarse mientras lo miraba con ojos llorosos. Los tenía verdes, como su hija, pero no eran ni por asomo tan exóticos y vívidos como los de Amanda.

–Tenéis razón, de soltera me apellidaba Straithferne.

Cuando se levantó temblorosa, Cliff se apresuró a acercarse a ayudarla; sin embargo, en cuanto se apoyó contra él y se aferró a sus hombros se dio cuenta de que estaba intentando engatusarlo.

–Será mejor que os sentéis –le dijo muy serio, mientras intentaba zafarse de sus manos.

Ella siguió aferrándolo, pero evitó mirarlo a los ojos para que no pudiera leer su expresión.

–Oh, Dios... estoy atónita, apenas puedo creerlo... ¿Amanda está aquí, en Londres?

–Sí. Vuestra sorpresa es comprensible, pero vuestra hija ha regresado y está deseando veros.

La apartó con firmeza, y ella lo miró al fin.

–No debéis hablar tan abiertamente, podríais causarme la ruina.

A pesar de que ella seguía con los ojos llorosos, Cliff alcanzó a ver la frialdad que se ocultaba en su mirada, y sintió un desprecio abrumador.

–¿Y qué me decís de vuestra hija?

Ella se sacó un pañuelo del corpiño, y se secó los ojos.

–Os lo repito, no habléis así. ¿Por qué la habéis traído a Londres?

–¡Para que viva con vos, sois la única familia que le queda! Tuve que escoger entre traerla aquí, o enviarla al orfanato de las Hermanas de Santa Ana.

Ella se quedó mirándolo en silencio durante unos segundos, y al final le preguntó:

–¿Cómo es?

–Es más que hermosa. Tiene unos ojos verdes parecidos a los vuestros, el pelo del color de la luna creciente, y una figura perfecta. Es muy inteligente, está aprendiendo a leer y se le da muy bien. Por no hablar de su valentía. Nunca había visto un valor semejante, ni siquiera en un hombre. Arriesgó la vida a bordo de mi barco para salvar a un joven marinero, y blande una espada casi tan bien como yo.

Cuando Dulcea lo miró horrorizada, se puso aún más furioso y le espetó con frialdad:

–¿Qué esperabais? ¡Permitisteis que vuestra hija se criara junto a un pirata, y le negasteis una vida llena de lujos como éstos! –abarcó la habitación con un gesto.

Dulcea se cubrió el rostro con las manos, y se echó a llorar.

–¿Cómo podéis culparme?

Cliff se dio cuenta de que estaba intentando manipularlo, pero no alcanzaba a entender qué era lo que pretendía.

–Al contrario que la situación de vuestra hija, vuestras lágrimas no me conmueven. ¿Qué pensáis hacer? Está en Harmon House, y espera un emotivo reencuentro.

Ella lo miró con expresión gélida, y le dijo:

–No esperaréis que acoja a alguien como ella, ¿verdad?

–Vuestra hija necesita un hogar –le dijo con brusquedad, al ver que sus peores temores estaban materializándose–. Necesita una madre, os necesita a vos. He creído que sería mejor venir a hablar con vos para avisaros de su llegada, y está claro que he hecho bien. En la sociedad hay multitud de hijos ilegítimos, lady Belford. Ambos conocemos a muchos matrimonios que están criando a su descendencia ilegítima junto a sus herederos. Yo mismo he traído a mis dos hijos, y los presentaré ante la alta sociedad con orgullo.

Ella negó con la cabeza, y lo aferró de los brazos.

–¡Pero vos no sois una mujer casada! Belford no se mostraría comprensivo y jamás me perdonaría, a pesar de que cometí el error antes de conocerlo.

–*Au contraire*. Lo manejáis a vuestro antojo, y estoy seguro de que podéis convencerlo de lo que os venga en gana.

–¿Por qué estáis haciendo esto?, ¿por qué decidisteis traerla a Londres?

–¿Estáis preguntándome por qué me comporto como un caballero? –le preguntó con ironía–. Vuestra hija se ha quedado huérfana, y ya no es una niña. ¡Tiene diecisiete años, es una mujer lista para el matrimonio! Supongo que querréis ayudarla para que tenga un buen futuro, ¿no?

–¡Vos no sois un caballero! –estaba tan pálida y tensa, que parecía de yeso–. ¿No veis lo angustioso que me resulta todo esto?

Cliff perdió la paciencia.

–¡Vuestra angustia no es nada comparada con lo que ha sufrido Amanda a lo largo de su corta vida!

Ella se quedó inmóvil, y lo observó con atención; finalmente, le dijo con frialdad:

–Me tratáis con desprecio, pero vos deberíais entender mejor de nadie lo sucedido; al fin y al cabo, estáis muy familiarizado con la pasión.

–Lo único que tenemos en común es vuestra hija, lady Belford –Cliff soltó una carcajada llena de cinismo–. Puedo imaginarme cómo concebisteis a Amanda. Erais joven, os enamoriscasteis de un aguerrido oficial de la armada, quizás mientras disfrutabais de unas vacaciones, y ahora lamentáis lo que hicisteis.

–Sí, era muy joven... de hecho, tenía la edad de Amanda... y Carre me encandiló y se aprovechó de mi ingenuidad. Era un joven y apuesto oficial de la armada cuando nos conocimos.

Cliff se acercó a ella, y se inclinó hasta que sus rostros quedaron muy cerca.

–No la criasteis hasta los cuatro años, ¿verdad? El padre de Amanda no os la arrancó de los brazos.

–¿Eso es lo que le dijo Carre?

–Sí.

–Como estaba soltera, me enviaron a dar a luz a un convento. Mis padres querían darla en adopción a alguna familia, pero una de mis hermanas avisó a Carre y él vino y se la llevó poco después de que naciera. No sé cuándo fue exactamente –Dulcea respiró hondo, y le tocó el brazo–. Cliff, sabéis tan bien como yo que el mundo funciona así. No podía arruinar mi futuro antes de que empezara siquiera.

–¿Os importaba lo más mínimo vuestra hija?

–Claro que sí, pero sabía que su padre se ocuparía de ella. No había otra alternativa.

–Había infinidad de alternativas, si hubierais tenido el corazón de una madre. Ni siquiera pensáis decirle a Belford que es vuestra prima, ¿verdad? No deseáis tener que lidiar con la inconveniencia... ¿o se trata de una cuestión económica? No me digáis que le tenéis miedo a vuestro esposo, los dos sabemos que lo tenéis controlado.

El rostro de Dulcea se afeó considerablemente al endurecerse.

–Hace años cometí un error, pero vos sois incapaz de entenderlo porque sois un de Warenne, y nacisteis rodeado de privilegios y riquezas. Sí, cometí un error, pero entonces conocí a Belford y me he forjado una buena vida. No pretenderéis que reciba con los brazos abiertos a una hija a la que ni siquiera conozco, ¿verdad? ¿Creéis que estoy dispuesta a sufrir el escarnio público, a ser el centro de los cotilleos, a perder mi reputación? –se detuvo para recuperar el aliento, y añadió–: Me habéis puesto en un brete, y debo admitir que tenemos problemas económicos. Estamos viviendo a base de créditos, y ya me resultará más que difícil presentar en sociedad a mi propia hija cuando llegue el momento.

–En ese caso, puede que no estéis escogiendo bien a vuestros amantes –comentó Cliff. Cuando ella le dio una bofetada, supuso que quizás se la merecía, pero Amanda no se merecía tener una madre así. Sería muy desdichada viviendo en aquella casa–. Carecéis de corazón, lady Belford –se puso de pie, dispuesto a marcharse–. No sólo os negáis a darle un hogar, sino que además no ofrecéis ninguna solución a sus problemas.

Ella le agarró de la manga, y le preguntó:

–¿Qué pensáis hacer?

–No temáis, no pienso sacar la verdad a la luz –el problema era que no sabía lo que iba a decirle a Amanda.

–¿No puede quedarse en Harmon House? Sin duda hay espacio más que suficiente. A lo mejor podríais darle un empleo, para que se gane el sustento.

Cliff empezó a temblar de furia. Sabía que tenía que salir de allí cuanto antes, ya que el impulso de agarrar a aquella mujer del cuello y estrangularla era avasallador.

–Amanda va a convertirse en una dama, está en todo su derecho.

Ella se relajó un poco, y le contestó:

–No soy cruel, Cliff. Si pensáis presentarla en sociedad, debo suponer que queréis encontrarle marido, pero tened en cuenta que no tiene dote.

Jamás en su vida se había sentido tan asqueado.

–No os preocupéis por las perspectivas de futuro de Amanda, lady Belford. Es el colmo de la hipocresía. Que tengáis un buen día –fue incapaz de hacer una reverencia, y fue a toda prisa hacia la puerta. Tenía que salir de allí antes de que la furia que sentía se le escapara de las manos.

Al llegar a la puerta, se volvió de golpe a mirarla. Lady Belford seguía en el centro de la habitación, inmóvil como una estatua.

–En lo que a mí respecta, acabáis de renunciar a cualquier derecho maternal que pudierais tener, lady Belford –al ver que se tensaba, alzó una mano para silenciarla–. No la mandaría a esta casa, con alguien carente de corazón y de escrúpulos, bajo ninguna circunstancia. Ha estado bajo mi protección desde que salió de Jamaica, y seguirá estándolo hasta que se case. Buenas noches.

Se fue sin darle tiempo a contestar.

CAPÍTULO 11

Para cuando llegó a Harmon House, Cliff aún no había logrado recuperar la compostura. Entró hecho una furia, consciente de que llegaba tarde para la cena, pero al notar que la casa estaba en silencio supuso que las damas habían salido.

Rex salió de la biblioteca, vestido de etiqueta.

–Al oír el portazo, he pensado que estábamos en medio de un huracán. ¿Qué es lo que pasa?

Cliff levantó la mirada hacia la escalera que conducía a la planta superior, y se preguntó cómo iba a contarle a Amanda lo sucedido. No quería que sufriera por culpa de su despreciable madre, pero la verdad iba a destrozarla. Entró en la biblioteca, y le dijo a su hermano:

–Acabo de hablar con lady Belford. Es más que una ramera, es una verdadera zorra.

Rex lo miró boquiabierto, y cerró la puerta tras ellos.

–Es la primera vez que te oigo hablar así de una mujer.

Cliff se volvió a mirarlo, y le dijo enfurecido:

–Es la persona más egoísta que he conocido en mi vida. Le da igual que su hija esté aquí, sólo le interesan su propio bienestar y el de sus hijos legítimos. Y eso me lo ha dicho mientras intentaba seducirme.

Rex tardó unos segundos en contestar.

–¿Estás seguro de que no la has malinterpretado? Supongo que se habrá quedado impactada al enterarse de la llegada de su hija.

–La he entendido a la perfección, te lo aseguro. Pero da igual, porque después de pasar media hora hablando con esa víbora, no pienso permitir que Amanda se vaya a vivir con ella. Estará mucho mejor sin una madre así, esa mujer no tiene corazón.

–Estarás bromeando, ¿no?

–Estoy hablando muy en serio –Cliff se sirvió un whisky doble, y después de apurar el vaso de un trago, se sirvió otro.

–¡Cálmate! Estás medio enloquecido, y por una mujer a la que apenas conoces.

Aquellas palabras lo enfurecieron aún más.

–Conozco a Amanda mejor que a nadie –se sirvió otro trago, pero no se lo bebió.

–¿Ah, sí? Hace seis semanas que la conoces.

–La conozco desde hace años –Cliff recordó las veces en que la había visto por la isla, o nadando en el mar–. Fuimos compañeros de viaje, compartió todas las guardias de media conmigo, y capeamos juntos una tormenta. Un viaje puede cambiar a una persona, Rex. Se forjan lazos que duran toda una vida.

–Está claro que te ha cambiado a ti.

–No lo entiendes... sí, soy su protector, pero es más que eso –Cliff se acercó a la ventana, y contempló la noche lluviosa.

Rex se acercó a él, y le preguntó:

–¿Vas a decirle que su madre está en Belford House?, ¿le contarás la verdad?

Cliff se volvió a mirarlo.

–No quiero hacerlo, pero no me queda otra alternativa.

–No quieres herirla, pero tampoco quieres engañarla.

–Exacto.

–¿Quieres un consejo?

–Por supuesto.

–Pues es un momento histórico, porque exceptuando a Devlin, eres la persona más testaruda que conozco. Si no le cuentas la verdad, acabarás arrepintiéndote. Tiene derecho a saber quién es su madre, y que Dulcea Belford no quiere hacerse cargo de ella.

Cliff ya había llegado a esa conclusión.

–Ha sufrido tanto... sigue llorando la pérdida de su padre. A pesar de que es una de las mujeres más fuertes que he conocido en mi vida, también es muy vulnerable, muy frágil desde un punto de vista emocional. Se merece que la quieran, ¡no quiero que vuelvan a herirla! No soporto la idea de que vierta una sola lágrima por esa mujer detestable.

–¿Estás seguro de que lady Belford es tan odiosa? A lo mejor tiene miedo de su marido y del escándalo, a lo mejor quiere a Amanda a su manera.

–¿Y qué «manera» es ésa?, ¿cómo puede anteponer su propio bienestar al de su hija? Yo mismo soy padre, y moriría por mis hijos. No dudaría en enfrentarme a cualquier escándalo por ellos.

–En fin, no hace falta que decidas hoy mismo lo que vas a hacer. ¿Te importa que me vaya? He acordado en encontrarme con la duquesa, Lizzie y Eleanor en casa de los McBane, me he quedado para enterarme cuanto antes de cómo te había ido en Belford House.

–No te preocupes, vete tranquilo. Saluda de mi parte a Rory y a su esposa.

–Actúa con cautela, Cliff –le dijo Rex, antes de marcharse.

Después de apurar el vaso de licor, Cliff intentó decidir si iba a contarle a Amanda la verdad sobre su madre. Si no lo hacía, ella continuaría llorando a su padre y quizás sería capaz de soportar otro duro golpe con el paso del tiempo, pero por otra parte, la sociedad londinense era muy limitada y Dulcea Belford vivía a varias calles de allí. Era inevitable que tarde o temprano Amanda acabara coincidiendo en algún sitio con su madre, o con alguien que la conociera. El parecido físico que tenían era un problema, porque en cuanto alguien se diera cuenta de que las unía algún parentesco, Amanda se enteraría de que no se llamaba Dulcea Carre, sino Dulcea Belford.

Era mejor que se enterara por él.

Amanda estaba soñando con la gran fragata, la tormenta y Cliff de Warenne. En sus sueños era maravillosamente libre, y surcaba el mar a bordo del Fair Lady. Cliff, aquella fuerza de la naturaleza que no daba tregua, estaba a su lado, tan apuesto y poderoso como siempre. Era maravilloso navegar de nuevo con él, pero de repente el sueño se volvió confuso... vio a una hermosa dama que le indicaba que se acercara, pero cada vez que intentaba hacerlo, la mujer desaparecía como un fantasma. No, no era un fantasma... de repente, oyó una voz que susurraba su nombre.

Amanda...

Se volvió hacia la voz, y se asustó al darse cuenta de que ya no estaba en la cubierta del barco, sino en un salón de baile. Estaba sola, pero lo peor de todo era que no llevaba puesto un elegante vestido, sino sus pantalones raídos y una de las camisas de Cliff.

Amanda...

Presa del pánico, giró bruscamente mientras intentaba encontrar a la hermosa dama, pero el salón seguía estando vacío. ¿Dónde estaba la mujer? Sin duda se trataba de su madre... de repente, se dio cuenta de que Cliff estaba allí. No lo vio, pero intuyó su presencia, y empezó a calmarse de inmediato.

Se despertó en ese momento, y el sueño se perdió en su memoria. Parpadeó mientras intentaba ubicarse.

Se había dormido con la luz encendida, ya que había estado leyendo. El fuego seguía ardiendo en la chimenea, y Cliff estaba observándola desde la puerta.

Se incorporó hasta sentarse mientras se apartaba el pelo

de la cara, y sonrió adormilada. Era el hombre de sus sueños, y se sintió inmensamente feliz al verlo.

–Hola, Cliff.

Él la recorrió con la mirada, y le dijo con voz tensa:

–Es pronto, no sabía que ya os habíais acostado. Hablaremos mañana.

Amanda se había puesto el hermoso camisón con el que parecía una dama elegante; por la expresión de Cliff, era obvio que no le resultaba indiferente. Se apresuró a salir de la cama, y fue corriendo hacia él antes de que pudiera marcharse.

–Estaba leyendo, y me he quedado dormida. Por favor, no os vayáis –lo miró con una sonrisa de lo más persuasiva.

Él bajó la mirada hasta su escote, y se apresuró a subirla de nuevo.

–Debéis de estar exhausta. Os he oído gritar, ¿estáis bien?

–Sí, es que he tenido un sueño muy raro –se rodeó con los brazos, y se dijo que iba a ir a ver a su madre en cuanto tuviera un vestido adecuado–. ¿Mañana vendrá una modista?

–Sí. ¿Tenéis una bata?

–Vuestra hermana me ha traído algunas de sus cosas.

–¿Podríais poneros una bata o un chal? –la miró con una sonrisa tensa, y se volvió hacia la chimenea.

Amanda lo miró extrañada, pero se acercó a un armario con entrepaños. Aunque Eleanor era unos quince centímetros más alta que ella, se puso la bata de encaje que le había dado. De repente, se dio cuenta de que la incomodidad de Cliff se debía a que su naturaleza viril empezaba a salir de nuevo a la superficie, porque el deseo y la tensión que llenaban la habitación eran casi palpables.

Sin embargo, supo de forma instintiva que pasaba alguna otra cosa, ya que estaba muy serio.

–¿Os encontráis bien? –le dijo, mientras se acercaba a él.

Se volvió hacia ella, la recorrió con la mirada, y asintió.

–Claro que sí. Vamos a sentarnos, Amanda. Hay algo de lo que debemos hablar.

Ella empezó a ponerse nerviosa, pero esperó hasta que los dos estuvieron sentados en el pequeño sofá que había frente a la chimenea.

–¿Qué ha pasado?

Él esbozó una sonrisa forzada, y le dijo:

–He estado pensando largo y tendido, y no quiero que os preocupéis por nada. Os dije que me aseguraría de que tuvierais un buen futuro, y voy a cumplir con mi palabra. Confiáis en mí, ¿verdad?

–Estáis andándoos con rodeos –comentó, cada vez más alarmada–. Ya sé lo que dijisteis, pero como voy a vivir con mi madre, será ella la que me obligue a casarme con algún desconocido.

–Para cuando se celebre el matrimonio, no será un desconocido. Estoy seguro de que estaréis encantada con vuestro futuro esposo, todas las novias están enamoradas el día de su boda.

–Estáis preocupándome de verdad. Los dos sabemos que muchas novias tienen un miedo atroz de los brutos con los que las obligan a casarse.

La sonrisa de Cliff parecía cada vez más forzada.

–Nadie va a obligaros a que os caséis con un bruto. ¿Amanda, qué os parecería quedaros a vivir en Harmon House?

–¿*Qué?*

–¿Qué os parecería?

–¿Y qué pasa con mi madre? –Amanda no entendía lo que estaba pasando.

La sonrisa de Cliff se desvaneció. La tomó de la mano con fuerza, y le dijo:

–No tenéis nada de qué preocuparos. Tenéis un sitio en el que vivir, y yo me ocuparé de vos... al igual que Rex, mi madre, mi hermana... toda mi familia os cuidará.

Amanda sintió que le daba un vuelco el corazón, y se levantó de golpe.

–¿Qué ha pasado? –le preguntó, a pesar de que empezaba a sospecharlo. De Warenne había ido a ver a su madre... y se había enterado de que estaba muerta.

Empezó a temblar de pies a cabeza, pero el miedo era tan sobrecogedor, que se negó a sentirlo. Su madre no podía estar muerta, porque su padre también lo estaba, y eso significaría que se había quedado completamente sola en el mundo... bueno, tenía a de Warenne, pero él iba a marcharse tarde o temprano a bordo de su embarcación.

–No olvidéis que me tenéis a mí –le dijo él, como si le hubiera leído el pensamiento–. Juré que no os abandonaría, y lo mantengo.

–¿Mi madre está muerta? –consiguió decir, mientras intentaba controlar el miedo que la asfixiaba.

–No, pero he ido a hablar con ella.

Al observarlo con atención, se dio cuenta de lo alterado que estaba, y de repente lo entendió todo. Tal y como esperaba, su madre no la quería.

–Vuestra madre está casada con lord Belford, Amanda. Se llama Dulcea Belford.

Aquello sí que la tomó por sorpresa. Lo miró atónita, mientras intentaba entender la situación.

–¿Se enteró de la muerte de papá?

¿Cómo era posible que la noticia hubiera llegado a Londres con tanta rapidez?

Cliff la tomó del brazo, y le dijo:

–Se casó con Belford hace años, y tienen dos hijos.

–Pero... pero eso es imposible, estaba casada con papá –protestó, mientras el corazón le latía acelerado.

Él la rodeó con el brazo.

–Nunca estuvo casada con vuestro padre.

Estaba mirándola con tanta tristeza, que se dio cuenta de que estaba diciéndole la verdad.

–Pero eso no cambia el hecho de que sois una mujer valiente y hermosa.

Se limitó a mirarlo en silencio. Era incapaz de pensar y de sentir, hacer cualquiera de las dos cosas sería demasiado peligroso. Él se humedeció los labios, y le dio tiempo para que asimilara lo que acababa de oír.

En algún rincón de su mente, era consciente de lo que estaba ocurriendo, pero era mejor seguir ajena a todo, no entender nada.

–Así que voy a quedarme aquí, ¿no?

Él la tomó de la mano de nuevo.

–Sí, conmigo.

La sonrisa de Cliff le pareció horrible, falsa, forzada; por alguna razón, le daba igual saber que iba a quedarse a vivir con él. Apartó la mano y se quedó inmóvil, sin respirar y con el corazón parado, sintiéndose tan helada como un iceberg. Jamás había tenido tanto frío.

De repente, los susurros empezaron a resonar en un rincón de su mente, y a pesar de que intentó sofocarlos, por más que intentó no hacerles caso, fueron ganando intensidad.

«Papá me mintió».

«Nunca se casaron».

«Soy ilegítima».

«Mamá es lady Belford».

–Amanda, venid a sentaros. Tenemos que hablar de todo esto con calma. A veces, la vida puede ser muy injusta, y todos hemos sufrido de un modo u otro. Pero la situación tiene un lado positivo, porque yo puedo presentaros en sociedad mucho mejor que ella, y además podremos salir a navegar juntos cuando os apetezca.

Amanda ni siquiera le oía, sólo era consciente de que su padre la había engañado durante toda su vida. No se habían casado... se preguntó si era cierto que la había arrancado de los brazos de su madre, y si ésta la había querido alguna vez.

Su madre no quería saber nada de ella.

El corazón empezó a latirle de nuevo; de hecho, estaba martilleando contra su gélido autocontrol, y latía con furia contra su pecho.

–Estáis conmocionada –le dijo Cliff, mientras la rodeaba con un brazo.

Ella se apartó de golpe, y el hielo se quebró.

–Mi madre no me quiere.

–Yo no he dicho eso –le dijo él con cautela.

A pesar de sus palabras, Amanda vio la verdad en sus ojos.

–Soy ilegítima.

–Hay muchos niños que nacen fuera del matrimonio, como Alexi y Ariella.

–¡Perfecto! Me alegro, porque las hijas ilegítimas no son damas. Y ahora... –se quitó la bata, y se la tiró con brusquedad–... ¡ahora puedo ser lo que me dé la gana!

Cliff la agarró de la mano, y le dijo:

–Voy a por un poco de licor.

–¡Y no quiero ser una condenada dama! –Amanda se zafó de él, y agarró la parte superior del camisón. Quería arrancarse aquella odiosa prenda–. ¡Quiero mis pantalones! –tiró con todas sus fuerzas, pero la tela no se rasgó.

–¡Amanda, deteneos! –le dijo él con desesperación, mientras intentaba sujetarle las manos.

Estaba enloquecida de rabia. ¡No iba a volver a andar con pasitos absurdos fingiendo que era una dama! Lo apartó de un empujón, y tenía la visión tan nublada, que apenas se dio cuenta de lo pálido que estaba. Los odiaba a los dos. A su padre, el mentiroso más grande sobre la faz de la tierra, y a su madre, que no era una dama, sino una ramera que no quería a una hija bastarda. Se volvió como una exhalación, y se sacó la daga de la bota. Oyó que Cliff gritaba alarmado, pero estaba más decidida que nunca. Rasgó una línea perfecta a lo largo del precioso camisón, que quedó abierto por la mitad. Lo odiaba. No iba a volver a ponérselo, ni ninguna otra cosa que pudiera querer tener una dama.

–¡No! ¡Amanda, vas a hacerte daño!

Oyó su voz como a una gran distancia, y al notar que la agarraba de la muñeca, se revolvió contra él. Le vio retroceder de un salto con la mano ensangrentada, pero le dio igual porque nada era real, porque todo era mentira. Se arrancó el camisón medio enloquecida, y rajó el algodón y el encaje una y otra vez. Quería destruir aquel camisón, su nueva vida, todo.

Jadeó al sentir una punzada de dolor que intentaba rasgarle el corazón. Su madre no la quería, y su padre la había engañado.

Dejó caer la daga, y cerró los ojos mientras luchaba contra la comprensión y el dolor, pero la horrible cantinela se repetía una y otra vez en su cabeza.

Pero entonces se dio cuenta al fin de que no estaba sola. Miró a de Warenne, y se rebeló al ver las lágrimas que surcaban su apuesto rostro.

–No llores, Cliff –susurró.

Odiaba a su madre, y en ese momento también a su padre. Sintió una desesperación horrible al mirar a Cliff, porque se dio cuenta de que iba a la deriva. Estaba perdida, no tenía ningún sitio al que ir, se había quedado sin una destinación y sin un faro que la guiara.

–Ven aquí –le susurró él, mientras se acercaba y alargaba los brazos hacia ella.

Amanda no vaciló, y cuando la abrazó con fuerza contra su cuerpo, sintió por un instante que estaba en el lugar más seguro del mundo, en un puerto que era su verdadero hogar. Durante ese instante, se aferró a él como si fuera su cuerda de salvamento, pero entonces se dio cuenta de que estaba desnuda, y de que su cuerpo duro y poderoso se amoldaba contra ella. Se dio cuenta de lo mucho que lo amaba, de cuánto lo necesitaba. El deseo era tan fuerte... el frío se desvaneció ante aquel fuego ardiente.

La fuerza de la pasión que la atenazaba la sorprendió, y alzó la mirada. Notó que él se tensaba al darse cuenta de lo que sucedía, y que su miembro se excitaba.

–Cliff –susurró, mientras le acariciaba la cara.

Jadeó sorprendida cuando la apretó aún más contra su cuerpo y la besó enloquecido. El dolor de su pecho entró en liza con el anhelo que la abrasaba, y al cabo de unos segundos empezó a besarlo con una desesperación frenética.

Cliff gimió, bajó las manos hasta sus nalgas, la alzó contra su cuerpo, y la llevó así hasta la cama. Cuando la tumbó y se colocó encima de ella, sus muslos poderosos la abrieron de piernas, y Amanda gimió al sentir el contacto de su miembro duro contra su sexo.

Él empezó a trazarle los labios con la lengua mientras se mecía contra ella, y bajó una mano por su cuerpo hasta hundirla en el delta de su entrepierna.

Lo amaba tanto... Amanda gritó de placer, y se sumió en un torbellino que prometía llevarla a un lugar lejano del que no querría regresar jamás.

Cliff le abrió aún más las piernas, se llevó una mano a los pantalones, y liberó su erección; cuando empezó a restregar aquel miembro resbaladizo, cálido y duro contra ella, Amanda gimió y explotó en mil pedazos.

–Amanda –jadeó contra su oído, mientras se movía enloquecido contra ella.

Ella no le oyó, y le pareció que flotaba en una nube mientras iba regresando poco a poco a la seguridad de sus brazos; sin embargo, en ese momento una palabra apareció en su mente... «mamá»... el sonido reverberó en su cabeza, lleno de angustia y desesperación, y la desgarró un dolor insoportable.

Cliff se quedó inmóvil.

–¿Amanda? –la abrazó con fuerza, apartó su miembro de su sexo, y lo colocó contra su muslo.

Oh, Dios... su padre la había engañado, su madre no la quería... se volvió hacia Cliff mientras el dolor la destrozaba, y lloró contra su pecho.

Él la apretó aún más contra sí y siguió abrazándola con fuerza, pero sus sollozos continuaron durante largo rato.

Amanda estaba mirando por la ventana de su habitación mientras una suave brisa le acariciaba la mejilla. El sol ya había iniciado su ascenso por el cielo, la mañana era bastante húmeda, y los pájaros trinaban incansables.

Sin cerrar la ventana, se volvió a mirar hacia la cama. Cliff ya se había ido, pero se había quedado con ella prácticamente hasta el amanecer y había seguido acariciándola y abrazándola cada vez que se despertaba y se echaba a llorar. El dolor se había desvanecido. Su padre la había traicionado, así que no iba a volver a pensar en él; en cuanto a su madre, había sucedido lo que esperaba. Era una dama altanera y finolis que no quería a la hija que había tenido con un pirata. ¿Y qué?, a ella no le importaba lo más mínimo.

Pero Cliff de Warenne sí que le importaba. Y ya no era «de Warenne», sino Cliff, porque habían empezado a tutearse. Esbozó una sonrisa, y se rodeó con los brazos mientras permanecía desnuda junto a la ventana.

La noche anterior habían hecho el amor. Él le había enseñado lo que era la pasión, y le había dado un placer increíble que había apartado a un lado el dolor. No había tomado su virginidad, porque la angustia que la había abrumado se había interpuesto entre ellos, pero seguro que no tardaría en hacerlo. Todo iba a cambiar en adelante, eran amantes y no había vuelta atrás.

¿Significaba eso que iba a poder navegar con él por todo el mundo? En ese caso, no hacía falta que entrara en la sociedad londinense.

Sintió un alivio enorme, y empezó a vestirse.

Cliff no había conciliado el sueño en toda la noche. Cuando Amanda se había dormido por fin en sus brazos, había decidido permanecer junto a ella. A pesar de que sabía que quedaría deshonrada si una doncella los encontraba juntos en la cama, le había dado más miedo que despertara y tuviera que soportar sola el dolor, sin nadie que la consolara. Había seguido abrazándola hasta que se había convencido de que estaba lo bastante exhausta y emocionalmente agotada como para dormir hasta la mañana, y había salido sigilosamente de la habitación poco antes del amanecer.

Al llegar a su propio dormitorio, no se había acostado, ya que lo atormentaban tanto la imagen de Amanda haciendo jirones el camisón como el dolor que había presenciado. Podía maldecir una y otra vez a sus padres, pero eso no iba a conseguir mitigar la angustia que la consumía. Se preguntó cuánto podía llegar a soportar una mujer tan sensible.

La noche anterior había perdido la razón, y había estado a punto de poseerla. Dulcea Belford no la quería, pero él sí. Había sentido una necesidad visceral de hacerla suya, pero bajo la luz del día se sentía atónito y no podía entender aquellos sentimientos tan posesivos. Si Amanda no se hubiera echado a llorar, le habría arrebatado su inocencia, ¿qué habría pasado después?

Que habría contribuido a causarle aún más dolor.

Sabía que debía mantener las distancias. No iba a volver a ir a su habitación, y evitaría a toda costa estar a solas con ella.

En ese momento se encontraba solo en el comedor, fingiendo que estaba leyendo el *London Times* a pesar de que no podía centrarse en una sola palabra. Todo el mundo se había levantado pronto. Lizzie y Eleanor estaban con los niños a pesar de que las niñeras podrían haberse hecho cargo de ellos, y a la condesa le gustaba dar un paseo por los jardines a primera hora de la mañana.

Rex y Eleanor entraron en el comedor, y les vio intercambiar una mirada.

–¿Qué te pasó anoche? –le preguntó ella, mientras se sentaba a la mesa y tomaba una pasta–. ¿Te fuiste de juerga?

–Cuando llegue la condesa, quiero anunciar algo.

Rex se sentó, y le preguntó:

–¿Tiene algo que ver con lo que estuvimos hablando anoche?

–Sí –empezó a juguetear con su taza de café, que se había enfriado hacía rato.

La condesa, Mary de Warenne, llegó en ese momento. Tenía las mejillas sonrosadas gracias al paseo matutino.

–Buenos días –se acercó a Cliff, y le dio un beso en la mejilla–. Ayer no tuvimos ocasión de vernos; de hecho, pasamos como dos barcos en la noche –su sonrisa se desvaneció cuando él la miró–. Me alegro mucho de que estés en casa, pero empiezo a preocuparme. ¿Qué te pasa?, ¿por qué estás tan serio?

–Estoy bien, pero lo mismo no puede decirse de Amanda –Cliff se puso de pie–. Aún no la conoces, pero supongo que Rex y Eleanor ya te habrán puesto al corriente.

–Eleanor me dijo que es tu invitada, y que la has traído a Londres para que conozca a la única familia que le queda. Rex ha comentado que eres su protector.

Cliff consiguió esbozar una sonrisa.

–De hecho, es un poco más complicado. Hablé con su padre antes de que muriera, y su último deseo fue que me convirtiera en el tutor legal de Amanda.

Lo miraron con una mezcla de sorpresa e incredulidad; antes de que alguno de ellos pudiera objetar y aducir que un hombre con su reputación no era el adecuado para ser tutor de una joven, añadió:

–Era reacio a aceptar esa responsabilidad, pero ya no. Es oficial, y voy a encargarme de que se redacten los documentos pertinentes. A partir de este momento, Amanda Carre está bajo mi tutela.

CAPÍTULO 12

Mientras los demás se quedaban mirándolo con asombro, Eleanor se echó a reír y le dijo:

–¿Cómo vas a proteger precisamente tú la virtud de una mujer? Te vi en su habitación ayer por la tarde, ¿sigue siendo inocente?

–¡Eleanor! –exclamó la condesa.

Cliff se levantó con brusquedad.

–Teníamos que hablar de varios asuntos, Eleanor, aunque eso es algo que no te concierne. Y te sugiero que te lo pienses dos veces antes de acusarme de robar la inocencia de Amanda –a pesar de sus palabras, Cliff sabía que la noche anterior había estado a punto de hacerlo, y no por primera vez. Su hermana era muy fisgona, así que era una suerte que no los hubiera pillado.

Eleanor lo miró boquiabierta.

–¿Desde cuándo eres tan susceptible? Me parece que estás encandilado con ella, porque el hermano al que conozco se mostraría indiferente ante tales acusaciones; además, nunca has intentado ocultar tus aventuras.

–No tengo una aventura con Amanda. Tiene diecisiete años, y está bajo mi tutela –sintió que se ruborizaba, y le dio la espalda a su hermana al volverse hacia la condesa–. Esperaba que su madre tuviera el honor de ocuparse de ella, pero no quiere saber nada de su hija. ¿Conoces a lady Belford?

–Sí. Es terrible, supongo que tiene miedo de la ruina social; aun así, es inexcusable que rechace a su propia hija. ¿Se lo has dicho a la señorita Carre?

Cliff vaciló antes de contestar. Intercambió una mirada con Rex, y recordó los terribles acontecimientos del día anterior.

–Sí, no se lo tomó nada bien. Está muy afectada, así que os ruego que os esforcéis al máximo por tratarla bien. Hace poco perdió a su padre, y lo de ahora ha sido otro duro golpe.

–Claro que la trataremos bien –le dijo la condesa con voz suave–. Por cierto, Rex me comentó que su formación ha sido más que dudosa.

–Su padre murió ajusticiado en la horca por piratería.

La condesa soltó una exclamación ahogada.

–Ha tenido una vida difícil, y esperaba ayudarla a conseguir un futuro más prometedor. Si supierais cómo se ha criado, se os helaría la sangre en las venas. Ninguna mujer tendría que tener una vida así, su padre era un hombre bastante duro.

Eleanor se puso de pie y se le acercó.

–Siento haber sido tan insensible, Cliff. Cuando os vi juntos pensé que erais amantes, a pesar de que es demasiado joven para tu gusto y no es el tipo de mujer que prefieres.

Cliff se sintió aliviado, y esbozó una sonrisa.

–Pues te equivocaste al pensar mal. La verdad es que las dos tenéis algunas cosas en común. Tú eres hija de un conde, pero te criaste con cinco chicos; por su parte, Amanda se crió en la cubierta de un barco, entre marineros. Las dos fuisteis unas fierecillas. Me gustaría contar con tu ayuda en especial, ¿estás dispuesta a echarme una mano?

–Claro que sí, estoy más fascinada que nunca –le dijo ella, después de darle un beso en la mejilla–. ¿Te has encargado ya del problema de la ropa? No puede pasearse por la ciudad llevando pantalones.

–*Madame* Didier llegará a mediodía. Nunca se ha puesto un vestido, Eleanor.

Tanto su hermana como la condesa se quedaron estupefactas. Las dos mujeres intercambiaron una mirada, y la condesa sonrió y dijo:

–Vamos a ayudarla a que se adapte. ¿Qué explicaciones vas a dar sobre su familia?

–Afortunadamente, su padre fue oficial de la armada antes de dedicarse a la piratería. Diré que dejó la armada y que se convirtió en dueño de una plantación en las islas, muchos oficiales lo han hecho; en cuanto a su madre, diré que murió cuando ella era muy pequeña, y para no desviarme aún más de la verdad, que su familia materna procede de Cornwall, pero que Amanda es la única descendiente que queda viva.

–Me parece que con eso bastará, al menos por ahora. Supongo que quieres presentarla en sociedad para que encuentre un marido adecuado, ¿no? –le dijo la condesa.

Cliff se tensó de pies a cabeza.

–No adelantemos acontecimientos, Amanda no está lista para tener pretendientes. Necesitará unos seis meses para prepararse –los miró uno a uno, y añadió–: Durante el viaje empezó a recibir clases de decoro y etiqueta. No sabía leer, pero ya lo hace mejor que Alexi. Es muy inteligente y estoy convencido de que puede conseguir todo lo que se proponga, pero la aterra que la alta sociedad se burle de ella y la ridiculice, porque era lo que hacían las damas de la isla. Cualquier consejo será bien recibido.

–Pobrecita –dijo la condesa–. Todos la ayudaremos, por supuesto.

–Cliff, ¿por qué no nos aseguramos de que sea todo un éxito desde el principio? –le preguntó Eleanor.

–¿Qué quieres decir?

–Hay que empezar por llevarla de visita a casa de nuestras amistades más cercanas. La recibirán con cordialidad, y no la tratarán con desdén si comete algún error.

–Y así su confianza en sí misma irá creciendo –comentó él con aprobación.

Eleanor respondió con una enorme sonrisa.

–¿Qué os parece lady Harrington?, es la persona más cortés del mundo –apostilló Rex.

–Y seguimos siendo buenas amigas –comentó la condesa–. Hablaré con ella cuanto antes, Blanche es la persona ideal para la primera visita de Amanda.

Cliff apenas la conocía, aunque había sido la prometida de su hermano Tyrell en otra época. Era una de las damas más agradables y sencillas que conocía, además de una de las mayores herederas del reino.

–Me parece bien –dijo sin dudarlo.

–El baile de los Carrington sería la ocasión ideal para una presentación en sociedad formal –comentó la condesa.

–Preferiría una presentación informal, madre. Pero ese baile se celebra dentro de un mes, ¿no?

–Sí, y seguro que es fantástico –le dijo Eleanor–. Siempre he disfrutado de los bailes de los Carrington, nunca suelen invitar a más de unas ciento cincuenta personas. Si Amanda está lista para entonces, sería la oportunidad perfecta.

Antes de que Cliff pudiera contestar, la condesa le dijo:

–No puedes aplazar seis meses la búsqueda de pretendientes adecuados, Cliff. No es fácil encontrarle un buen partido a una joven de buena cuna pero sin recursos, y mucho menos si su ascendencia es bastante turbia. Debes empezar a considerar posibles candidatos de inmediato. A menos que tengas mucha suerte, es algo que va a llevar su tiempo. ¿Tiene dote?

Cliff sabía que la condesa tenía razón. No iba a ser nada fácil encontrarle a Amanda un marido que se la mereciera. Sintió que se le formaba un nudo en el estómago, y se cruzó de brazos. Era como si acabara de ponerse en marcha una bola de nieve que iba a acabar convirtiéndose en una avalancha. Era obvio que Amanda necesitaba un marido, pero a pesar de lo mucho que había progresado, aún no estaba lista para que alguien la cortejara.

–Yo le proporcionaré la dote. Le encargaré a alguno de mis abogados que encuentre una propiedad pequeña pero productiva, y la pondremos a nombre de Carre en fideicomiso para ella; de hecho, me encargaré del asunto cuanto antes. Tendríamos que empezar a pensar entre todos en posibles pretendientes, porque es cierto que no va a ser fácil encontrarle un buen partido.

La condesa lo tomó del brazo, y le dijo:

–Rex me ha dicho que es toda una belleza, eso cuenta en su favor. Recopilaremos una lista de candidatos, avísame en cuanto hayas arreglado lo de la dote –miró hacia la puerta, y su sonrisa se desvaneció.

Todos siguieron su mirada, y enmudecieron al ver a Amanda vestida con sus pantalones, sus botas, y la camisa de Cliff. Él se apresuró a ir hacia ella, y se dio cuenta de que estaba muy pálida y tenía los ojos enrojecidos de tanto llorar.

–Buenos días, Amanda –le dijo, con una sonrisa exagerada–. Has llegado justo a tiempo para conocer a mi madrastra, estamos desayunando.

Al ver que lo miraba con una expresión dolida y llena de incredulidad, se dio cuenta de que debía de haberlos oído hablar de ella, y se sintió consternado.

–Vamos, te presentaré a mi madrastra.

Mary se acercó a ellos, y la miró con una sonrisa llena de calidez.

–Bienvenida a la familia, querida –le dijo, mientras la tomaba de las manos–. Como estás bajo la tutela de Cliff, todos nosotros nos encargaremos de cuidarte. Será un verdadero placer.

–Encantada de conoceros, condesa –le contestó Amanda, que estaba claramente sorprendida ante aquel recibimiento tan cordial.

–No hace falta tanta formalidad, querida. Estamos en familia –le dio un beso en la mejilla antes de soltarla–. Siento de corazón las pérdidas que has sufrido recientemente. ¿Puedo hacer algo por ayudarte?

Amanda se sonrojó. Como se había quedado enmudecida, se limitó a negar con la cabeza.

–No, gracias –susurró al fin.

Cliff se sintió aliviado al ver que mostraba unos buenos modales pasables. Posó una mano en su brazo, y le dijo:

–¿Podemos hablar después del desayuno?

–No quiero hablar contigo –le dijo ella con voz ronca.

Cliff recordó de inmediato los besos y los abrazos, la pasión descontrolada. Se le aceleró el corazón, y supo que ella también estaba pensando en aquellos momentos de locura.

–Disculpadnos –les dijo a los demás, antes de conducirla a la biblioteca; una vez allí, cerró las puertas y le preguntó–: ¿Cómo te encuentras, Amanda? –no quería hablar de lo de la noche anterior, ya que no sabía qué decir para justificar su imperdonable comportamiento.

–¡Te he oído! ¡Estabas hablando de pretendientes, y de una dote! –exclamó ella con incredulidad.

–Eso es lo que hace un tutor, Amanda. Tengo que proporcionarte un buen futuro.

–No eres mi tutor –le espetó ella, muy pálida.

–Lo he anunciado de forma oficial. Para que no haya ninguna duda, voy a encargarme de que se redacten unos documentos, y parecerá que Carre me encomendó tu tutela.

Amanda tardó unos segundos en contestar.

–¡Si estar bajo tu tutela significa que vas a obligarme a que me case, me niego a aceptarlo!

–Ya sé que estás asustada...

–¡Anoche nos acostamos juntos! –exclamó, con los ojos llenos de angustia–. Anoche me besaste una y otra vez, ¡creía que éramos amantes!

Cliff empalideció de golpe, y por un momento se quedó sin habla.

–No somos amantes –alcanzó a decir al fin–. Lo de anoche fue un error que no volverá a repetirse, ¡sigues siendo virgen!

–¡Por poco! –Amanda se acercó a él, y le dijo con desesperación–: ¡Me abrazaste y me besaste, me metiste la lengua en la boca y la mano entre las piernas! ¿Cómo puedes decir que no somos amantes?

Cliff se puso rojo como un tomate, y murmuró:

–Perdí el control.

–¡Además, no fue la primera vez! –exclamó, temblorosa–. A bordo del barco, durante la tormenta... creía que había sido un sueño, pero no lo fue, ¿verdad? ¡Me hiciste el amor en el Fair Lady!

–Perdí el control –repitió él con rigidez, a pesar de lo estúpido que sonaba–. Eres increíblemente bella y tentadora, pero fue un error. Te mereces tener un marido...

–¡No quiero un marido, te quiero a ti!

Él enmudeció. Amanda estaba temblorosa, pero se negó a apartar la mirada.

–No voy a acostarme contigo, Amanda. Una noche de caricias no nos convierte en amantes. El deseo hizo que perdiera la cabeza, pero sólo quería consolarte. Me he hecho cargo de tu tutela para protegerte de granujas como yo.

Ella empezó a retroceder mientras sacudía la cabeza.

–¡Lo de anoche lo cambió todo!

–No cambió nada. Como no puedes ir a Belford House, vas a estar bajo mi tutela, y tengo la responsabilidad de asegurar tu futuro –consiguió mantener algo de calma a duras penas–. Necesitas un marido, Amanda. Como todas las mujeres.

Ella intentó hablar, pero fue incapaz de articular palabra. Lo intentó de nuevo.

–Podrías casarte conmigo.

Cliff se quedó atónito. La mente se le quedó en blanco, y sólo fue consciente de aquella mujer esbelta y hermosa que estaba pidiéndole que se casara con ella.

–Ayer cumplí los dieciocho –estaba temblando de pies a cabeza, y su miedo era patente. Tragó con dificultad, y añadió–: Si tengo que casarme, ¿por qué no puede ser contigo? Sabes que soy lo bastante mujer como para acostarme contigo, estoy segura de que sería más que capaz de satisfacerte. Y así podría olvidarme de toda esta farsa, y salir a navegar contigo. No soy una dama finolis, pero sé que me deseas. Te caigo bien, ¡somos camaradas de a bordo! Además, como soy joven, podría darte más hijos.

Estaba pidiéndole que se casara con ella.

Cliff sintió que le flaqueaban las piernas, y tuvo que sentarse. Estar juntos en el alcázar, dispuestos a capear otra tormenta, navegar hacia la eternidad... tenerla en su lecho, saborearla mientras ella respondía con una pasión tan desatada y salvaje como un mar embravecido...

Amanda vaciló por un instante, y se le acercó un poco más.

–¿Te gusto aunque sea un poco? Somos amigos, ¿verdad?

–Claro que me gustas, Amanda. Pero eres una mujer, y además estás bajo mi tutela. No somos camaradas de a bordo.

–¡Hemos navegado juntos!

Cliff se levantó de golpe.

–No pienso casarme nunca. ¿Por qué iba a hacerlo? –luchó por calmarse, y añadió con voz más suave–: Tengo dos hijos a los que adoro, Amanda. No necesito ninguno más. No tengo necesidad de casarme por razones económicas, y no me interesa hacerme con un título nobiliario; además, no creo en el amor. En resumen, no tengo razón alguna para plantearme siquiera el matrimonio –al ver que se ruborizaba, añadió con desesperación–: Además, ya sabes que soy un mujeriego empedernido. Siempre lo he sido, y siempre lo seré. Ninguna mujer aguantaría estar casada conmigo.

–Claro que no tienes por qué casarte... bueno, al menos no conmigo... no lo he dicho en serio, es que... estoy confundida...

Cliff tuvo que controlar el impulso avasallador de abrazarla para consolarla. Era normal que estuviera confundida, acababa de enterarse de que era ilegítima, su madre no quería saber nada de ella, y él había estado a punto de arrebatarle la virginidad.

–Te rompería el corazón, Amanda, y me parece que ya te han hecho bastante daño.

Ella cerró los ojos con fuerza. Era obvio que se arrepentía de su arrebato.

–Amanda, lo de anoche fue culpa mía, pero si te paras a

pensar con calma en la situación, te darás cuenta de que te favorece estar bajo mi tutela. Tanto mi familia como yo vamos a cuidarte.

–No quiero ser responsabilidad tuya.

Cliff sabía que la había herido, y que no había razonamiento ni explicación que pudieran cambiar lo que había sucedido.

–Lo siento –tenía ganas de suplicar su perdón, y deseó no haber ido a su cuarto la noche anterior–. No tienes ninguna otra opción, Amanda.

–Tu madrastra ha comentado que, como soy «turbia», me resultará difícil encontrar marido. A lo mejor resulta ser imposible.

–No ha dicho eso. Lo que ha dicho es que tu ascendencia es bastante turbia, y tiene razón. Está deseando ayudarte para que entres con éxito en la alta sociedad, estoy convencido de que puedes lograrlo –al ver que se limitaba a mirarlo con una expresión dolida y acusadora, le preguntó desesperado–: ¿Qué quieres que te diga?

–La verdad.

–¿Sobre qué? –le preguntó, muy tenso.

–Sobre nuestra posible relación como amantes.

Cliff asintió mientras el corazón le martilleaba en el pecho.

–¿Cuál es la pregunta?

–¿Seríamos amantes si fuera una dama de buena cuna, con una buena educación?

–¡Eso no es justo!

–¡Sí que lo seríamos, y lo sabes tan bien como yo! ¡No estarías protegiéndome, sino abriéndome de piernas! ¡Anoche estuviste a punto de hacerlo! –se secó con brusquedad las lágrimas.

Cliff se puso furioso, y se acercó a ella.

–Puede que tengas razón, pero no por las razones de las que me acusas. El hecho de que no seas una dama no es el problema –perdió el control, y gritó–: ¡Apenas acabas de cumplir dieciocho años, tengo diez más y soy mucho más experimentado! ¡He admitido lo tentadora que eres! Si fueras mayor y tan experimentada como yo, me acostaría contigo encantado, pero eres joven e inocente, y creo que en tu caso no todo está perdido. Quiero que tengas una buena vida, pero si te «abro de piernas» como tú dices, ningún caballero va a interesarse en ti. ¿Tengo que ser aún más sucinto?

–¡No tengo ni idea de lo que quiere decir «sucinto», y me da igual! Lo sabía, sabía que no era lo bastante buena para ti... ¡y tampoco para mi madre!

–Eso es exactamente lo contrario de lo que he dicho.

–¡Pues entonces estás mintiendo!

Amanda intentó darle un bofetón, pero él logró agarrarla de la muñeca antes de que pudiera hacerlo.

–Entiendo que estés furiosa, porque anoche me pasé de la ralla. Ya te he dicho una y otra vez que no pretendía hacerlo, pero no puedo cambiar lo sucedido. Lo siento.

–¡Yo no! –exclamó, mientras se zafaba con brusquedad de su mano–. Te odio. Ojalá no te hubiera conocido jamás, desearía estar en cualquier sitio menos aquí.

Aquellas palabras lo golpearon de lleno, y lo dejaron sin habla. Cuando ella echó a correr hacia la puerta, se apresuró a seguirla.

–¡Amanda, espera! No lo dices en serio...

Ella lo apartó de un empujón.

–Lo digo muy en serio. ¡Déjame en paz, de Warenne! ¡Déjame en paz, y no vuelvas a entrar en mi habitación nunca más!

Cliff se quedó helado, y ella aprovechó para abrir la puerta de golpe.

Eleanor estaba en el pasillo. Era obvio que había estado fisgoneando, pero Cliff estaba demasiado alterado para preguntarse lo que habría alcanzado a oír; sin embargo, cuando ella le lanzó una mirada fría y acerada, empezó a darse cuenta de la tormenta que estaba a punto de desatarse.

Su hermana tomó de la mano a Amanda, que estaba al borde de las lágrimas, y le dijo:

–*Madame* Didier ya está aquí, Amanda. Me gustaría ayudarte a escoger un nuevo vestuario, ¡seguro que nos lo pasamos muy bien! Vamos arriba, querida, y mientras tanto te lo contaré todo sobre el miserable, ruin, insensible y egoísta de mi hermano. Vaya, se me ha olvidado que también es arrogante, prepotente, cruel y un verdadero canalla, ¿verdad? No te preocupes, ¡no va a volver a poner un pie en tu habitación!

–Es un malnacido, pero no es cruel ni un canalla.

Eleanor fulminó a su hermano con la mirada, y Amanda y ella empezaron a subir la escalera con los brazos entrelazados.

–Bien hecho –dijo Rex, al salir del comedor–. ¿Es que no puedes mantener la bragueta cerrada, aunque sea por una vez en la vida?

Cliff lo miró ceñudo, pero fue incapaz de contestar.

La condesa salió del comedor, y después de mirarlo con preocupación, subió tras Eleanor y Amanda.

Cliff se apoyó en la puerta de la biblioteca, mientras sentía un extraño dolor en el corazón. Hiciera lo que hiciese, parecía que siempre acababa hiriendo a Amanda, y en ese momento se odió a sí mismo con todas sus fuerzas. Ella no se merecía todo aquel sufrimiento. Le había prometido varias cosas, y una de ellas era que iba a encargarse de darle un buen futuro.

Pero era un futuro del que él no podía formar parte... no, claro que no.

Amanda se acercó a la ventana de su habitación mientras la modista empezaba a sacar sus enseres. Se ruborizó mortificada al pensar en lo que acababa de hacer... ¿cómo había sido capaz de pedirle a Cliff de Warenne que se casara con ella?

–Amanda –le dijo Eleanor con voz suave.

Ni siquiera la oyó. Después de lo de la noche anterior, había creído que iban a ser amantes, no marido y mujer. Ni siquiera en sus sueños más disparatados se había planteado ser su esposa, ya que sabía que no era lo bastante buena para él; sin embargo, al bajar y oírle hablar de pretendientes y de una dote, se había dado cuenta de que pensaba encontrarle marido, y se había quedado atónita. La desesperación la había impulsado a soltar sin más aquella terrible sugerencia, pero en ese momento lo único que sentía era un extraño entumecimiento.

Había cruzado medio mundo para encontrarse con su madre, que no quería saber nada de ella. Después de lo de la noche anterior, creía que de Warenne la quería como amante, pero no era así; de hecho, él afirmaba que iba a ser su tutor legal, y estaba decidido a casarla con otro hombre.

Se quedó allí, mirando por la ventana, herida y desconcertada, mientras intentaba encontrarle algo de sentido a su vida.

Durante las últimas semanas, se había aferrado al plan de acción que había acordado con de Warenne: iba a aprender a ser una dama con su ayuda, para poder incorporarse a la sociedad y vivir con su madre. Por muy torpes que hubieran sido sus esfuerzos, estaba decidida a conseguir lo imposible. Quería llegar a ser una dama, al menos en apariencia, y no sólo para que su madre llegara a quererla. Siempre había vivido marginada y excluida de la sociedad, había contemplado desde fuera las grandes casas, se había asomado por la ventana para ver los elegantes salones y las tiendas exclusivas. Siempre había sabido que era diferente, y había deseado que no fuera así.

De Warenne le había dado la oportunidad de cambiar las cosas.

Aunque había fingido que le daba igual cambiar, había estado engañándose a sí misma; si no le importara, no se habría esforzado tanto. Le importaba muchísimo, y por eso estaba llorando en ese momento.

Las autoridades se habían quedado con la casa de su padre. No quería regresar a la isla, porque allí tendría que mentir, robar y suplicar para sobrevivir. No quería volver a ser aquella muchacha asilvestrada.

Se secó los ojos con brusquedad. Claro que de Warenne no quería casarse con ella, jamás había esperado que lo hiciera. Había sido lo bastante estúpida como para enamorarse de él y había anhelado convertirse en su amante, pero él era muy honorable. Hasta que lo había conocido, ni siquiera sabía que existieran hombres como él. De Warenne estaba comportándose con nobleza. En la isla había decidido protegerla, y acababa de asumir su tutela de forma oficial a pesar de que no estaba obligado a hacerlo. En vez de desentenderse de ella, iba a proporcionarle una generosa dote para que pudiera encontrar un buen marido.

Se sentía herida, pero también agradecida. Se imaginó el futuro con el que había empezado a soñar, pero ligeramente alterado. Se vio ataviada con un elegante vestido, y comportándose con una corrección impecable. Estaba sentada con Cliff de Warenne en un jardín de rosas, y él estaba sonriendo con afecto; sin embargo, sólo eran buenos amigos, porque ella estaba casada con otro hombre.

–¡Mira ésta en tonos marfil y coral! –Eleanor le mostró un trozo de tela–. Combinará de maravilla con tu pelo y tus ojos.

Amanda se dio cuenta de que la hermana de Cliff estaba mirándola con preocupación, y se sorprendió al ver el montón de muestras de tela que había sobre la cama. Nunca había visto tal cantidad de seda, satén, gasa y algodón. Cliff de Warenne la había acogido en su casa, y estaba dispuesto a darle una dote y a proporcionarle un vestuario digno de una princesa.

–Toda estas telas no son para mí, ¿verdad?

–Puedes escoger todas las que quieras –le dijo Eleanor con una sonrisa–. Cliff es muy rico, así que vamos a gastar todo lo que podamos. ¡A veces se comporta como un patán insensible!

–Es un gran hombre –susurró Amanda.

–Estás profundamente enamorada de él, ¿verdad? –Eleanor le cubrió la mano con la suya después de darle la muestra color marfil y coral a la modista.

Amanda se puso roja como un tomate.

–¡Claro que no! Le estoy agradecida por todo lo que ha hecho por mí... por permitir que me quede aquí, por darme la oportunidad de superarme –lo dijo con sinceridad. No podía echarse atrás. Aunque tuviera que contentarse con la amistad de Cliff y casarse con otro hombre, quería convertirse en una dama, al menos en apariencia, si podía lograrlo.

–Mi hermano tiene una reputación considerable, Amanda. No es de los que se casan...

–¡Ya lo sé! –consiguió sonreír y añadió–: Durante años le he visto en la cubierta de sus propios barcos y de las embarcaciones que capturaba. He visto cómo las damas se comportaban como unas tontas intentando llamar su atención al verlo pasar por las calles de Kingston. Todo el mundo conoce a de Warenne en las islas.

Mientras hablaba, Amanda se dio cuenta de que no era la primera mujer que se enamoraba de él y que acababa siendo rechazada. Seguramente, Cliff había ido dejando un reguero de corazones rotos por todo el mundo. Iba a tener que intentar acallar las protestas de su díscolo corazón, como tantas otras.

–Mi hermano es encantador, muy atractivo y tiene un montón de dinero, así que es normal que las mujeres se enamoren de él. Pero es la primera vez que lo veo tan atento. Sus aventuras suelen ser muy breves, y nunca había traído a una mujer a casa.

Amanda se rodeó con los brazos. No estaba segura de querer tener una conversación tan íntima con Eleanor O'Neill.

–No soy tan tonta como para pensar que puedo llegar a casarme con tu hermano; de hecho, tiene razón al querer encontrarme marido, porque la única alternativa sería volver a las islas. Me encanta el mar y navegar, pero no puedo regresar.

–¡Estás siendo muy valiente!

–Eso no es verdad. Se es valiente cuando se está sola durante meses sin saber de dónde se va a sacar la comida, y cuando una ve llegar su propio barco y no sabe quién está vivo y quién no.

Al ver que Eleanor abría los ojos como platos, Amanda se volvió y deseó no haber hablado tan abiertamente; sin embargo, había dicho la verdad. A menudo, los viajes de su padre se alargaban más de lo previsto, y por fin era capaz de enfrentarse a la verdad y admitir que no la había cuidado demasiado bien. Durante los meses previos a su muerte, ella había tenido que pescar en la cala, recoger mangos, y suplicar y robar para sobrevivir. Una vez lo habían apresado en Chipre, y había tardado un año en volver; en aquella época, ella tenía trece años, y había tenido que enfrentarse a la soledad y al miedo. Cada vez que la balandra llegaba a puerto, se sentía aterrada ante la posibilidad de que su padre no estuviera a bordo.

Quería desesperadamente la vida que Cliff estaba ofreciéndole. A lo mejor la casa que le compraba tenía un jardín de rosas, y si no era así, podía plantar uno ella misma. Y a pesar de que la sociedad seguía aterrándola, a lo mejor no era para tanto; al fin y al cabo, los familiares de Cliff eran muy distinguidos, y la habían recibido muy bien. Nadie la había mirado con desdén, al menos de momento. Quizás la alta sociedad londinense no era tan mala como la de la isla; además, en esa ocasión no iba a estar en las calles de Kingston, sola y vestida de chico. Iba a presentarse en sociedad del brazo de Cliff, y con el respaldo de su elegante y poderosa familia.

Podía hacerlo, tenía que hacerlo.

–No me extraña que Cliff te mire así –dijo Eleanor con voz suave.

Amanda no la oyó. Se acercó a la cama, y comentó:

–Sólo necesito un vestido.

A pesar de sus palabras, agarró la seda de color marfil y

coral y la apretó contra su pecho con manos temblorosas. La tela era tan hermosa, tan femenina... de repente, deseó con todas sus fuerzas tener un vestido hecho con aquella tela. Era el mismo anhelo que había sentido por el camisón que había desgarrado la noche anterior.

–¿Crees que me quedará bien? –le preguntó a Eleanor.

–Serás la mujer más bella de la sala, y a Cliff le resultará más que difícil controlarse. No vas a tener bastante con un solo vestido, necesitas docenas.

A Amanda le costó creer que pudiera llegar a necesitar tanta ropa, y también la nueva dirección que estaba tomando su vida. Quizás aquello era mejor que ser la amante de Cliff de Warenne; al fin y al cabo, nunca había tenido un hogar estable y seguro. Su padre y ella habían luchado por salir adelante en Belle Mer, y siempre se cernía sobre ellos el peligro de tener que vender la casa para poder pagar las deudas.

Su padre la había engañado, pero estaría muy contento por ella si pudiera verla y querría que tuviera una vida así.

En cuanto a su madre, tarde o temprano acabarían encontrándose, ella misma iba a encargarse de eso. Y cuando llegara ese día, su madre no vería a la hija de un pirata, sino a una dama elegante con un apuesto marido y un hogar propio. No sospecharía siquiera lo mucho que la había herido al rechazarla, porque ella mantendría la frente bien alta y sonreiría con tanta elegancia como la condesa.

Y en lo referente a Cliff... serían amigos, quizás incluso grandes amigos. A lo mejor seguiría amándolo durante el resto de su vida, pero se contentaría con hacerlo desde la distancia, igual que cuando lo miraba con admiración en la isla. Esperaba que con el tiempo le doliera menos.

Se volvió hacia Eleanor, que estaba contemplando una muestra de color marfil con rayas rosadas, y le dijo:

–Aconséjame, ¿qué debería elegir?

★★★★★

Lady Harrington, única heredera de la enorme fortuna de su familia, estaba sentada en un sofá de terciopelo dorado en el saloncito de su espaciosa casa de Greenwich, acompañada de dos buenas amigas, lady Bess Waverly y lady Felicia Capshaw. Era menuda y elegante, y tenía veinticinco años y unos preciosos ojos azul verdoso. Llevaba su melena rubio platino recogida en un estricto moño pasado de moda, pero era el estilo austero que prefería. A pesar de lo acaudalada que era, llevaba un vestido azul oscuro casi severo, y las únicas joyas que se había puesto eran unos pequeños pendientes y un anillo de diamantes, ya que no le gustaba hacer alarde de su riqueza.

En cambio, sus amigas lucían vestidos recargados y llenos de adornos. Bess llevaba un ostentoso collar de rubíes que le había regalado su último amante, un conde ruso que estaba de visita en Londres; por su parte, Felicia llevaba una cantidad de esmeraldas desmesurada para una joven viuda, ya que estaba haciendo ostentación de la fortuna que le había dejado su difunto marido con la esperanza de atrapar a un tercer esposo.

Al parecer, ya tenía un posible candidato, porque se había pasado una hora hablando de un conde de edad avanzada que también había enviudado en dos ocasiones, y que la había visitado cuatro veces durante aquella semana.

–¿Qué opinas, querida? –le preguntó Felicia con avidez.

Blanche sonrió, y le dijo:

–¿Quieres que te diga lo que quieres oír, o lo que pienso realmente?

Felicia se irguió aún más en su silla, y Bess se echó a reír y comentó:

–Quiere tu aprobación, Blanche. ¡Ojalá pudiéramos ser tan indiferentes como tú a las tentaciones que nos ofrece la vida!

Blanche se limitó a sonreír. El comentario no la había ofendido, pero no quería que sus amigas supieran que en el fondo le habría gustado tener la misma actitud voluble que ellas. Cuando tenía seis años, había presenciado el brutal asesinato de su madre a manos de una muchedumbre descontrolada, y aunque no recordaba ni lo sucedido ni los días previos, a partir de entonces había aceptado con serenidad todos los embates de la vida.

–No te gusta lord Robert, ¿verdad? –le dijo Felicia, enfurruñada.

Blanche le dio unas palmaditas en la mano.

–Me preocupo por ti, querida. ¿Por qué quieres volver a casarte tan pronto?, ¿no preferirías seleccionar con tiempo a tu tercer marido?

–No soy como tú, Blanche. No tengo hielo en las venas. O me caso con lord Robert o consigo un amante, porque echo de menos la pasión del lecho conyugal.

Blanche permaneció impasible. Sus amigas sabían que era virgen, y no entendían por qué no se casaba ni tenía amantes. Se había cansado de intentar explicarles que no estaba interesada en los hombres. Disfrutaba de una vida segura en Harrington Hall, donde se dedicaba a cuidar de su padre, y no necesitaba nada más. Jamás se había sentido atraída por ningún hombre. No era que tuviera preferencia por las mujeres; simplemente, estaba muerta tanto en cuerpo como en alma.

–Te sugiero que tomes un amante, pero con discreción. Y esta vez, elige mejor.

El segundo marido de su amiga había sido un joven apuesto pero impetuoso, que había muerto al intentar saltar una valla a lomos de su purasangre.

Justo cuando Blanche se volvió hacia Bess, que estaba locamente enamorada de su ruso a pesar de lord Waverly y de los dos hijos que tenían, el mayordomo entró en el saloncito con una tarjeta en una bandeja de plata.

–Mi señora...

Blanche se levantó, y al tomar la tarjeta sonrió al ver que la mujer que había estado a punto de convertirse en su suegra había ido a visitarla. En otra época, había estado prometida a Tyrell de Warenne, pero ninguno de los dos había querido formalizar la unión. Él estaba enamorado de su amante, y había acabado casándose con ella.

Se había sentido más que aliviada al ver que su padre no insistía en que volviera a comprometerse; al parecer, había entendido por fin que prefería seguir soltera. Apreciaba muchísimo a la condesa de Adare, y sabía que el sentimiento era mutuo.

–¿De quién se trata? –le preguntó Bess, antes de ponerse en pie–. Se me hace tarde, Nicholas está esperándome en el Hotel Beverly.

Blanche abrió la boca para contestar, pero en ese momento vio a la condesa acercándose por el pasillo acompañada de un caballero moreno. Se sorprendió al notar que el corazón se le aceleraba.

–¡Vaya! –Bess sonrió, le dio un codazo a Felicia, y susurró–: Es la condesa de Adare, y viene acompañada de su apuesto, taciturno y soltero hijo sir Rex de Land's End. Es el amante perfecto para ti, Felicia. He oído que es muy bueno en la cama, a pesar de que le falta una pierna.

–Siempre está muy serio –comentó su amiga.

–Los serios son los mejores amantes, querida. En fin, debo marcharme sin dilación –después de besar a Blanche en la mejilla y de saludar a la condesa y a Rex, Bess se apresuró a irse.

Blanche se negó a pensar en lo que acababa de decir su amiga, y se obligó a sonreír mientras se adelantaba para darles la bienvenida a los recién llegados, aunque intentó no mirar a Rex de Warenne. Se conocían, por supuesto, pero habían intercambiado apenas una docena de palabras cuando ella estaba prometida a su hermano, y siempre con una cortesía forzada; de hecho, siempre se sentía un poco incómoda ante aquel hombre. Era extraño, porque nadie era capaz de alterarla.

–Qué sorpresa más agradable, Mary –hizo una reverencia, en deferencia al rango superior de la condesa. Se esforzó por seguir sonriendo al mirar a Rex, pero no lo miró a los ojos–. Me alegra veros, sir Rex –era imposible ignorarlo por completo, ya que era un hombre corpulento y sólido. Por el rabillo del ojo, vio un muslo musculoso–. ¿Recordáis a mi buena amiga lady Capshaw? Estuvo en Adare conmigo durante aquella visita de hace tantos años, pero en aquel entonces era lady Greene.

Después de las presentaciones de rigor, Blanche le ordenó al mayordomo que sirviera un refrigerio, y aprovechó aquellos minutos para recuperar la compostura. La visita de la condesa no era demasiado inusual, pero la presencia de su hijo la había tomado por sorpresa.

Sir Rex casi nunca estaba en Londres; de hecho, hacía unos dos años o más que no lo veía. Se preguntó si pasaba todo el tiempo en sus propiedades de Cornwall, que se le habían concedido junto al título por su heroísmo en la guerra. No había cambiado en nada. Seguía siendo demasiado corpulento, demasiado moreno, y en sus ojos aún se reflejaba la sombra de alguna terrible carga; a pesar de todo, debía admitir que sus amigas tenían razón... era muy atractivo.

–Es un placer volver a veros, sir Rex –estaba diciendo Felicia con coquetería–. Recuerdo que nos conocimos en Irlanda.

Él asintió, pero permaneció serio. Miró a Blanche, pero apartó la mirada de inmediato.

–Encantado de volver a veros.

Blanche se dio cuenta de que Felicia iba a intentar seducirlo. Se recordó que no le importaba lo más mínimo, y se apresuró a volverse hacia la condesa.

–¿Desde cuándo estáis en la ciudad?

–Desde hace dos días. Querida, ¿podemos salir a dar un paseo por el jardín?

Era obvio que quería que hablaran a solas. Felicia estaba preguntándole a Rex cuánto tiempo llevaba en la ciudad, y aunque él contestó con amabilidad, su impaciencia y su irritación eran patentes; aun así, le pilló echándole un vistazo al generoso escote de su amiga. No se sorprendió, ya que todos los hombres parecían sentir predilección por Felicia y Bess.

A pesar de que no le hacía ninguna gracia dejarlos a solas, tomó a Mary del brazo y la condujo hacia la puerta que daba al jardín.

–Rex ha sido muy considerado al acompañarte –se oyó decir. No podía dejar de mirar por el rabillo del ojo a la pareja. Felicia debía de estar mostrándose encantadora, porque Rex había empezado a sonreír con renuencia.

–Yo misma me he sorprendido, porque puede llegar a ser un verdadero recluso. Nunca viene a la ciudad, así que voy a aprovechar al máximo. Dice que está muy ocupado en Land's End, y evita los compromisos sociales todo lo que puede. ¿Cómo estás, Blanche? ¿Y lord Harrington?

–Papá está bien. Está en Estocolmo, ocupándose de unos asuntos de negocios. La verdad es que le echo de menos cuando se va de viaje.

Se había sentido terriblemente sola hasta que Bess y Felicia habían ido a visitarla... bueno, lo cierto era que recibía visitas a diario, pero a pesar de que era demasiado educada para negarse a recibirlas, charlar de naderías no aliviaba la soledad que la atenazaba, y que había ido acentuándose con el paso del tiempo. A veces, al contemplar a la gente charlando y riendo en su salón, era como si estuviera fuera de su propio cuerpo, observándolos a todos y sintiendo que no conocía a nadie, ni siquiera a sí misma. Y a pesar de lo mucho que se alegraba cuando su padre regresaba, seguía sintiéndose aislada.

Pero eso era lo que siempre había querido, ¿no? Su padre estaría encantado de encontrarle un buen marido, pero la aterraba casarse con un completo desconocido y tener que pasar toda una vida soportando un matrimonio que era una farsa.

–Me alegro de que esté bien –le dijo la condesa–. Por cierto, ¿sabías que mi hijo Cliff está en la ciudad? Acaba de llegar con una joven que está bajo su tutela.

–¿Cliff es tutor de una muchacha? ¿Cómo es posible? –Blanche la miró asombrada. Cliff era demasiado apuesto y mujeriego para tener la tutela de una joven.

–Conocía al padre de Amanda. El hombre tenía una plantación en las islas, pero murió hace poco. Como la madre de Amanda murió al dar a luz, decidió traerla con la esperanza de que se reuniera con su familia materna, pero parece ser que no queda nadie con vida.

–¡Qué horror! ¿En qué puedo ayudarte?

Mary la tomó del brazo.

–Eres un verdadero encanto, Blanche. Esperábamos que quizás pudieras recibirla, sería su primera visita de cortesía –al ver que no parecía entenderla, añadió–: Esperamos que haga su debut oficial en el baile de los Carrington, pero como su padre era más rufián que caballero, la crió de una forma poco convencional. Es una dama dulce y hermosa, pero su educación tiene muchas carencias.

Blanche entendió al fin la situación, y le dijo:

–Me encantará recibirla en mi casa, y me aseguraré de que todo vaya bien. Estoy dispuesta a ayudarte a presentarla en sociedad si quieres.

–Gracias. Todo esto es muy importante para Cliff... y para la señorita Carre, por supuesto. Te agradecemos muchísimo tu ayuda.

–Es un placer.

Blanche miró hacia el saloncito, y se sorprendió al ver a Rex observándolas desde la ventana. Estaba solo, y parecía bastante tenso. Felicia estaba sentada en el sofá, y tenía cara de aburrimiento; al parecer, Rex de Warenne no estaba interesado en tener una aventura amorosa con su amiga.

A pesar de que no era asunto suyo, se sintió extrañamente aliviada.

CAPÍTULO 13

Cliff tuvo que controlar las ganas de pasearse de un lado a otro con nerviosismo. La familia al completo estaba reunida en el salón antes de pasar a cenar, con la excepción de Amanda y de su hermana. No sabía por qué estaban retrasándose, pero conociendo a Eleanor... y a Amanda... empezaba a preocuparle lo que pudieran llegar a tramar. La conversación que había mantenido con Amanda había estado atormentándolo durante todo el día.

Te odio. Ojalá no te hubiera conocido jamás.

No sabía qué iba a hacer si Amanda le odiaba de verdad. No podía soportar la idea de que deseara no haberle conocido, aquella mujer se había convertido en alguien indispensable para él. Seguro que no lo había dicho en serio, ¿no? Era comprensible que estuviera dolida y enfadada.

Los niños, que ya habían cenado y estaban preparándose para pasar una tranquila velada en el cuarto de juegos, estaban con el resto de la familia. Tanto Michael, el hijastro de Sean por medio de un matrimonio previo, como Ned, el hijo mayor de Lizzie y Tyrell, estaban charlando animadamente con Alexi en las puertas que daban al jardín. Como su hijo tenía un tirachinas en la mano, lo más prudente era que estuvieran bien vigilados, pero Anahid no estaba en el salón. Ariella estaba sentada en el suelo, leyendo en voz alta para Rogan y Margery. El niño era el hijo de Eleanor, tenía un año, y era rubio y había heredado los ojos grises de los O'Neill; por su parte, la pequeña era la hija de Lizzie, tenía cuatro años, y era pelirroja. Los dos estaban escuchando fascinados, ya que al parecer la historia trataba de dragones, y Lizzie estaba sentada con ellos en el suelo con naturalidad, sonriendo feliz. Se había pasado todo el día cuidando a sus tres hijos y estaba más guapa que nunca, ya que estaba embarazada de nuevo.

La condesa estaba ocupada intentando controlar al otro hijo de Lizzie y Tyrell, Charles, al que llamaban Chaz. El pequeño tenía dos años, y parecía decidido a agarrar todos los adornos que había encima de las mesas. En ese momento, Rex lo atrapó justo a tiempo de evitar que rompiera un plato de valor incalculable.

Ya casi había anochecido, y al ver que los tres pilluelos salían al jardín, Cliff decidió ir a buscarlos; sin embargo, justo cuando llegaba a la puerta que daba al exterior oyó la voz de Eleanor, y por el rabillo del ojo vio un ángel vestido de rosa... Amanda.

Se volvió con tanta brusquedad, que tropezó con sus propios pies y estuvo a punto de caerse. Logró mantener el equilibrio a duras penas, y se quedó contemplándola como un pasmarote. Su belleza y su inocencia lo dejaron sin aliento, y la deseó con toda su alma.

Sin saber cómo, logró sentarse en una silla mientras la veía sonreír con timidez. El corazón le martilleaba en el pecho, y apenas podía pensar con coherencia. Dios, Amanda era tan hermosa, que resultaba casi doloroso... pero él había sabido desde el principio que sería una gran belleza, ¿no?

No quedaba ni rastro de La Sauvage, pero en ese momento, al ver a la mujer en la que estaba convirtiéndose, no le importó demasiado. Era incapaz de dejar de mirarla.

–¡Cliff! –Eleanor se llevó las manos a las caderas, y le lanzó una mirada severa.

Se levantó de golpe, pero fue hacia ellas con tanta precipitación, que tropezó con la condenada alfombra. Se detuvo derrapando delante de Amanda, y luchó por recuperar el aliento. Cuando sus ojos se encontraron sintió que se quedaba sin palabras, a pesar de que quería decirle que era la mujer más hermosa de toda Gran Bretaña.

–¿Estoy ridícula? –le preguntó ella en voz baja.

Cliff sintió que le daba un vuelco el corazón. La tomó de la mano, y consiguió decirle:

–No hay palabras para describir lo hermosa que estás.

–No hace falta que mientas por compasión.

Él se llevó su mano a los labios, pero no se la besó. Seguía demasiado impactado.

–Amanda... –tragó con dificultad, y al final se dio por vencido–. No hay ninguna mujer tan bella como tú.

Cuando ella le sonrió con mayor confianza, alzó de nuevo su mano y se la besó. Era terriblemente consciente de aquella mujer, pero lo peor de todo era el profundo anhelo que lo atormentaba, y que iba más allá de lo físico. Era algo que no había sentido jamás, y no entendía de qué se trataba... o quizás tenía miedo de hacerlo. Era incapaz de soltarle la mano, quería aferrarse a ella por el resto de su vida.

–¿Te has cortado el pelo?

–No.

–Me alegro –mientras contemplaba su rostro perfecto, se dio cuenta de que seguía siendo la misma, pero al bajar la mirada hacia la seda rosa que moldeaba sus senos, su cintura y el resto de su cuerpo, tuvo que respirar hondo. Todo había cambiado.

–Lizzie me ha recogido el pelo, ella también lo tiene largo.

De repente, Cliff se la imaginó desnuda, con el pelo cayéndole a la espalda y sobre los hombros, enmarcando sus senos. La noche anterior la había visto desnuda y con el pelo suelto cuando había hecho jirones el camisón, pero estaba enloquecida de dolor. Se la imaginó sonriéndole, con las mejillas sonrosadas de deseo, esperando a que la tomara en brazos y la llevara a la cama.

Jamás en su vida había deseado algo con tanta fuerza. Le soltó la mano, y carraspeó ligeramente.

–Supongo que *madame* Didier tenía un vestido que alguna de sus clientas había rechazado, ¿no?

–Sí. Ha tenido la amabilidad de hacerle algunos arreglos, ¿cómo es posible que alguien rechazara un vestido tan bonito?

Se quedó sin aliento al verla tan feliz, y le dijo con vehemencia:

–Te compraré cien más.

–No necesito cien vestidos –le dijo ella con una sonrisa, antes de añadir con voz suave–: Cliff, he recobrado la cordura.

Él dejó de sonreír de golpe, y se preguntó qué demonios quería decir con aquello.

–Me gustaría... –Amanda vaciló por un segundo, y se mordió el labio–. Me gustaría pedirte algo después de la cena.

Podrías casarte conmigo.

Cliff se tensó al recordar sus palabras, al recordar que Amanda había sugerido que podrían casarse. Nunca olvidaría aquella proposición.

Se sobresaltó al sentir que alguien tosía, y en ese momento recordó que no estaban a solas. Sintió que se ruborizaba, y miró a su alrededor. No le hizo ninguna gracia la sonrisita de Eleanor, ni la clara diversión de Rex, ni las sonrisas de complicidad de su madre y de Lizzie. Incluso Ariella estaba mirándolo con curiosidad, como si hubiera hecho algo terriblemente inapropiado y fuera de lugar.

La condesa se les acercó, y miró a Amanda con aprobación.

–Estoy de acuerdo con Cliff, querida. Estás preciosa. Puedes hablar con él en privado ahora mismo, mientras Rex va a por los niños. Lizzie, Eleanor y yo nos iremos ya al comedor, y Anahid se encargará de llevar a los demás niños arriba.

–Gracias –Cliff besó a su madrastra en la mejilla.

–Me alegro por ti, Cliff –le dijo ella, con una sonrisa.

Él no entendió a qué se refería. Cuando todo el mundo se fue, miró a Amanda con una sonrisa mientras sentía que se le aceleraba el corazón. El efecto que aquella mujer tenía en él lo desconcertaba, y empezaba a preocuparle. Era su tutor de forma oficial, así que tenía que controlarse. No era apropiado que la deseara.

–¿Quieres que cierre las puertas? –le preguntó.

–Me da igual.

Cliff optó por dejarlas abiertas.

–Amanda, siento lo de esta mañana... –se detuvo en seco cuando ella le posó una mano en el pecho.

–Mencionaste una dote, y una casa –le dijo ella, antes de apartar la mano.

Aquel breve contacto había bastado para que Cliff recordara al detalle lo que habían compartido la noche anterior. Se puso tenso, y empezó a pasear de un lado a otro para intentar recuperar la compostura.

–Sí. Necesitas una dote, y voy a proporcionártela. Además de dinero, tendrás también una propiedad. Ya les he encargado a mis abogados que se ocupen de los trámites pertinentes.

–Entonces, ¿cuando me case tendré una casa? ¿Será mía, o de mi marido?

Por alguna razón, no le gustó verla hablar de su futuro matrimonio con tanta naturalidad.

Podrías casarte conmigo.

–El atractivo de una dote es el hecho de que en teoría debería pasar a manos de tu marido, pero prefiero que la casa siga a tu nombre y que con el tiempo pase a heredarla tu hijo mayor. Como el marido adquiere el control de los bienes de la esposa, el arreglo sigue resultando tentador para los posibles pretendientes; además, el heredero sería su hijo.

–¡Eres muy generoso!

Su entusiasmo le molestó profundamente.

–¿Debo entender que has decidido que quieres casarte?

Ella apartó la mirada y se ruborizó.

–Cliff... esta mañana he hablado sin pensar. Desearía no haber abierto la boca, he sido una tonta.

–Amanda, no digas eso...

–¡No, espera! Ya sé que jamás te casarías conmigo, no sé por qué he dicho todo eso esta mañana. Sí, creía que íbamos a ser amantes después de lo de anoche, pero me has dicho un montón de veces que sólo quieres protegerme. Lo entiendo, de verdad. No estoy enfadada, ni te odio. Jamás podría odiarte.

Cliff fue a cerrar las puertas, y se sintió aliviado al ver que no había nadie cotilleando.

–Me alegro mucho. Amanda, no voy a casarme con nadie. Lo entiendes, ¿no?

–Algún día, te casarás con alguna gran dama, puede que hasta sea una princesa.

Cliff se dio cuenta de que no había forma de convencerla de lo contrario.

–¿Era eso lo que querías decirme?, ¿que lamentas haber sido tan impulsiva?

–Sí, pero también quería que me explicaras lo de la casa.

Cliff le acarició la mejilla, pero al darse cuenta de lo que estaba haciendo, apartó la mano y se la metió en el bolsillo.

–La casa será tuya; de hecho, uno de mis abogados ya ha encontrado una propiedad interesante esta misma tarde. Se trata de una casa solariega con terreno y tres granjas arrendadas –al ver que lo miraba con los ojos como platos, añadió–: Pero el precio es más bajo de lo normal. La propiedad está al sur de Londres, a medio día de camino en carruaje –al ver que se mordía el labio, le preguntó–: ¿Qué pasa, Amanda?

–¡Vas a darme una casa! Como los británicos se quedaron con Belle Mer y con el Amanda C, no tengo nada, pero tú vas a darme una casa, ¡voy a tener un hogar propio! ¿No entiendes lo que eso significa para mí?

No, hasta ese momento no, pero en ese instante empezó a darse cuenta.

–Me parece que empiezo a entenderlo. No te preocupes, Amanda. La casa te pertenecerá a ti, no a tu marido –vaciló por un segundo antes de preguntarle–: ¿Te gusta la idea de casarte?

–Estoy segura de que me encontrarás un buen partido, sé que no me obligarías a casarme con alguien horrible.

–Claro que no.

–Es un pequeño precio a pagar por una vida así, ¿no crees?

Cliff se sentía cada vez más incómodo, y le sorprendió lo tranquila que estaba.

–Las mujeres deben encontrar un marido que las cuide. Aunque sean herederas, deben casarse para obtener seguridad y poder tener hijos.

–Ya lo sé.

Amanda fue hacia la ventana mientras se retorcía las manos con nerviosismo, y Cliff se quedó sin aliento mientras la contemplaba sin que ella se diera cuenta. Estaba cada vez más convencido de que no iba a ser difícil encontrarle marido, porque al margen de la dote, muchos caballeros iban a caer rendidos a sus pies en cuanto la vieran.

La mera idea hizo que sintiera unos celos terribles.

Cuando Amanda se volvió a mirarlo, tuvo la impresión de que los separaba una gran distancia.

–¿Qué clase de marido piensas encontrarme?, ¿será alguien como mi padre? No me refiero a que sea un pirata, claro, sino alguien fuerte y audaz.

Cliff se sintió horrorizado, pero intentó disimularlo. No podía responderle con sinceridad, ya que no pensaba unirla a un bruto como Carre; sin embargo, empezaba a pensar que Amanda creía que se merecía a alguien así.

–Voy a encontrarte un caballero, Amanda. Alguien generoso y amable, que sólo te pondrá la mano encima para mostrarte afecto.

–¿Voy a casarme con un caballero?, ¿será un caballero de verdad... como tú?

–Exacto –Cliff sintió que se ruborizaba, y le dio la espalda. Era incapaz de olvidar lo que Amanda le había dicho aquella mañana... *Podrías casarte conmigo*. Se volvió hacia ella, y al ver que parecía un poco desconcertada por su actitud, se esforzó por sonreír–. ¿Quieres que vayamos juntos a echarle un vistazo a Ashford Hall?

Tal y como esperaba, el cambio de tema funcionó. Ella sonrió con entusiasmo, y le dijo:

–¿Te refieres a la casa que piensas darme como parte de mi dote?, ¿quieres que vayamos a verla juntos?

–No está demasiado lejos –cuanto más pensaba en ello, más le gustaba la idea–. Podríamos ir con los niños, de momento sólo han visto la ciudad... y *monsieur* Michelle también vendrá, para que no te pierdas ni una clase. Pensaba ir a examinarla tarde o temprano, podemos organizar una salida familiar.

Antes de que pudiera reaccionar, Amanda se le acercó a la carrera y lo abrazó con fuerza.

–Me alegro de que seas mi tutor –susurró, con los labios junto a su mejilla.

Cliff se puso rígido. Mientras luchaba por controlar las ganas de besarla hasta dejarla sin aliento, la tomó de los hombros y se obligó a sonreír mientras la apartaba con suavidad.

Por alguna razón que no alcanzaba a entender, las cosas no estaban yendo según lo previsto.

Amanda estaba mirando muy tensa por la ventanilla mientras el carruaje se internaba por un camino bordeado de jardines inmaculados. El vehículo, que pertenecía a la condesa, tenía un tiro de seis caballos negros, y tanto las bridas como los arneses eran dorados. El escudo de armas de los de Warenne, un lobo dorado gruñendo sobre un escudo negro y enmarcado en un campo rojo con flores de lis doradas, estaba grabado en las puertas negras del vehículo. Los asientos eran de terciopelo color zafiro. Ella estaba sentada junto a Eleanor, en los asientos que iban de espaldas, porque los que iban mirando hacia delante se reservaban para los viajeros de mayor rango, que en aquel caso eran la condesa y Lizzie.

Se dirigían hacia el enorme palacio de piedra en el que residían el vizconde Harrington y su hija, una de las mayores herederas del país.

Las damas habían estado charlando durante todo el trayecto. Sean iba a llegar a la ciudad de un momento a otro, y Eleanor estaba muriéndose... o al menos, eso decía ella; al parecer, estaba muriéndose de ganas por ver a su marido. Tyrell había prometido que iba a asistir al baile de los Carrington, y Lizzie había estado a punto de quedarse en Harmon House porque se encontraba un poco indispuesta. Estaba previsto que su cuarto hijo naciera en febrero, y como ya tenía dos niños, estaba convencida de que iba a tener otra niña. La condesa comentó que debería dejar que las niñeras hicieran su trabajo y cuidaran de los pequeños.

Amanda no oyó ni una palabra de lo que decían. Llevaba puesto el primer vestido hecho a medida que había recibido. Se trataba de una prenda color marfil, que estaba conjuntada con una pelliza en un tono verde claro y con un sombrero. Cliff había aparecido justo antes de que saliera de la casa, y la había dejado atónita al colocarle un collar de perlas.

–Una dama debe llevar joyas –le había dicho él con voz suave.

Ella se había emocionado tanto, que había estado a punto de echarse a llorar, pero se había recordado a sí misma que sólo eran y serían amigos.

En ese momento apenas podía respirar, y mucho menos llorar. Tenía que recordar un montón de cosas... debía hacer una reverencia cuando lady Harrington apareciera, pero debía evitar mirarla a los ojos; siempre era aceptable que se comportara con recato; si la condesa extendía la mano, podía besar el aire justo por encima; sólo podía hablar cuando alguien le dirigiera la palabra; tenía que hablar pausadamente, y con recato; tenía que esperar a que le ofrecieran un asiento para poder sentarse, y nunca podía hacerlo antes de la condesa o de alguien de mayor rango que ella... lo que abarcaba a la ciudad entera; si no había un asiento, debía permanecer de pie y sonreír con recato; en conclusión, la palabra clave era «recato».

También tenía que tener en cuenta que había varios temas de conversación seguros y aceptables... el tiempo, los jardines, la ropa, las compras y los planes para el verano. Michelle le había aconsejado que se ciñera a esos temas y la había obligado a memorizarlos, pero después de darle las perlas, Cliff le había susurrado con una sonrisa:

–Si eres tú misma, te adorarán.

Ella no estaba demasiado convencida de que eso fuera cierto.

–Amanda, tienes tan mala cara como yo antes –le dijo Lizzie, antes de inclinarse hacia delante para darle unas palmaditas en la rodilla.

Amanda se sobresaltó. Como la futura condesa de Adare estaba muy atareada con sus hijos, apenas habían hablado una o dos veces, pero era una mujer muy agradable y desenvuelta; de hecho, durante una de las conversaciones, la futura condesa tenía el vestido manchado de harina y un poco de chocolate en la nariz. Parecía ser que le gustaba cocinar, y había preparado unos dulces para los niños.

Amanda intentó sonreír, pero no lo consiguió. Ni siquiera podía hablar. Era su primera visita de cortesía, y estaba convencida de que todo el mundo iba a darse cuenta de que era una impostora.

–Querida, ¿quieres que te cuente una historia? –le preguntó Lizzie.

No, no quería que le contara una historia, pero como era incapaz de articular palabra, no pudo rechazar el ofrecimiento.

–Llevaba enamorada de Tyrell desde niña, pero él era el heredero al condado y no se había fijado en mí... o al menos, eso creía yo; en todo caso, mi familia se había quedado empobrecida, y a pesar de que estaba locamente enamorada, jamás llegué a imaginar que él querría casarse conmigo.

Amanda se olvidó del inminente encuentro con lady Harrington, y se inclinó un poco hacia delante.

–¿Eras pobre?

–Sí, y estaba más rellenita de lo que se estilaba. Bueno, sigo estándolo, pero Tyrell parece preferirme así –cuando Eleanor le dio un codazo, se apresuró a seguir con el relato–. Iré al grano: Tyrell estaba muy por encima de mí, tanto en clase como desde el punto de vista económico, y además estaba prometido a lady Harrington.

–¿Qué pasó? –le preguntó Amanda, cada vez más fascinada.

–Que el amor verdadero se impuso –Lizzie sonrió con picardía–. Tyrell tenía que casarse con Blanche por obligación, pero se propuso conquistarme. Entonces ella rompió el compromiso, porque prefería permanecer soltera, y antes de darme cuenta estábamos ante el altar.

–Y desde entonces han vivido tan felices como en un cuento de hadas –comentó Eleanor. Le dio unas palmaditas en la mano a Amanda, y añadió–: Tyrell llevaba mucho tiempo enamorado de Lizzie sin que ella lo supiera. Deja que te diga algo sobre los hombres y las mujeres de nuestra familia: un de Warenne ama una sola vez, y para siempre.

–¡Qué romántico! –exclamó Amanda, sonriente.

–Todo va a salir bien –le dijo Lizzie–. Blanche es muy amable, y hemos mantenido una relación cordial durante todos estos años.

–Limítate a sonreír y a asentir, y procura no decir ni una palabra –bromeó Eleanor.

–¡Eleanor! –la amonestó la condesa, mientras el carruaje empezaba a aminorar la marcha.

Eleanor se volvió hacia Amanda, y le dijo con expresión seria:

–Nunca hablo con franqueza cuando estoy entre los miembros de la alta sociedad, porque soy demasiado descarada. Pero cuando estoy en casa o con Sean, hago lo que me place, y hasta suelto alguna que otra palabrota; además, me encanta montar a caballo, y siempre uso la silla normal en la que voy a horcajadas.

Amanda estaba intentando asimilar todo aquello, pero no podía dejar de lanzar miradas subrepticias hacia la mansión. Lizzie había logrado distraerla brevemente, pero ya había empezado a tensarse de nuevo al ver que los postillones se acercaban a abrir las puertas del carruaje.

–Pero tú sí que eres una dama.

–A la alta sociedad no le gustan las mujeres que dicen lo que piensan, pero las cosas son muy distintas cuando estoy en mi propia casa –le dijo Eleanor.

–Por favor, Eleanor –la condesa miró a Amanda, y le dijo–: Sonríe con educación y ten cuidado con lo que dices, pero no te preocupes demasiado. Blanche es un amor, seguro que todo sale bien –sin más, empezó a bajar del carruaje.

Amanda no sabía qué pensar, y no dejaba de recordar lo que le había dicho Cliff al darle el collar de perlas. Después de salir del carruaje, subió tras las demás por una amplia escalinata de piedra, y lanzó una rápida mirada por encima del hombro hacia la enorme fuente que había en el centro del camino de entrada. En comparación con Harrington Hall, Harmon House era una casa pequeña y acogedora. El corazón le latía tan acelerado, que creyó que iba a desmayarse.

Un mayordomo las condujo por un pasillo lleno de retratos, y al fin llegaron a un señorial salón donde había tres arañas de luces y un montón de asientos. El mayordomo anunció a la condesa, y una elegante rubia entró en la habitación.

Blanche Harrington estaba impecable, y era una mujer muy hermosa; antes de que pronunciara una sola palabra, Amanda supo que era el decoro y la elegancia en persona. A pesar de que su vestido verde esmeralda era bastante conservador, llevaba pendientes y un anillo de diamantes, y se movía con la gracia y la confianza de alguien que había nacido rodeado de dinero y poder; aun así, su sonrisa era cálida y sincera, y Mary de Warenne y ella no se saludaron con reverencias, sino con un abrazo.

–Me alegro mucho de verte, Mary.

–Lo mismo digo, Blanche.

Lady Harrington se volvió hacia las demás con una sonrisa que incluyó también a Amanda.

–¡Hola, Lizzie, cuánto tiempo sin verte! Eleanor, a ti no te veía desde tu boda.

Mientras las damas se abrazaban y tanto Lizzie como Eleanor se disculpaban alegando que los niños las tenían muy ocupadas, Amanda permaneció inmóvil y temblorosa con las manos entrelazadas, rezando para que no le diera por cometer algún estúpido error.

Cuando Blanche la miró con una sonrisa, Mary se apresuró a presentarlas.

–Blanche, te presento a la pupila de mi hijo, la señorita Amanda Carre.

Amanda se puso roja como un tomate mientras hacía su primera reverencia oficial, y se preguntó aterrada si se le había caído alguna horquilla del pelo, o si se había manchado el vestido; al enderezarse, vio que Blanche seguía mirándola con cordialidad.

–Bienvenida a Harrington Hall, querida. De modo que Cliff de Warenne es tu tutor, ¿no? Estoy segura de que cumplirá a la perfección con sus obligaciones. ¿Llevas mucho tiempo en la ciudad?

Amanda intentó sonreír, pero estaba demasiado nerviosa y el corazón le martilleaba en el pecho.

–Cliff es un tutor muy atento. Y hace menos de una semana que llegué a Londres.

–Es una ciudad maravillosa, seguro que no te aburrirás mientras estés aquí.

Amanda asintió. Estaba claro que lady Harrington quería entablar una conversación con ella, pero no sabía cómo debía comportarse. Se esforzó por encontrar un tema de conversación viable. No quería empezar a hablar del tiempo, porque sabía que se sentiría como una tonta.

–Tenéis una casa preciosa, mi señora. Creía que Harmon House era magnífica, pero ésta la supera –estaba temblando de pies a cabeza. Como no sabía si se había dirigido a ella correctamente, se apresuró a corregirse–. Quería decir... Excelencia –se ruborizó en cuanto lo dijo, porque recordó que aquel tratamiento estaba reservado a los duques y a las duquesas.

Blanche no dio muestra alguna de haber notado su error, y le dijo:

–Gracias, querida. Lord Harrington, mi padre, construyó esta casa hace muchos años. Los jardines son la parte que más me gusta.

Amanda se asombró al ver que no la ridiculizaba, y le preguntó con voz queda:

–¿Tenéis un jardín de rosas?

–Sí, por supuesto. ¿Quieres que te lo enseñe?

–Me encantan las rosas, y me gustaría mucho ver el jardín –Amanda apenas podía creer que aquella mujer estuviera tratándola tan bien.

–Podríamos salir a dar un paseo las cuatro, hace un día precioso. Después tomaremos el té.

Amanda se quedó inmóvil como un pasmarote mientras las demás iban hacia las puertas que conducían al exterior. Respiró hondo al darse cuenta de que había logrado aprobar su primera prueba en la alta sociedad, y se apresuró a ir tras ellas.

–¿Cliff? –Eleanor intentó adoptar una expresión de inocencia, pero como estaba deseando atormentar a su hermano, no le resultó nada fácil.

Cliff estaba sentado tras uno de los dos grandes escritorios que había en uno de los extremos de la espaciosa biblioteca. El suelo estaba cubierto por dos alfombras rojas, y los estantes con libros abarcaban dos de las cuatro paredes.

Al ver que su hermano parecía absorto en unos documentos, volvió a llamarlo mientras se acercaba a él.

Pareció sobresaltarse, pero al verla sonrió y se levantó de inmediato.

–¡Hola, Eleanor! ¿Cuándo habéis vuelto de Harrington Hall?, ¿cómo ha ido?

–Muy bien. Todo el mundo está descansando antes de la cena. ¿Podemos hablar un momento? –Eleanor mantuvo la expresión de inocencia a duras penas. Su hermano se merecía lo que estaba por llegar.

Él frunció el ceño, y rodeó el escritorio antes de preguntarle con impaciencia:

–¿Cómo está Amanda?, ¿la visita ha ido bien? –al ver que ella se limitaba a sonreír, exclamó–: ¡No pongas a prueba mi paciencia!

–Tú no tienes paciencia –Eleanor lo miró con una sonrisa sincera, y comentó–: Fue una gran idea ir primero a visitar a Blanche. Puede que Amanda no se haya dado cuenta, pero se ha portado con cortesía y calma a pesar del miedo que tenía. Ha cometido un pequeño error, pero se ha dado cuenta y nadie ha hecho ningún comentario al respecto. Le va a ir bien en la alta sociedad, Cliff. Es inteligente, y una buena conversadora.

–No sabes lo mucho que me alegro –Cliff sonrió de oreja a oreja.

–Aun así, conoces a la nobleza tan bien como yo. Blanche es una de las pocas mujeres de buen corazón que hay en nuestro círculo social, lo que más abunda son los buitres. Lo pasé fatal cuando llegó el momento de mi presentación en sociedad, porque muchas de las damas me miraban con desdén a causa de mi ascendencia irlandesa; además, los vividores no me dejaban en paz a pesar de que soy hija de un conde –logró sofocar una sonrisa, aunque estaba segura de que le brillaban los ojos.

–Yo me encargaré de proteger a Amanda de todos los canallas que se atrevan a mirarla siquiera –le dijo Cliff, ceñudo–. Nadie con malas intenciones se atreverá a acercarse a ella.

Eleanor contuvo las ganas de echarse a reír, y le dijo con fingida inocencia:

–Es obvio que te tomas muy en serio tus obligaciones como tutor.

–Por supuesto –le espetó él, claramente ofendido. Indicó con un gesto la hoja de papel que Eleanor tenía en la mano, y le preguntó–: ¿Eso es para mí?

–Sí, es la lista de posibles pretendientes –no pudo contener una sonrisa. Al ver que su hermano la miraba como si acabara de hablarle en chino, le preguntó–: ¿No quieres revisarla?

Él se la quitó de la mano, y Eleanor intentó contener una carcajada al verlo enarcar las cejas.

–¡Sólo hay cuatro nombres, Eleanor!

–Son los cuatro primeros que se me han ocurrido; además, a pesar de la dote que vas a darle, Amanda no es una gran heredera. Podemos decir que tiene un árbol familiar que se remonta a los sajones, pero no hay forma de probarlo. Estoy intentando encontrarle el marido perfecto; quieres que sea feliz y que disfrute de un matrimonio ideal, ¿no?

Él la fulminó con la mirada, y le preguntó:

–¿Quién demonios es John Cunningham?

–Es un baronet viudo que posee una pequeña propiedad en Dorset sin mucho valor, pero es joven y atractivo; además, parece ser bastante viril, porque su primera esposa tuvo dos hijos. Es...

–No.

Eleanor enarcó las cejas y fingió que se sorprendía.

–¿Por qué no?

–¿Quién es el siguiente?

–¿Qué tiene de malo Cunningham? ¡Está buscando esposa abiertamente!

–Es pobre, y sólo quiere una madre para sus hijos. ¿Siguiente?

–Vale, como quieras. William de Brett, te va a encantar. Sus ingresos ascienden a unos mil doscientos al año, y su familia desciende de los normandos. No tiene título, pero...

–No. Me niego rotundamente.

–Mil doscientos al año es bastante para que Amanda viva bien. Conozco a de Brett, y las mujeres se desmayan al verlo llegar.

Cliff se tensó aún más.

–Esa cifra es demasiado pequeña, y además, el tipo no tiene título. Amanda va a casarse con alguien de sangre azul.

–¿En serio?

–En serio. ¿Quién es Lionel Camden?

–¡El mejor de todos! Es un barón, así que tiene título. Tiene varios hijos ilegítimos, y nunca se ha casado. Parece ser que tiene una casa bastante grande en Sussex, y sus ingresos ascienden a unos dos mil al año –miró expectante a su hermano, que parecía estar al borde de una apoplejía.

–¿Es un mujeriego?

–¡Tú también tienes hijos ilegítimos!

–¡Claro, porque soy un mujeriego! Siguiente.

–*¿Qué?*

–Amanda no va a casarse con un mujeriego, su marido le será fiel.

–Entonces, podrías considerar a de Brett. Es muy atractivo, y estoy convencida de que no tardaría en enamorarse de ella.

–¿Quién es Ralph Sheffeild?

Eleanor había dejado al mejor para el final. Sheffeild no tenía ningún defecto.

–Lo armaron caballero por su valor durante la guerra, es el hijo menor de un conde, su familia es muy adinerada, y puede casarse con quien quiera; además, no es un mujeriego, así que sería perfecto que se enamorara de Amanda.

–¿Cómo sabes que no es un mujeriego?

–Porque conozco su reputación.

–Debe de serlo, o ya estaría casado.

–Estoy segura de que no lo es; si lo fuera, lo sabría por los chismorreos.

–¿Tiene una amante?

–Que yo sepa, no.

–En ese caso, seguro que prefiere a los hombres –Cliff esbozó una sonrisa triunfal.

–¿Cómo puedes decir tal cosa? –le preguntó ella, horrorizada.

–Es demasiado perfecto, algo no encaja. Si no le gustan los hombres, puede que sea un jugador empedernido.

–¡No lo es! –Eleanor no tenía ni idea de si Sheffeild jugaba o no, y luchó por controlar las ganas de echarse a reír–. Además, le conozco personalmente y estoy segura de que le gustan las mujeres.

Cliff se cruzó de brazos, y le dijo con firmeza:

–Hay algo en ese tipo que no encaja. ¿Qué es lo que me ocultas?

–¡Nada! Te lo he contado todo, es perfecto para Amanda.

Cliff hizo pedazos la hoja con la lista, y sonrió al dejar caer al suelo los trozos de papel.

–¿Qué haces? Cliff, ¿qué tiene de malo Sheffeild?

–Nadie es perfecto, está escondiendo algo.

–¡No puedes rechazarlos a todos!

–Claro que sí, y eso es lo que voy a seguir haciendo hasta que encuentre al candidato perfecto. Prepara otra lista –le dijo, antes de dirigirse hacia la puerta.

Eleanor no pudo contenerse. Agarró un libro de uno de los estantes, y se lo tiró a la espalda.

Cliff se volvió a mirarla, y le preguntó:

–¿A qué ha venido eso?

–Digamos que voy a disfrutar viendo cómo te bajan los humos; por cierto, todos estamos de parte de Amanda.

Su hermano se quedó mirándola con perplejidad. Era obvio que no se enteraba de nada, como siempre.

Al oír que alguien tosía desde la puerta, se puso rígida y se volvió de golpe. El corazón le dio un brinco en el pecho.

–¡Sean!

Su marido fue hacia ella, y la abrazó con fuerza.

–Sorpresa –le dijo con suavidad, antes de besarla con pasión.

CAPÍTULO 14

Amanda no podía dejar de sonreír. Estaba vestida con el hermoso vestido que se había puesto para ir a visitar a Blanche Harrington, y tenía las rodillas apretadas contra su pecho. La visita había sido todo un éxito. Había conversado con aquella gran dama, que había parecido complacida con las respuestas que le había dado y no se había mostrado condescendiente con ella en ningún momento. ¡No había tenido que soportar ni una sola mirada desdeñosa!

Apenas podía creer lo que estaba ocurriendo. Quizás, algún día, podría llegar a encontrar la manera de corresponder a Cliff de Warenne por la gran oportunidad que le había dado. Empezaba a creer que podía llegar a ser una dama, que podía dejar atrás a La Sauvage. No tuvo ganas de echarse a llorar al pensar en su padre, porque estaba convencida de que se sentiría orgulloso de ella.

La dama a la que más admiraba, y a la que aspiraba a llegar a parecerse en el futuro, era Eleanor O'Neill. Era una mujer osada que hablaba claro, pero también hermosa y elegante.

Ocultó el rostro contra las rodillas mientras seguía sonriendo. A pesar de que seguía enamorada de Cliff, estaba entusiasmada ante los cambios que estaban ocurriendo en su vida.

Podía hacerlo, podía llegar a convertirse en una dama.

Se levantó de inmediato al oír que llamaban a la puerta, y fue a abrir después de ponerse sus nuevos zapatos blancos.

–He pensado que podríamos bajar juntos a cenar –le dijo Cliff, mientras la recorría con la mirada.

–¿Te has enterado de lo que ha pasado?

–Sí, ya me han dicho que has sido todo un éxito –la miró con una expresión llena de calidez.

–¡Lady Harrington vive como una reina, y la casa es todo un palacio! –estaba encantada de poder compartir su triunfo con él–. Me ha hecho tantas preguntas... ¡era como si le importara mi opinión! Hemos estado paseando por los jardines, que son preciosos. ¡Es una gran dama!

–Me alegro mucho –le dijo él, mientras la conducía por el pasillo–. ¿Lo ves, Amanda? La sociedad no es tan terrible como creías.

–La condesa quiere que mañana vayamos de compras a Bond Street, y que demos un paseo por Pall Mall. ¿Qué te parece la idea? –estaba entusiasmada, y lista para dar el siguiente paso.

Todo aquello le parecía un sueño... con excepción de lo que había ocurrido con Dulcea Belford, claro. Era incapaz de olvidar el rechazo de su madre, pero intentaba no pensar demasiado en ello; además, se negaba a pensar en su madre en ese momento, porque su vida era casi perfecta y quería saborear su primera victoria.

–Me parece bien que veas la ciudad; de hecho, creo recordar que te prometí que te llevaría a dar una vuelta.

Amanda sintió que se le aceleraba el corazón al ver cómo la miraba.

–Sí, es verdad –murmuró, mientras lo miraba de soslayo. No podía evitar flirtear un poco, porque nunca se había sentido tan bella.

–Quizás habrá que aplazarlo hasta que volvamos de Ashford –comentó él, mientras bajaban por la escalera.

Amanda se dio cuenta de que estaba un poco ruborizado

y notó su claro interés, pero entonces oyó a los niños riendo a carcajadas y a Ariella gritando.

–Alexi está descontrolado. Ned, Michael y él están convirtiéndose en el terror de la casa –dijo Cliff, ceñudo.

–Están divirtiéndose –Amanda no quería que fuera demasiado duro con ellos, pero sabía que jamás les castigaría a base de golpes y se preguntó si los niños eran conscientes de lo afortunados que eran–. ¿Has decidido ya cuándo vamos a ir a Ashford?

–Había pensado que podríamos ir pasado mañana.

Amanda lo miró sonriente, ya que estaba deseando ir.

Cliff se detuvo en el vestíbulo, y comentó:

–Te llevas muy bien con mi hermana, ¿verdad?

–Sí, me cae muy bien. No se da aires de grandeza.

Él se echó a reír.

–Sí, es verdad. En fin, me alegro de que os hayáis hecho amigas –al ver aparecer a Rex con Alexi y Ned, le preguntó–: ¿Qué es lo que han hecho?

–Le han metido un sapo a Ariella en el vestido. Van a tener que repetir las tareas que han hecho en clase.

–Buena idea –Cliff miró a su hijo, y le dijo muy serio–: Estoy planteándome mandarte de vuelta a las islas, Alexi, así que será mejor que te lo pienses dos veces antes de volver a conspirar con tu primo para torturar a tu hermana, o de cometer cualquier otra gamberrada.

–¿Vas a mandarme de vuelta? –le preguntó el niño, horrorizado.

–Mañana mismo, si no te portas bien.

–¡Te prometo que me portaré muy bien!

–Ha sido culpa mía, yo he tenido la idea –intervino Ned, que se había quedado tan serio como su primo–. ¡Si tenéis que castigar a alguien, que sea a mí, pero no enviéis a Alexi a las islas!

–Me lo pensaré. Mientras tanto, quiero que le escribáis una carta de disculpa a Ariella después de copiar todo lo que habéis hecho en clase.

Los niños asintieron, y empezaron a subir la escalera con actitud alicaída.

–Justo lo que necesitaban –comentó Rex con aprobación. Miró a Amanda con una sonrisa, y le dijo–: ¿Queréis que os acompañe al comedor, señorita Carre? Seguro que preferís mis atenciones a las del egocéntrico de mi hermano; además, así podréis explicarme cómo ha ido la visita a casa de lady Harrington.

Amanda sonrió con entusiasmo, y fue hacia él sin vacilar.

–Estoy encantada de disfrutar de vuestras atenciones, sir Rex –miró por encima del hombro a Cliff, y enarcó las cejas para preguntarle sin palabras qué le parecían sus nuevos modales.

–Bien hecho –susurró él, mientras asentía con aprobación.

Su respuesta la llenó de felicidad.

Amanda estaba en el secreter de su habitación, leyendo un libro sobre la historia de Londres que *monsieur* Michelle le había prestado el día anterior. Iba avanzando trabajosamente, y con la ayuda del diccionario que Cliff le había dado durante el viaje. Le encantaba leer, y cada día le costaba un poco menos.

Dio un respingo cuando la puerta se abrió de repente, y al volverse y ver a Lizzie ruborizada y sin aliento, cerró el libro después de marcar la página y le preguntó:

–¿Qué pasa?, ¿se ha incendiado la casa? –estaba un poco desconcertada, porque Lizzie de Warenne era una de las mujeres más serenas que conocía.

–¡Tienes que bajar cuanto antes, Amanda! Mi hermana acaba de llegar, acompañada de su marido y de un amigo.

Amanda se puso de pie, mientras sentía una mezcla de nerviosismo y entusiasmo. Había oído hablar de Georgina, la excéntrica hermana de Lizzie, y de su marido, Rory, que trabajaba como dibujante en el *Dublin Times* y era célebre por sus trabajos satíricos sobre temas políticos. Estaba entusiasmada por el éxito que había tenido tanto con Blanche Harrington como con toda la familia de Warenne, pero seguía esperando el momento en que llegara la inevitable condescendencia. Era imposible que en toda aquella travesía no tuviera que enfrentarse a ningún temporal.

Lizzie debió de notar su nerviosismo, porque se acercó a ella y la tomó de las manos.

–¡Georgie y Rory van a caerte muy bien, ya lo verás! Los dos son muy francos y radicales, pero te advierto que van a intentar adoctrinarte sobre sus respectivas causas... Georgie está a favor de la Unión, y Rory a favor de la independencia de Irlanda. ¡Venga, vamos!

Amanda se echó a reír mientras Lizzie la llevaba prácticamente a rastras por el pasillo y las escaleras.

–Creía que las damas no podían hablar de política.

–Se considera preferible que no lo hagan, pero en mi familia todo el mundo defiende con firmeza sus propias opiniones. Van a adorarte tanto como yo, Amanda. Puedes ser tú misma, no hace falta que finjas para causar una buena impresión.

Amanda no acabó de creérselo. Recordó las veces en que se había quedado sola en la isla y tenía que ocuparse de la granja mientras su padre estaba fuera, y también pensó en las seis semanas que había pasado a bordo del barco de Cliff. Cada vez le costaba más visualizar a aquella muchacha asilvestrada que llevaba pantalones y botas, y que había tenido que mentir y robar para poder sobrevivir. Miró su vestido mientras recordaba la conversación con Blanche Harrington y las agradables cenas que había compartido con los de Warenne en Harmon House, pensó en las salidas de compras con la condesa, y en los paseos en carruaje por el parque junto a Lizzie y Eleanor. No estaba segura de quién era, pero estaba claro que la mujer en que se había convertido era muy distinta a La Sauvage.

–Aquí está –dijo Lizzie con entusiasmo, mientras entraban en el salón.

Una mujer alta y delgada con el pelo rubio oscuro se apresuró a acercarse, con un hombre rubio muy atractivo pisándole los talones.

–He oído hablar mucho de ti, Amanda. Es un verdadero placer conocerte –le dijo Georgina McBane con cordialidad–. ¿Necesitas que alguien te enseñe la ciudad?, me encantaría hacerlo.

A Amanda le sorprendió tanto entusiasmo. Las dos hermanas no se parecían en nada desde un punto de vista físico, pero al ver la actitud afectuosa de Georgina McBane, se dio cuenta de que las dos mujeres tenían en común un carácter cariñoso y poco dado a las hipocresías.

–El placer es mío.

Cuando hizo ademán de saludarla con una reverencia, Georgina se echó a reír y le dijo:

–Nada de formalidades. Además, sólo soy la señora McBane, así que no tengo más rango que tú.

El marido de Georgina la saludó con una reverencia, y la miró con un brillo de diversión en sus ojos verdes. Parecía debatirse entre el horror y la hilaridad.

–Así que por fin voy a conocer a la pupila de Cliff. Me sorprendí mucho al enterarme de que era el tutor de una joven dama, pero en cuanto os he visto he empezado a entenderlo. Cliff siempre ha tenido buen ojo a la hora de encontrar a las damas más bellas.

Amanda se ruborizó. Rory era un hombre muy apuesto, y estaba flirteando con ella.

–Tanto Cliff como su familia han sido muy amables conmigo. Si no se hubiera ocupado de mí, me habrían enviado a un orfanato.

Amanda se dio cuenta de que no le había saludado como era debido, pero antes de que pudiera subsanar su error, Rory intercambió una mirada con su esposa, que comentó:

–El Cliff de Warenne al que conocemos es un hombre honorable, pero no tiene fama por su amabilidad precisamente. Por cierto, ¿dónde está ese granuja?

–Y el tipo tiene fama, de eso no hay duda –murmuró Rory.

Georgie le dio un codazo.

–Te prometo que te lo contaré todo, Georgie –le dijo Lizzie.

Amanda se sintió un poco fuera de lugar. Al principio la había sorprendido lo unidos que estaban los de Warenne y el afecto sincero que se tenían, y no pudo evitar envidiar la complicidad que existía entre las dos hermanas.

El tercero de los recién llegados permanecía detrás de Georgie y Rory, y estaba casi oculto por las sombras. Al volverse a mirarlo, se topó de lleno con unos ojos verdes enmarcados por unas pestañas negras y oscuras, que estaban fijos en ella. Mientras lo saludaba con una reverencia, sintió que se le aceleraba el corazón, porque aquel caballero estaba mirándola tal y como solía hacerlo Cliff.

–Os presento a Garret MacLachlan, un buen amigo nuestro –le dijo Rory–. Garret, te presento a la señorita Carre.

Amanda se enderezó y se puso roja como un tomate, porque la había tomado por sorpresa ver a un hombre tan apuesto. Al ver que MacLachlan se quedaba observándola durante unos segundos como si fuera incapaz de apartar los ojos de ella, se dio cuenta de que estaba mirándola con interés.

Apenas pudo creerlo. ¡Primero el éxito del día anterior, y después recibía la visita de un admirador! Tuvo ganas de pellizcarse para comprobar si estaba soñando, y se recordó que aquel hombre no estaba visitándola a ella en concreto.

–Es un placer conoceros, señor.

–Me temo que me he quedado sin aliento –le dijo él, con una voz suave que tenía un acento de lo más seductor–. Es un honor, señorita Carre. Tengo entendido que procedéis de las islas.

–Sí, pero como mi padre falleció recientemente, me resulta difícil hablar de ese tema –le contestó ella, ya que sabía que debía evitar hablar de su pasado.

–Lo siento mucho, no lo sabía. Por favor, disculpad mi metedura de pata. Vuestra belleza me ha dejado embobado, no he conocido a ninguna inglesa tan radiante como vos.

Amanda se ruborizó. Sabía que seguramente aquel hombre cambiaría de opinión si supiera cómo había llegado a estar tan morena y lustrosa.

–Las inglesas son muy atractivas, espero llegar a ser algún día tan elegante como las damas de la ciudad.

–¿Por qué? –le preguntó él, claramente sorprendido–. Son ellas las que deberían aspirar a parecerse a vos.

Amanda se quedó mirándolo boquiabierta, y al final se echó a reír.

–¡No pensaríais lo mismo si me vierais bailar, os lo aseguro!

Él se echó a reír también, y comentó:

–Estoy convencido de que vuestra maestría en el baile es tan extraordinaria como vuestros ojos, tienen el mismo tono verde que la primavera en Irlanda.

Amanda apenas podía creerse que aquel hombre tan guapo estuviera flirteando con ella.

–Quizás algún día, cuando no os resulte tan doloroso, estaréis dispuesta a hablarme de las Indias Occidentales. Nunca he cruzado el océano, y tengo mucha curiosidad –añadió él, sonriente.

Amanda asintió, y fue dejando a un lado la cautela al darse cuenta de que parecía realmente interesado en las islas... y en ella. Pero como le habían aconsejado que no hablara del pasado y no quería revelar demasiado sobre sí misma, se limitó a decirle:

–Algún día, quizás.

–¿Os apetece que salgamos a pasear? Es la primera vez que vengo a Harmon House, pero la condesa de Warenne es célebre por sus jardines. Si queréis, puedo hablaros de mi país. En comparación con Escocia, Londres parece casi un lugar tropical.

Amanda se quedó atónita, porque estaba claro que aquel

hombre estaba interesado en ella. Le habían explicado que, cuando un caballero invitaba a una dama a salir a pasear y no se trataba de un mujeriego, tenía intenciones serias.

Le lanzó una mirada a Lizzie, que estaba sonriendo y le dijo encantada:

–Ve, querida, diviértete. Garret es un caballero, y puede contarte muchas anécdotas interesantes.

Aun así, cuando él le ofreció el brazo y la miró con una cálida sonrisa, Amanda vaciló por un segundo, porque por alguna extraña razón, sentía que estaba traicionando a Cliff. Se dijo que eso era una bobada, que aquel hombre sólo quería pasear y charlar; además, Cliff le había dejado muy claro que estaba buscándole marido, así que quizás se sentiría complacido si le proponía a Garret MacLachlan como un posible pretendiente.

Justo cuando acababa de posar la mano en su brazo, tal y como le había enseñado *monsieur* Michelle, oyó el sonido de unas espuelas y supo que su tutor acababa de entrar en el salón.

–¿Qué está pasando aquí? –dijo Cliff con voz gélida.

Amanda sintió que le daba un vuelco el corazón, y se volvió junto con su acompañante hacia la puerta.

Cliff se les acercó con paso firme, fulminó a Garret con la mirada, y le dijo con voz acerada:

–No nos conocemos, ¿verdad?

Lizzie se apresuró a interponerse entre los dos.

–Cliff, te presento a Garret MacLachlan. Es hijo del conde de Bain.

El rostro de Cliff se endureció aún más. Era obvio que estaba muy contrariado, y miró de pies a cabeza a Garret con expresión condescendiente.

El escocés soltó a Amanda mientras sus ojos verdes se oscurecían, y le preguntó con voz igual de gélida:

–¿Y quién sois vos?

–El tutor de la señorita Carre, y no recuerdo haberos dado permiso para que salgáis a pasear a solas con ella.

Amanda estaba mirándolo con perplejidad, ya que no entendía a qué se debía su actitud beligerante.

–Cliff...

Ninguno de los dos pareció oírla. Garret no se había dejado amilanar, y estaba sonriendo desafiante.

–Así que vos sois el tutor de la señorita Carre, ¿no? –miró a Cliff de pies a cabeza antes de añadir–: Soy un caballero, y le he pedido que salga conmigo al jardín a plena luz del día. No sabía que necesitaba vuestro permiso para dar un simple paseo.

Cliff estaba ruborizado. Cuando miró a Amanda, ésta se quedó boquiabierta al darse cuenta de que estaba decidido a impedir que saliera al jardín con Garret.

–Pues ahora ya lo sabéis.

Rory se apresuró a intervenir. Le dio una palmada a Cliff en el hombro, y le dijo:

–Yo respondo por Garret, Cliff. Te aseguro que no tienes nada que temer; además, Georgie y Lizzie también van a salir a tomar el aire –miró a todos los presentes con una sonrisa.

Cliff parecía estar a punto de desenfundar su daga. Después de mirar a Amanda con un extraño brillo en los ojos y de lanzarle a Garret una mirada amenazante, dio media vuelta con brusquedad y se fue.

Garret lo siguió con la mirada durante unos segundos, pero su expresión se suavizó de nuevo cuando volvió a mirar a Amanda.

–¿Siempre es tan protector?, ¡no tengo intenciones deshonrosas!

Amanda se tensó, y salió en defensa de Cliff de forma instintiva.

–Sí, es muy protector, pero no me importa. De no ser por Cliff, yo no estaría aquí en este momento –al ver que la miraba sorprendido, consiguió esbozar una sonrisa–. Me trajo a Londres sin pedirme nada a cambio, y le estoy muy agradecida. No sé por qué está de tan mal humor, pero seguro que se le pasará –lo miró con timidez al añadir–: Si aún queréis salir a pasear, estaré encantada de mostraros los jardines de la condesa. No he ido nunca a Escocia, y estoy deseando saberlo todo sobre vuestro país.

–Espero que tengáis todo el día –le dijo él, sonriente.

Cliff estaba observando a Amanda y a MacLachlan desde las ventanas de uno de los saloncitos. Odiaba a aquel hombre, aunque se negaba a plantearse a qué se debía su reacción; en cambio, a Amanda parecía caerle muy bien... y no era de extrañar.

Sabía que aquel hombre podía llegar a ser un duro adversario. No era una simple cara bonita, ya que había luchado en una buena cantidad de batallas utilizando los puños, el ingenio, y la espada. En cuanto lo había visto, se había dado cuenta de que MacLachlan era un hombre seguro de sí mismo que tenía poder, un título, y una buena dosis de arrogancia.

El escocés y Amanda llevaban más de una hora paseando del brazo, y su paciencia estaba llegando al límite. Tenía ganas de salir y separarlos de golpe. Se dijo que no estaba celoso, pero justo cuando estaba a punto de ir para acabar con aquel absurdo flirteo, vio que se detenían y se quedaban mirándose en silencio cara a cara. Se quedó helado, ya que era obvio que estaban a punto de besarse, y fue como una exhalación hacia las puertas que daban al jardín mientras empezaba a desenfundar la daga.

–Calma, amigo mío, calma –le dijo Sean O'Neill, que en ese instante estaba entrando en el saloncito junto a Rex–. ¿A quién piensas rebanarle el pescuezo?

Cliff se detuvo sin apartar la mirada de Amanda y MacLachlan, que aún no se habían abrazado.

–¿Quién demonios es Garret MacLachlan? De momento, sólo sé que es escocés.

–Es el hijo de un conde, Cliff –le dijo Rex, mientras Sean y él se le acercaban.

–Vaya, me parece que empiezo a entenderlo. ¿Está cortejando a la encantadora señorita Carre? –dijo Sean.

Cliff se volvió a mirarlos, y los fulminó con la mirada.

–A juzgar por su ropa, está claro que no es rico.

–Es hijo de un conde –repitió Rex, con una carcajada.

Sean se echó a reír, y comentó:

–Es escocés, Cliff. No un cuatrero.

–Es lo mismo –refunfuñó él–. Y ahora, si me disculpáis...

–¿Qué pasa?, ¿tienes miedo de que haya una boda a punta de pistola? Puede que MacLachlan esté pensando en casarse, y Eleanor me comentó que estabas buscándole un buen partido a la señorita Carre. Parece que ha habido suerte.

–No va a casarse con ese escocés –le espetó Cliff.

Salió del saloncito, y bajó de tres en tres los escalones que conducían al jardín. Cuando Amanda y MacLachlan se volvieron al oírle llegar, se obligó a mirarlos sin expresión alguna en el rostro y dijo con rigidez:

–Amanda, la condesa quiere hablar contigo –sintió una satisfacción visceral al ver que ella lo miraba, al saberse el centro de su atención de nuevo; sin embargo, se puso furioso cuando ella se volvió de nuevo hacia el escocés con una sonrisa demasiado dulce.

–Gracias por este paseo tan agradable, y por contarme tantas cosas sobre Escocia. Las Tierras Altas deben de ser una maravilla.

–No hay ningún lugar que pueda igualarse en todo el mundo. Lamento que nuestro paseo deba terminar ya, señorita Carre –MacLachlan hizo una reverencia, y añadió–: He disfrutado inmensamente de los jardines... y de vuestra compañía.

–Lo mismo digo –le dijo ella, muy sonriente. Después de despedirse con una reverencia, se fue hacia la casa.

Cliff se sintió aliviado al ver que no se volvía a mirar al escocés ni una sola vez, pero se enfureció al darse cuenta de que el tipo estaba siguiéndola con la mirada.

–Quiero saber cuáles son vuestras intenciones, MacLachlan –su voz era engañosamente suave, ya que contenía una amenaza velada.

El escocés se volvió a mirarlo cara a cara, y le dijo:

–Podéis llamarme lord MacLachlan. Y por cierto, vuestra reputación os precede. Me extraña que seáis el tutor de la señorita Carre.

–Vuestra opinión me da igual, MacLachlan. Os he hecho una pregunta, y exijo una respuesta.

–Tenéis suerte de que vuestro padre me caiga tan bien.

–¿Ah, sí? ¿Y por qué?

–Porque necesitáis una lección de buenos modales.

Cliff se echó a reír, y empezó a saborear el enfrentamiento inminente.

–¿Cuántos años tenéis, muchacho? Creedme, no podéis compararos a mí en cuanto a fuerza... ni en ninguna otra cosa.

–Tengo veinticuatro años. Sé que sois un capitán curtido, pero os advierto que he participado en una buena cantidad de batallas, tanto en tierra como en mar, y no os tengo miedo.

–Pues deberíais tenérmelo. No sois bien recibido aquí, MacLachlan.

–Deseo volver a ver a la señorita Carre. Es encantadora, un verdadero soplo de aire fresco en esta ciudad.

–Os sugiero que vayáis a tomar el aire fresco a Escocia.

Garret se llevó la mano a la daga que llevaba a la cintura.

–Mi padre es Alexander Corazón de Hierro, conde de Bain, y estoy soltero. No podéis negarme el derecho a visitarla.

–Claro que puedo, y es lo que estoy haciendo. Amanda no va a casarse con un tosco escocés; además, es obvio que sois un cazafortunas.

–Soy consciente de que la dote de la señorita Carre es bastante modesta. Si deseara conseguir una fortuna, no estaría pidiéndoos permiso para cortejarla.

–Vaya, ¿ahora estamos hablando de un cortejo? Mi respuesta sigue siendo la misma, y no voy a cambiar de opinión.

Garret lo miró en silencio durante unos segundos con furia, y al final le dijo:

–Vos sois irlandés. Maldita sea, somos como hermanos.

–Mis hermanos están en esa casa –Cliff indicó con un gesto la mansión–. Mi decisión es irrevocable. Que tengáis un buen día.

Sintió una satisfacción enorme al verlo marcharse con paso airado.

CAPÍTULO 15

Dulcea Belford se detuvo ante la puerta de entrada de Harmon House, y se esforzó por esbozar una sonrisa cortés. Después de bajarse aún más el generoso escote del vestido, alzó la aldaba.

A pesar de que su hija llevaba más de una semana en la ciudad, no la había visto ni una sola vez; sin embargo, la noche anterior se había encontrado en una fiesta a Blanche Harrington, y ésta había comentado que al poco de su llegada Amanda la había visitado junto a la condesa de Adare. No era de extrañar, ya que todo el mundo sabía que la condesa mantenía una buena relación con la mujer que había estado a punto de convertirse en su nuera. Si Amanda era tan poco refinada como había insinuado Cliff, tenía sentido que su primera visita estuviera concertada de antemano. De Warenne había sido muy listo.

Pensar en aquel hombre la enfurecía, a pesar de que en el pasado solía estremecerse de deseo cada vez que lo veía. El año anterior había intentado seducirlo, y se había quedado atónita cuando él la había rechazado con educación. También la había sorprendido que la tratara tan mal cuando había ido a hablarle de su hija. Jamás se había sentido tan ofendida, ¿cómo se atrevía a despreciarla, a tratarla como si le debiera algo a Amanda Carre? El propio Carre la había criado, así que él era el culpable de la situación en la que se encontraba su hija, no ella.

De Warenne tenía fama de ser un amante experimentado e insaciable, pero parecía empeñado en proteger a Amanda. Seguía deseándolo, pero estaba furiosa con él y tenía sus dudas sobre la relación que tenía con su hija. Como era un mujeriego impenitente, no estaba capacitado para asumir la tutela de una joven, y mucho menos de una que fuera atractiva.

Blanche había comentado que Amanda era una verdadera belleza, pero como se había negado a hablar sobre su supuesta falta de buenos modales, era obvio que estaba protegiéndola. ¿Por qué?

Quería averiguar lo que estaba pasando. Pero al margen de que Cliff pudiera estar acostándose con Amanda y del desconcertante interés que Blanche Harrington mostraba en ella, lo verdaderamente sorprendente era que tenía una dote; al parecer, Carre le había dejado una pequeña pero productiva propiedad cerca de Ashton.

¿Era muy extensa?, ¿habría arrendatarios? En caso afirmativo, ¿cuántos? ¿Hasta qué punto se trataba de una propiedad productiva? Quizás había una mina en el terreno...

Se humedeció los labios mientras se le aceleraba el corazón. Desde que se había enterado de lo de la dote, había cambiado de opinión sobre lo que iba a hacer en lo referente a Amanda. No soportaba vivir a base de créditos, ni siquiera sabía cómo iba a poder presentar en sociedad a su propia hija en unos años; además, cuando Belford muriera... era bastante mayor, así que seguramente no tardaría demasiado en hacerlo... ella iba a tener que cargar con las deudas, y no tenía ni idea de cómo iba a pagarlas. Iba a tener que casarse de nuevo con algún millonario, pero su hija ilegítima podía ser una solución provisional.

No se atrevía a reconocer a Amanda abiertamente. Había pensado en decir que eran primas, pero Belford la pondría de patitas en la calle si llegaba a enterarse de la verdad; en todo caso, era su madre biológica, y por lo tanto tenía derecho a involucrarse en sus asuntos. No soportaba la idea de tener que rebajarse a suplicar ante Cliff de Warenne, pero tenía que convencerlo de que tenía derecho a participar en las decisiones que afectaban al futuro de su hija. Sí, no había duda de que era justo que asumiera el control de la propiedad.

Pensaba que su plan era infalible. Si de Warenne estaba acostándose con Amanda, podía chantajearlo para que le entregara el control de la casa y las tierras.

Después de conducirla hasta un salón, el mayordomo tomó su tarjeta de visita y la colocó en una bandeja de plata. Había llegado más temprano de lo que se estilaba, pero quería asegurarse de encontrar a de Warenne en casa.

Al oír pasos que se acercaban, luchó por controlar la rabia que sentía y adoptó una actitud recatada y seductora. Había decidido que iba a empezar por intentar seducirlo, y que iba a dejar el chantaje como última opción.

Cliff entró en el salón con expresión severa; se volvió hacia ella después de cerrar las puertas dobles, y no se molestó en saludarla con cortesía.

–No voy a andarme con rodeos, lady Belford. No sois bien recibida en esta casa.

La sonrisa de Dulcea se desvaneció, al igual que el placer que había sentido al ver a aquel hombre tan magnífico. Controló su genio a duras penas, y le contestó con voz suave:

–Buenos días, milord.

–¿Acaso debo repetíroslo? No sois bienvenida aquí.

Ella se tensó de inmediato, y se dijo que aquel hombre era despreciable.

–Mi hija está viviendo aquí. Lamento nuestro encuentro anterior, he venido a disculparme por mi comportamiento y a preguntar cómo se encuentra.

Él la fulminó con sus preciosos ojos azules, y dijo con tono mordaz:

–¿En serio? ¿Habéis venido a interesaros por la hija a la que habéis rechazado?

–Me he replanteado la situación, y he decidido que deseo conocerla. He pensado en decir que es mi prima, pero tengo miedo de la reacción de Belford –posó una mano enguantada sobre su antebrazo. Notó que él se tensaba, pero se sintió satisfecha al creer que no era inmune a sus encantos–. No sabéis lo mucho que lo lamento, Cliff. Es mi hija, y deseo ayudar a presentarla en sociedad... con discreción, por supuesto.

Lo miró con una sonrisa seductora, pero él se apartó y frunció el ceño.

–Le rompisteis el corazón a Amanda, y ahora parece que queréis jugar con ella. Me pregunto a qué se debe este inesperado cambio de opinión.

Dulcea se dio cuenta de que no le iba a resultar nada fácil seducir a aquel hombre, porque parecía despreciarla de verdad. Contuvo las ganas de mostrarse beligerante, y se obligó a sonreír.

–No exageréis, Cliff. Es imposible que le rompiera el corazón, ni siquiera nos conocemos.

–Carre se aseguró de que Amanda os adorara, y vuestro rechazo la hirió profundamente –le espetó él con dureza.

Al ver lo protector que se mostraba con Amanda, Dulcea sintió una mezcla de suspicacia y celos. ¿Sería cierto que aquel hombre imponente estaba acostándose con su hija?

–En ese caso, debe de parecerse mucho a su padre. A él también le rompí el corazón, aunque fue sin querer. Carre era un hombre muy débil.

–Amanda es la mujer más fuerte que he conocido en mi vida. No perdamos más tiempo, ¿qué es lo que queréis?

Dulcea pensó en la casa que Carre le había dejado a su hija, y se preguntó cuánto iba a poder sacarle. A pesar de que Amanda no le importaba lo más mínimo, dijo con fingida sinceridad:

–Ya os lo he dicho, quiero ayudaros con Amanda. ¿Sus

modales son muy deficientes? Si no puede ser presentada en sociedad, no vamos a encontrarle ningún posible pretendiente.

–No quiero que os acerquéis a ella, lady Belford. Confío en vos tan poco como en una víbora... incluso menos.

Dulcea lo miró con odio, y se imaginó haciéndole el amor hasta hacerle llorar de placer para después rechazarlo cuando él le suplicara que volviera a aceptarlo.

–Habéis venido porque os habéis enterado de que Amanda ha heredado una pequeña fortuna, ¿verdad? ¿Acaso me tomáis por tonto? –Cliff soltó una carcajada carente de humor.

Dulcea hizo un último intento antes de sacar las garras. Estaba deseando arañar aquel rostro apuesto.

–Tengo derecho a presentarla en sociedad, y a tomar las decisiones en lo que respecta a su futuro.

–¡No tenéis ningún derecho! –exclamó él con furia.

Dulcea apretó sus largas uñas contra las palmas de las manos.

–¿Desde cuándo os acostáis con ella, de Warenne? –soltó una carcajada victoriosa al ver su expresión de sorpresa, y añadió–: Sé que lo estáis haciendo. He oído decir que es joven y hermosa. Antes preferíais a las mujeres como yo, pero parece ser que ahora os interesan las inocentes. Es increíble que precisamente vos os atreváis a mirarme con desprecio –se le aceleró el corazón al ver que había logrado acicatear su furia.

Él alzó las manos como si estuviera a punto de empujarla, y exclamó:

–¡Sí, es joven... tiene dieciocho años, y está bajo mi tutela! ¡Estoy buscándole marido!

Dulcea se sorprendió al verlo tan indignado. Se le acercó tanto, que sus senos rozaron contra su pecho musculoso, y se enfureció cuando él se apartó con brusquedad.

–Si difundo el rumor de que mantenéis una tórrida aventura, la reputación de Amanda quedará arruinada.

Soltó una exclamación ahogada cuando él la agarró del brazo con una fuerza brutal y la empujó contra la pared.

–¡No estoy acostándome con Amanda!

Dulcea se echó a reír, y le dijo con malicia:

–Aunque sea así, nadie os creerá.

–¿Osáis chantajearme? –él la miró con furia, pero al cabo de unos segundos la soltó ligeramente y esbozó una sonrisa gélida–. ¿Qué es lo que queréis, Dulcea?

Tras una ligera vacilación, ella movió la cadera contra su entrepierna, pero se quedó atónita al darse cuenta de que no estaba excitado.

–No os tocaría ni aunque fuerais la última mujer sobre la faz de la tierra.

Ella soltó una exclamación llena de rabia, y exclamó:

–¡Soy su madre!, ¡tengo derecho a controlar su dote!

Cliff se echó a reír, y la soltó.

–Estaba en lo cierto, no tenéis corazón. No sois más que una... soy demasiado caballero para decir lo que pienso de vos. No vais a difundir vuestras mezquinas mentiras, porque si lo hacéis, me aseguraré de que Belford sepa toda la verdad sobre vos.

Dulcea se quedó helada, y sintió un súbito temor.

–Exacto. Se enterará de todas las aventuras que habéis tenido, de lo que pasó con Carre y de quién es Amanda. Salid de aquí ahora mismo.

–No sois un caballero, sino un malnacido.

–Salid de aquí antes de que os eche a patadas.

Dulcea estaba temblando de rabia, pero al ver la furia que brillaba en sus ojos, se dio cuenta de que estaba hablando muy en serio. Se apresuró a salir de Harmon House, y subió a su carruaje.

–¿Adónde queréis ir, lady Belford? –le preguntó el conductor.

–¡Cierra el pico!

Tenía que pensar. No estaba en brazos de Cliff como había soñado, con su miembro viril penetrándola; él no estaba de rodillas ante ella, hundiendo la cara en su sexo. Tenía la impresión de que no estaba acostándose con Amanda, pero era obvio que entre los dos había algo... ¿era posible que la despreciara a ella, pero que sintiera afecto por su condenada bastarda? Aunque lo peor de todo era que estaba decidido a mantener a buen recaudo la dote de Amanda.

–Voy a vengarme. ¡Harris, llévame a casa de lady Ferris!

La baronesa de Lidden-Way era la mayor cotilla de la ciudad. No se atrevía a difundir ninguna mentira, pero podía contribuir a que la verdad saliera a la luz y nadie podría demostrar que había abierto la boca.

Sonrió encantada al pensar en lo interesada que iba a mostrarse la baronesa al enterarse de que de Warenne iba a presentar en sociedad a la hija de un pirata.

Amanda era rápida y ágil, pero como tenía que estirarse todo lo posible, mantener la espalda muy recta, y evitar que se le cayera el libro que tenía sobre la cabeza mientras bailaba el vals, le resultaba casi imposible seguir el ritmo del instructor de baile.

–¡Un, dos, tres! ¡Un, dos...! –el hombre se detuvo al ver que se le caía el libro, y le dijo–: El vals es un baile muy simple, señorita Carre. Sólo tenéis que aprender tres pasos y permanecer recta, ¿tan difícil os parece?

Amanda se ruborizó, y se inclinó para recoger el libro. Se sabía los pasos, pero el problema estaba en mover los pies mientras mantenía la espalda y la cabeza quietas. Estaba bastante desmoralizada, pero se negaba a rendirse. Las damas tenían que bailar bien, así que iba a tener que dominar el vals tarde o temprano; sin embargo, sabía que todo el mundo esperaba que estuviera lista para asistir al baile de los Carrington, y sólo faltaban unas semanas.

–¿Volvemos a intentarlo? –le preguntó el señor Burns.

Amanda se puso el libro sobre la cabeza con mucho cuidado, y colocó una mano en el hombro del instructor y la otra en su mano. Él esbozó una sonrisa forzada, y empezó a contar de nuevo.

–Un, dos, tres...

El libro volvió a caerse al suelo.

–¡Lo siento! –exclamó, mortificada.

Se agachó para recogerlo, y se sintió aún peor cuando se enderezó y vio a Cliff en la puerta. Apretó el libro contra su pecho, y el corazón se le detuvo. Se ruborizó aún más, y sintió la misma emoción que la embargaba siempre que lo veía. Cuando sus ojos se encontraron, se le aceleró el corazón.

–¿Cuánto llevas ahí? –alcanzó a preguntarle.

Él la miró con una sonrisa que la dejó sin aliento, y fue hacia ella sin apartar la mirada.

–Unos minutos.

Amanda se quedó paralizada al verlo acercarse. Su paso indolente y su mirada penetrante tenían una fuerza magnética. No pudo evitar desear que hubiera accedido a ser su marido, pero se apresuró a apartar a un lado aquel pensamiento tan peligroso. Era su tutor, su protector y su paladín. No podía olvidar que era su amigo, nada más.

A pesar de todo, parecía estar hechizado mientras se acercaba a ella, y Amanda supo de forma instintiva que quería tomarla en sus brazos. Sin apartar la mirada de la suya, Cliff le dijo al instructor de baile:

–Podéis marcharos, señor Burns. Yo me encargo de enseñarle el vals a la señorita Carre.

Cuando Burns asintió y se marchó, Amanda alcanzó a ver su sonrisita encubierta, aunque no entendió a qué se debía.

Cliff se detuvo delante de ella, y antes de que Amanda pudiera reaccionar, le quitó el libro de las manos y la miró con otra de sus cautivadoras sonrisas.

–Es un baile hermoso y elegante –murmuró, mientras iba a dejar el libro sobre una de las muchas sillas con tapicería de terciopelo que había en el enorme salón.

Amanda tenía el corazón acelerado, pero cuando él se acercó de nuevo alcanzó a susurrar:

–¿Vas a enseñarme a bailar el vals? –había soñado infinidad de veces con el baile que iban a compartir en casa de los Carrington, y le había parecido que faltaba una eternidad; sin embargo, por fin iba a poder estar en sus brazos, bailando por toda la habitación... si era capaz de seguirle el ritmo, claro.

Cliff tomó su mano izquierda, la colocó sobre su propio hombro, y le tomó la derecha.

–¿Tienes alguna objeción?

Amanda lo miró con incredulidad. Estar en sus brazos era un sueño hecho realidad.

–Claro que no –era consciente de que sus cuerpos estaban separados por meros centímetros. Estaba acalorada, y a pesar de que sabía que él jamás estaría dispuesto a darle todo lo que ansiaba, se dijo que lo que tenía era mejor que nada.

Él seguía mirándola sonriente y con una expresión increíblemente cálida. Sin apartar los ojos de los suyos, empezó a bailar sin contar los pasos en voz alta, y Amanda se sorprendió al ver que podía seguirle el ritmo sin problemas. Los pasos de ambos eran ligeros y perfectos, estaban milagrosamente sincronizados, y dio la impresión de que el suelo se desvanecía y empezaban a bailar en las nubes.

Amanda rió extasiada mientras la guiaba por la habitación, y Cliff sonrió. Siguieron flotando y girando sin esfuerzo, con una naturalidad perfecta y mágica. Amanda no dio ni un solo tropezón, no trastabilló, no cometió ni un solo error. Se sentía como si llevara bailando con él desde siempre, y era incapaz de apartar la mirada de su rostro. Aquel hombre siempre la dejaría sin aliento. Era increíblemente apuesto, y en ese momento lo amaba más que nunca.

No tenía ni idea de cuánto tiempo llevaban bailando... cinco minutos, una hora... pero estaba dispuesta a no detenerse nunca.

De repente, Cliff levantó la mirada y pareció titubear. La pisó sin querer, y se apresuró a agarrarla de los hombros para impedir que cayera.

–¡Lo siento! ¿Te he hecho daño? –le dijo, horrorizado.

Amanda se aferró a él, y le dijo sin aliento:

–Estoy bien –se volvió hacia la puerta para ver qué era lo que lo había distraído, y vio a un hombre alto, moreno, imponente y muy elegante. Parecía tan majestuoso como un rey, y estaba observándolos muy serio. Supo de inmediato que se trataba del conde de Adare, y empezó a temblar.

El conde se acercó a ellos, y la miró de pies a cabeza antes de centrarse en su hijo. Ella permaneció junto a Cliff mientras intentaba recobrar el aliento, y rezó para causarle una buena impresión. Miró de reojo a Cliff, y se sorprendió al ver que tenía la misma expresión que ponía Alexi cuando estaban a punto de reprenderle. Parecía sentirse culpable de algo, ya que estaba ruborizándose.

Cliff era un héroe, su héroe. Era un gran corsario, además de un hombre rico y poderoso. Ella sabía que quería, admiraba y respetaba a su padre, pero en ese momento estaba viendo otra de sus facetas; a pesar de todos sus logros, seguía siendo el hijo de un hombre imponente y de alta alcurnia. Pero lo que no entendía era por qué se comportaba como si fueran a regañarle; al fin y al cabo, sólo estaba enseñándola a bailar el vals.

Cliff inclinó la cabeza en un gesto deferente lleno de respeto, y dijo:

–Padre, permite que te presente a la señorita Carre. Amanda, te presento a mi padre, el conde de Adare.

Amanda hizo una reverencia tan profunda, que estuvo a punto de tocar el suelo con la nariz.

–Encantado de conoceros, señorita Carre. Mi esposa me ha hablado mucho de vos, y me complace que hayáis entrado a formar parte de mi familia –le dijo el conde, sonriente.

Amanda se enderezó. Cliff la había agarrado del hombro, seguramente para evitar que se cayera de bruces.

–Gracias, milord –alcanzó a decir, aunque apenas podía creer que aquel hombre estuviera tratándola con tanta cordialidad.

Él la miró con una sonrisa que se reflejó en sus vívidos ojos azules, y comentó:

–Mary os tiene mucho aprecio, querida, y yo me uno a la apreciación de mi esposa. Espero que os hayan proporcionado todo lo necesario para que vuestra estancia sea lo más cómoda posible.

–Me han dado más que de sobra, señor –Amanda empezó a darse cuenta de que, a pesar de lo intimidante que resultaba, era tan amable como el resto de la familia.

Cuando el conde se volvió hacia Cliff, su sonrisa perdió un poco de intensidad. Posó la mano en su hombro con afecto, y le dijo:

–Me alegro mucho de verte. He llegado hoy mismo, y me ha sorprendido enterarme de que estabas aquí.

–Tuve que venir a Londres un poco antes de lo previsto, Alexi y Ariella también están aquí –Cliff parecía haber recuperado la compostura.

El conde de Adare sonrió de oreja a oreja, y le dijo:

–Ya he conocido a tus hijos. Alexi es igualito a ti, y Ariella parece un ángel.

Cliff sonrió con orgullo.

–Mi hija es un verdadero ángel, y una niña muy brillante. En cuanto a Alexi... me temo que puede convertirse en un verdadero diablillo.

El conde soltó una carcajada y se volvió hacia Amanda, que estaba absorta escuchándolos.

–Hace un año y medio que no veo a mi hijo, y me gustaría hablar con él a solas. ¿Podríais disculparnos?

Después de asentir, Amanda hizo una reverencia mucho más natural, y le dijo:

–Por supuesto. Milord, quiero daros las gracias por acogerme. Tenéis un hogar precioso, y adoro a toda vuestra familia.

Tanto Edward como Cliff sonrieron.

–Por cierto, bailáis muy bien –le dijo el conde con aprobación.

Amanda se sonrojó de placer, y después de lanzarle una breve mirada a Cliff, salió de la habitación.

Él la siguió con la mirada. Se sentía profundamente orgulloso de ella, de lo mucho que estaba progresando.

–Estaba convencido de que sería una bailarina fantástica –comentó en voz baja.

–Nunca había visto a una pareja tan bien compenetrada –dijo el conde–. Daba la impresión de que llevabais años bailando juntos.

Cliff se tensó de inmediato.

–Nos conocemos desde hace unos meses –vaciló por un segundo, ya que tenía miedo de lo que pudiera estar pensando su padre–. Tendrías que verla con una espada, sería capaz de ganar a Ty.

–Está claro que estás embobado con ella.

–Está bajo mi tutela, seguro que mamá ya te ha explicado que voy a presentarla en sociedad. Estoy muy complacido con sus progresos –se llevó la mano a la solapa con cierto nerviosismo.

–La señorita Carre es hermosa y dulce, me cuesta imaginármela empuñando una espada. Cliff, ella también parece embobada contigo –lo dijo con voz firme, incluso severa.

–Sólo estábamos disfrutando de un vals, era la primera vez que Amanda lo bailaba. Mamá te ha contado su historia, ¿verdad?

–En ese caso, eres un gran maestro de baile –el conde le dio una palmada en el hombro, y añadió–: Tu madre me ha dicho que os unen unos fuertes lazos de afecto... ¿hasta qué punto llega ese afecto?

–Papá, ya no tengo catorce años –la voz de Cliff contenía una ligera advertencia.

–Sí, ya lo sé. De todos tus hermanos, siempre fuiste el que saltaba las vallas más altas a lomos de un caballo. Fue a ti al que encontré en la cama con la esposa de uno de mis invitados, ¿te has olvidado de aquel verano cuando tenías dieciséis años y viniste a casa? Ni Ty ni Rex huyeron de casa, pero tú quisiste marcharte a los catorce años. A pesar de que te pedí que esperaras uno o dos años más, entendí tu decisión en aquel entonces y sigo entendiéndola ahora. Siempre me he sentido orgulloso de ti, pero nos has dado a Mary y a mí bastantes quebraderos de cabeza. Es normal que me preocupe por mi hijo más independiente y obstinado.

–En esta ocasión, tu preocupación es innecesaria. Amanda está bajo mi tutela, y me he comprometido a asegurarle un buen futuro. A pesar del aprecio que le tengo, soy consciente de mis obligaciones, y estoy buscándole marido –vaciló por un instante, y añadió–: Lamento que la condesa y tú sufrierais tantas preocupaciones por mi culpa.

–¿Te has acostado con Amanda?

Cliff se sonrojó. Cuando estaba a punto de decirle que no, se dio cuenta de que no estaría siendo del todo sincero. Jamás había podido mentirle a su padre, ni siquiera cuando de joven se había ganado severos castigos por culpa de su comportamiento escandaloso.

Al ver que el conde interpretaba a la perfección su silencio y lo miraba con incredulidad, se apresuró a decir:

–Amanda es virgen. Jamás le arrebataría su inocencia, por muy fuerte que sea la tentación.

–Pero te has acostado con ella, Mary tenía razón.

–¡Estoy intentando comportarme de forma honorable! –Cliff empezó a preocuparse por lo que pudiera haber dicho la condesa–. La rescaté en la ejecución de su padre, asumí la responsabilidad de protegerla a pesar de que no estaba obligado a hacerlo... ¡podría haber dejado que se quedara en Jamaica, huérfana y sin un penique! Esperaba ayudarla a reunirse con su madre, pero resulta que la mujer es un ser despreciable, una zorra manipuladora, y Amanda ya ha sufrido bastante. Sé que no he conseguido estar a la altura de lo que esperarías de mí. Sí, me he acostado con ella, pero sigue siendo virgen y no volverá a suceder.

–Es obvio que eres sincero. Me enorgullece que te hayas hecho cargo de ella, te has comportado con mucha nobleza al asumir la responsabilidad de ayudarla y presentarla en sociedad. Pero quiero protegerla de una posible deshonra... y a ti también, aunque siempre has intentado mostrarte inmune a las habladurías.

–Puedo protegerme yo solo, papá –le dijo Cliff, realmente sorprendido.

–No me digas que no te importan los cotilleos, porque no te creeré. Ya sé que eres lo bastante rico como para soportar esa carga, pero también sé que te afecta. No eres tan duro como quieres hacerle creer a todo el mundo.

Cliff se sonrojó, porque era cierto que algunas veces las habladurías le indignaban y le enfurecían. Sí, era un corsario, pero también era el hijo menor y más acaudalado del conde.

–No necesito tu protección –insistió con firmeza.

–Puede que no, pero pienso dártela siempre de todas formas –lo observó con atención, y añadió–: He visto cómo la miras, Cliff. Teniendo en cuenta lo mujeriego que eres, es normal que pensara mal al veros bailando.

–No voy a deshonrar a Amanda, aunque admito que es muy tentador; en todo caso, si llego a cometer esa canallada, me casaré con ella.

Su padre se quedó mirándolo boquiabierto, y al final le preguntó con voz suave:

–¿Lo dices en serio?

Cliff empezó a sentirse de lo más incómodo.

–No tengo intención de casarme con nadie, porque prefiero seguir viviendo como ahora. Mi intención es encontrar un buen marido para Amanda, pero está bajo mi tutela y somos amigos.

Tras mirarlo en silencio durante unos segundos, el conde lo tomó del brazo y le dijo:

–Aunque es pronto, ¿te apetece tomar un vaso de vino conmigo?

–Es muy pronto, pero como tú mismo has dicho, hacía mucho que no estaba en casa –Cliff empezó a relajarse al darse cuenta de que lo peor ya había pasado.

Mientras cruzaban el salón hacia unas enormes puertas dobles, su padre comentó:

–Tengo entendido que vas a darle una dote que incluye una casa con extensos terrenos. Estás tomándote muy en serio lo de la tutela.

–Es la única forma de asegurarle un buen futuro. Para mí es un placer proporcionarle todo lo que necesita.

–Sí, eso es obvio. ¿Te has planteado siquiera que puedas estar enamorado de ella?

Cliff se sobresaltó al oír aquello, y se le aceleró el corazón.

–Claro que no. No soy como Tyrell y mis hermanastros, no soy de los que se enamoran locamente y no miran atrás. Ya sé que, según la leyenda familiar, los de Warenne sólo nos enamoramos una vez y es para siempre, pero yo jamás he amado a una mujer y no pienso hacerlo.

–Claro, porque has decidido que eres diferente a todos los de Warenne. Si quieres, puedo ayudarte a concertar un buen matrimonio para Amanda; teniendo en cuenta su encanto y lo particular que es vuestra relación, quizás sería mejor que se casara cuanto antes para que dejara de estar bajo tu tutela, y para que finalizara vuestra... amistad.

Cliff se tensó de pies a cabeza. Su padre conseguía todo lo que se proponía, así que si le pedía que le ayudara a encontrar un buen partido para Amanda, el tema quedaría zanjado con rapidez. Por primera vez en su vida, le dijo una mentira de peso.

–Tengo una lista de posibles pretendientes, aunque aún debo estudiarla con detenimiento. Puedo arreglármelas, pero gracias de todas formas.

–Si cambias de opinión, sólo tienes que decírmelo. Seguro que podemos encontrar un buen número de candidatos adecuados.

–Gracias, pero no. Tengo el asunto bajo control.

El conde se limitó a sonreír.

–Por cierto, padre... Amanda y yo seguiremos siendo amigos cuando se case.

–Por supuesto.

CAPÍTULO 16

Ashton era un típico pueblo inglés, pequeño y pintoresco, con tiendas bien cuidadas y flores en las ventanas. Estaba a unos diez minutos en carruaje de Ashford Hall, y a lo largo del camino alcanzaban a verse algunas de las mansiones de la aristocracia de la zona; sin embargo, en cuanto su carruaje enfiló por el pedregoso camino de entrada y pasaron entre dos pilares bastante envejecidos con una placa tan desgastada que apenas podía leerse, Cliff supo que la casa no estaba en las mejores condiciones.

El terreno que bordeaba el camino de entrada estaba cubierto de maleza en algunas zonas, y yermo en otras. Cuando vio la mansión de piedra gris y aspecto ominoso que se alzaba ante ellos, se volvió ceñudo hacia Amanda, pero al verla mirando por la ventana y sonrojada por la emoción se maldijo para sus adentros, y deseó haber tenido la precaución de haber ido a inspeccionar el lugar solo antes de dejar que ella lo viera. Pero había avisado de su llegada, así que estaban esperándolos.

Amanda estaba sentada junto a él, y conforme habían ido acercándose a Ashton había ido poniéndose más nerviosa. Ariella y Anahid les seguían en otro coche con Michelle, su propio ayuda de cámara, y la nueva doncella de Amanda. Alexi había preferido quedarse en Harmon House, ya que

Ned y él se habían vuelto inseparables, y como había jurado fervientemente que iba a portarse bien y que obedecería en todo a sus tíos y a su abuela, había permitido que se quedara.

Volvió a mirar a Amanda. Cada vez que lo hacía, recordaba las dos ocasiones en las que habían estado a punto de hacer el amor, y no podía evitar pensar en Garret MacLachlan. No se sentía demasiado orgulloso de sí mismo, ya que sabía que le había negado la posibilidad de cortejar a Amanda por celos. Habría considerado al escocés un buen partido para cualquier otra muchacha, porque sus muchas cualidades tenían más peso que el hecho de que estuviera empobrecido; de hecho, estaba claro que se trataba de un hombre noble y cabal, así que era justo el tipo de pretendiente que quería para Amanda.

Al mirar de nuevo hacia la casa, se dio cuenta de que el tejado necesitaba una buena puesta a punto. Como estaba bastante nublado, era probable que pudiera comprobar si había goteras. Se sintió aliviado al tener algo que lo distrajera, ya que en el fondo se avergonzaba de su propio comportamiento y no quería seguir pensando en Amanda y el escocés.

–Ya hemos llegado –susurró ella. Estaba tan emocionada, que tenía la voz ronca.

–El terreno está muy descuidado –comentó él, mientras el carruaje se detenía.

Ella lo miró con ojos relucientes. Era obvio que estaba deseando salir del vehículo y entrar en la casa cuanto antes, pero antes de que pudiera decirle que era mejor que no se hiciera demasiadas ilusiones y que le encontraría una casa mejor, la puerta se abrió. Al verla bajar del carruaje a toda prisa sin poner en práctica sus nuevos buenos modales, no pudo evitar sonreír; como tantas otras veces a lo largo de los últimos tiempos, sintió que le daba un vuelco el corazón. Bajó tras ella con más tranquilidad mientras el segundo carruaje se detenía también, y en ese momento la puerta principal de la casa se abrió y salió a recibirlos un criado ataviado con un traje bastante viejo.

Mientras Ariella, Anahid y Michelle bajaban del vehículo, Amanda y él fueron hacia la casa. Le habían comentado que la habían construido en el siglo pasado y que en otra época estaba amurallada, pero no vio ni rastro de las murallas. Tenía dos pisos, era más o menos rectangular, y resultaba de lo más melancólica. La detestó en el acto, y decidió que no era una propiedad adecuada a pesar de que tenía tres granjas arrendadas. Amanda se merecía algo mucho mejor.

–Milord.

Cuando el criado se acercó y lo saludó con una reverencia, Cliff tuvo la impresión de que estaba ebrio, y lo supo con certeza al notar que el aliento le olía a cerveza.

–Eres Watkins, ¿verdad?

–Sí, milord. He preparado varias habitaciones para que podáis pasar la noche aquí, y mi esposa está cocinando la cena. ¿Os parece bien?

–Sí –le dijo con voz cortante. Era más que consciente de que Amanda estaba a su lado, deseando explorar el lugar–. ¿Por qué están tan descuidados los terrenos?

–Como ya sabéis, el antiguo propietario ha fallecido. Su heredero vive en Londres, y no está interesado en reparar la casa, sino en venderla sin dilación.

La explicación no acabó de satisfacer a Cliff. Le indicó a Watkins que los precediera, y mientras lo seguían tomó a Amanda de la mano y le dijo con voz suave:

–No quiero que te sientas decepcionada.

Se sorprendió cuando ella lo miró con una sonrisa radiante y se apresuró a ir tras Watkins, ya que era obvio que estaba entusiasmada.

Los siguió hasta el salón principal, que era moderadamente grande, y miró ceñudo a su alrededor. Había una armadura junto a la puerta principal, un par de espadas sobre la chimenea, telarañas en el techo y en todos los rincones, las paredes necesitaban un buen lavado, dos de las vigas de madera del techo estaban claramente podridas, y el suelo estaba lleno de arañazos y debía de hacer años que no se enceraba. Había una única mesa con seis sillas, todas diferentes, y la dispar tapicería estaba raída y descolorida.

Al ver todo aquello, se puso furioso tanto con su abogado como con Watkins.

–Sabías desde hace dos días que vendríamos esta tarde, ¿por qué está sucio el salón?

–No hay ninguna doncella, milord. Yo sólo me encargo de supervisar la propiedad.

–En aquella esquina hay huesos –le espetó, cada vez más indignado. Daba la impresión de que alguien había tirado restos de comida al suelo hacía mucho tiempo.

–El antiguo propietario tenía un perro, y el animal entra y sale a su antojo.

–Esta noche no nos harán falta tus servicios –al ver que el hombre estaba a punto de protestar, añadió–: Tanto tu mujer como tú podéis tomaros el resto del día libre, así que os sugiero que os marchéis de inmediato.

Watkins pareció darse cuenta en ese momento de lo furioso que estaba, porque se apresuró a marcharse; al cabo de unos segundos, Ariella entró corriendo, pero se detuvo en seco y frunció la nariz.

–¡Qué asco! ¡Papá, huele mal! –miró a su alrededor, y le preguntó–: ¿Vas a comprarle esta casa a Amanda?

Cliff no se había dado cuenta de que Amanda se había alejado de él, y la vio entrar en una de las habitaciones adyacentes. Miró a su hija con una sonrisa, y le dijo:

–Claro que no. ¿Quieres salir a jugar mientras voy a por Amanda? Creo que será mejor que pasemos la noche en la posada.

–Pero... ¡Amanda estaba muy contenta cuando se enteró de que íbamos a venir hoy!, ¡ella misma me lo dijo! Se pondrá muy triste si nos marchamos.

Cliff se acercó a la niña, y la levantó en brazos.

–Cariño, me parece que estará encantada cuando le diga que nos vamos.

–No, no es verdad. Esta casa es muy importante para ella, papá. Me contó que le habían quitado la que tenía en Jamaica... ¡no tiene un hogar propio!

Cliff se quedó mirando a su hija, que era muy perspicaz para su edad, y al final le dijo:

–Pero ahora vive con nosotros.

–Sí, ¿por qué no se puede quedar con nosotros para siempre? Papá, ¿por qué no pueden ser sus hogares Harmon House y Windsong?

–Ariella, sabes lo que es una dote, ¿verdad? Pues le voy a dar una a Amanda.

La niña frunció el ceño, como si estuviera intentando entender la situación.

–Se la das para que pueda casarse con alguien... sí, ya sé lo que es una dote. ¿Es que Amanda no te hace feliz, papá?

Cliff se sintió sorprendido, e incluso un poco incómodo. Volvió a dejar a la pequeña en el suelo, y dijo con voz tensa:

–La aprecio mucho.

La niña sonrió, y comentó:

–Siempre estás mirándola y sonriendo, pareces muy feliz.

Cliff se quedó de piedra, y se preguntó si su hija había adivinado lo que sentía por Amanda.

–Tú también me haces muy feliz, cariño –le dijo, para intentar distraerla.

–¿Estás enamorado de ella?

Cliff la miró boquiabierto, y logró recuperar el habla a duras penas.

–¿A qué viene esa pregunta?

–Alexi y yo nos preguntamos si deberías casarte con ella, en vez de encontrarle un marido como ese escocés que te cae tan mal.

–¿Habéis estado escuchando a hurtadillas?

–Yo no tengo la culpa de que todo el mundo hable de Amanda y de ti delante de mí –Ariella esbozó una sonrisa traviesa, pero se puso seria al añadir–: A mí no me importaría.

Cliff se aflojó el cuello de la camisa, y acabó desabrochándose el botón.

–¿Qué es lo que no te importaría?

–Que Amanda fuera mi madre. Y a Alexi tampoco.

Cliff se quedó mirándola enmudecido, pero al ver que ella permanecía en silencio mientras esperaba una respuesta de su parte, se arrodilló para que pudieran estar cara a cara.

–Cariño... ¿es que quieres tener una madre?, ¿no he sido un buen padre? ¿Qué me dices de Anahid?, ¿no es como una madre para ti?

–No, no lo es. La quiero mucho, y sé que ella me quiere a mí, pero no es mi madre, sino mi amiga; además, es empleada tuya, papá.

Cliff le acarició la mejilla, y susurró:

–¿Estoy fallándote? –la mera idea lo horrorizó.

–¡Claro que no, eres el mejor papá del mundo! Pero como Amanda me cae muy bien y me parece que tú la quieres, no he podido evitar pensar en lo bonito que sería todo si formáramos una familia de verdad.

Cliff se enderezó, y pensó en Garret MacLachlan. En ese momento, no pudo evitar pensar que, si no estaba dispuesto a permitir que Garret o alguien como el escocés se casara con ella, debería hacerlo él mismo; en caso contrario, debería permitir que se casara con un hombre fuerte, noble, y digno de confianza.

Pero no quería casarse jamás, la mera idea le daba pánico.

–No pienso casarme, ni con Amanda ni con nadie –le dijo con firmeza a su hija, a pesar de que sintió una punzada de dolor en el corazón que no alcanzó a entender.

–Vaya –dijo la niña, claramente decepcionada.

–¿Por qué no sales y nos esperas fuera?

Cuando la niña se fue, se tomó un momento para recuperar la compostura. Deseó que su hija no hubiera dicho todo aquello, y decidió que le debía a Amanda reconsiderar su decisión respecto al posible cortejo de MacLachlan.

–¡Cliff! ¡Ven, corre!

Echó a correr de inmediato al oír gritar a Amanda, aunque no sabía si estaba entusiasmada o aterrada. Cuando entró a la carrera en la habitación adyacente donde la había visto entrar, que resultó ser una biblioteca, la vio junto a las puertas de la terraza. A lo largo de dos de las paredes había estantes rebosantes de libros, el suelo estaba cubierto por una alfombra oriental muy vieja, y había una sola mesa en el centro de la habitación con una elegante silla de madera tallada. En una de las paredes había una puerta que daba a una terraza con el suelo de pizarra, y al fondo se veía un cenador. En otra de las paredes había una chimenea con una preciosa repisa de madera tallada.

Amanda se volvió de golpe al oírlo, y lo miró con los ojos como platos.

–¡Mira qué habitación! –exclamó.

Al ver que sus ojos tenían el brillo de lágrimas contenidas, se apresuró a ir hacia ella.

–Ca... –se interrumpió consternado al darse cuenta de que había estado a punto de llamarla «cariño»–. No te preocupes, está claro que esta casa no es adecuada. Tanto mi abogado como yo mismo hemos cometido un error, pero te encontraremos otra casa que esté en mejores condiciones.

–¡Pero si no has visto el jardín de rosas! –Amanda señaló hacia la puerta de cristal–. ¡Mira!

Cuando miró hacia el exterior, Cliff vio un jardín lleno de maleza y descuidado en el que abundaban los rosales, que estaban en flor.

–¡Cliff, no quiero otra casa! –lo tomó de las manos, y exclamó con voz suplicante–: ¡Quiero Ashford Hall!, ¡me encanta!

Amanda sólo era vagamente consciente de que Cliff iba tras ella mientras subía por la escalera, que estaba cubierta con una alfombrilla roja bastante raída. Ella no veía los agujeros ni los desgarrones, sino el hecho de que la lana era roja, su color preferido, y de buena calidad. Veía la preciosa barandilla de madera tallada, que resultaba muy suave al tacto tras un siglo de uso continuado. Tenía el corazón acelerado desde que habían llegado a la casa hacía una hora, y se sentía al borde del colapso. Era la casa más hermosa que hubiera podido imaginarse, y lo que más le gustaba de momento era la biblioteca y el jardín de rosas.

Rezó para que Cliff diera el visto bueno.

Se detuvo en la puerta del primer dormitorio, y se mordió el labio mientras lo recorría con la mirada. La cama tenía unos gruesos postes de ébano, y estaba cubierta con una colcha y varias almohadas doradas. Sólo había una ventana, en la que unas cortinas de un tono dorado más oscuro ondeaban bajo la suave brisa, y el mobiliario lo completaba una única silla tapizada en brocado de un tono bronce desteñido.

Le encantó, y deseó con todas sus fuerzas que acabara siendo suyo.

Cliff entró y fue hacia la ventana. La alfombra estaba tan descolorida, que era de un tono beige indescriptible. Cuando apartó una de las cortinas de terciopelo se levantó una nube de polvo, y se le quedó en la mano un pedazo de tela.

Amanda sabía que no le gustaba la casa, así que se apresuró a acercarse a él y miró por la ventana. Los jardines traseros también estaban llenos de maleza, pero eran verdes y exuberantes. El precioso cenador debía de haber sido blanco en su día, pero en ese momento tenía el mismo color que la alfombra que tenían bajo los pies.

–¡Hay un estanque! –exclamó entusiasmada.

–Sí, y seguro que está lleno de fango y suciedad.

Ella se puso de inmediato a la defensiva. Se volvió a mirarlo, y le dijo con firmeza:

–Se puede llenar de agua fresca y peces.

–Sí, es verdad. Amanda, ¿estás segura de que quieres esta casa?

–Sí.

–¿No crees que sería mejor ir a ver algunas más?

Amanda se cruzó de brazos.

–Me dijiste que la vendían a muy buen precio, y que tiene tres granjas arrendadas. Este sitio me encanta, es tan tranquilo, tan apacible, tan... inglés.

Al pensar de nuevo en el jardín de rosas, no pudo evitar acordarse de su madre, pero al sentir la primera punzada de dolor se obligó a apartarla de su mente. No estaba dispuesta a permitir que Dulcea Belford le echara a perder aquel momento tan especial. Estaba convirtiéndose en una dama de verdad, y aquélla era la clase de casa con la que había soñado.

Contempló los rosales rebosantes de rosas rojas, blancas, amarillas y rosadas. Estaba deseando sacar una silla y leer un buen libro en el jardín.

–Antes de cenar, podríamos preparar una lista con las reparaciones que hay que hacer y todo lo que hay que comprar –le dijo Cliff.

Amanda lo miró estupefacta, y sintió que se derretía al verle sonreír con calidez.

–¿Eso quiere decir que vas a comprarme esta casa?

–Si sigues decidida después de que hablemos con calma del asunto, sí.

Amanda lo abrazó con fuerza, y de inmediato fue consciente de su cuerpo duro y masculino. Estar en sus brazos seguía siendo tan peligroso como antes, pero lo peor fue la sensación de plenitud que la embargó. Jamás olvidaría el vals que habían compartido, lo había revivido en su mente una y otra vez.

Tuvo que morderse la lengua para evitar confesarle lo mucho que lo amaba. Como la emoción que sentía era casi abrumadora, lo miró a los ojos y le dijo:

–No sé cómo podré pagarte todo lo que estás haciendo por mí.

Él se apartó con cuidado antes de contestarle.

–Lo único que quiero es saber que eres feliz.

–Soy muy feliz. Me has acogido en tu casa, tu familia me ha recibido con los brazos abiertos, mi primera visita social fue un éxito, y ahora tengo una casa propia.

Lo miró entusiasmada, pero sintió que su sonrisa se desvanecía cuando recordó que, a pesar de que Ashford Hall iba a ser suyo, iba a tener que casarse algún día, seguramente en breve. Sabía que iba a echar muchísimo de menos a Cliff cuando estuviera casada, pero al menos tendría su propio hogar... y también hijos. Quería un niño como Alexi, y una niña como Ariella. Y cuando Cliff estuviera en Londres, iría a visitarlo, porque la ciudad estaba a medio día de camino en carruaje.

Cuando él se alejó poco a poco, tuvo la impresión de que quería decirle algo, pero al ver que permanecía callado, fue a sentarse en el borde de la cama para probar el colchón. Decidió que era demasiado blando y que tendrían que cambiarlo. Intentó convencerse de que el abatimiento que la sofocaba se debía al estado de la cama, pero sabía que la causa era su futuro matrimonio con algún desconocido.

Al levantar la mirada, se dio cuenta de que Cliff estaba observándola con un brillo de deseo inconfundible en los ojos, y sintió una satisfacción enorme al darse cuenta de que la pasión seguía ardiendo con la misma fuerza entre los dos. Por lo menos tenía la amistad y el deseo de aquel hombre, aunque él se negara a ceder ante la tentación.

–Quiero preguntarte algo, Amanda –le dijo con voz suave.

–Pregúntame lo que quieras –se sorprendió al ver que parecía incómodo. Se levantó de la cama, y se volvió para colocar bien una de las almohadas.

–Amanda.

Su tono era tan serio, tan extraño, que empezó a preocuparse de verdad y se volvió a mirarlo de inmediato.

–¿Qué pasa?

Él esbozó una sonrisa forzada que se desvaneció casi de inmediato, y le preguntó con voz tensa:

–¿Quieres volver a ver a Garret MacLachlan?

Aquello la tomó por sorpresa, y se sintió cada vez más desconcertada.

–Claro que sí. Es muy galante, y tan amable como tú –había disfrutado de la compañía del escocés, aunque había sentido que en cierto modo estaba traicionando a Cliff–; además, es muy guapo.

–Le negué el derecho a cortejarte, Amanda –le dijo él, muy ruborizado–. Pero es un buen partido. Es hijo de un conde, y aunque parece estar empobrecido, tiene un carácter intachable.

–¿Qué quieres decir? –Amanda sintió miedo de verdad, y se rodeó con los brazos–. ¿Quieres que me case con él? –empezó a sentir pánico. No podía casarse aún, era demasiado pronto.

–Él no ha anunciado formalmente que tenga intenciones de pedir tu mano –le contestó él con rigidez–. Pero me parece que le gustaste mucho, así que es posible que decida que quiere casarse contigo.

Amanda se dio cuenta de que estaba temblorosa. Sí, Garret MacLachlan se parecía mucho a Cliff, pero no era él.

–Ni siquiera le conozco –consiguió decir, mientras empezaban a flaquearle las piernas.

Cliff se apresuró a acercarse a ella, y la sujetó para impedir que se desplomara.

–Estoy intentando ser noble. Es un escocés con título, y puede cuidarte bien. Aunque tendrías que vivir sin grandes lujos, gozarías de seguridad durante el resto de su vida, porque los hombres como él siempre se ocupan con esmero de sus esposas.

–Escocia está bastante lejos, ¿verdad?

–Sí, y MacLachlan vive en la zona oeste, pero creo que sus tierras sólo están a varios días de camino de aquí.

–No quiero vivir en Escocia. Quiero vivir aquí, cerca de Londres –quería permanecer cerca de Harmon House, y de Cliff.

–Es una tierra salvaje y atrasada –comentó él, claramente aliviado–. ¿Estás segura?

–¡Del todo!

Cuando la rodeó con un brazo, Amanda se apoyó en él mientras sentía un alivio abrumador.

–Bien. En ese caso, el tema está zanjado.

Amanda cerró los ojos, y apoyó la mejilla en su chaqueta de lana azul. El miedo la había dejado temblorosa, pero al tomar conciencia de que estaba apoyada contra su cuerpo musculoso y de que seguía rodeándola con un brazo, alzó lentamente la mirada.

Al ver el brillo de deseo en sus ojos azules, supo que iba a besarla. Él se inclinó un poco hacia ella sin dejar de mirarla a los ojos, pero la dejó boquiabierta cuando la soltó y salió de la habitación.

A Amanda le habían dado el dormitorio que tanto le había gustado. Michelle había conseguido encontrar a seis criados, que habían transformado la casa al limpiar el polvo, encerar los muebles, y limpiar y pulir el suelo. La diferencia era milagrosa, y Amanda adoraba Ashford Hall más que nunca. A pesar de que habían cenado en la posada del pueblo, habían regresado a la casa para pasar allí la noche.

Hacía una hora que se había retirado todo el mundo y reinaba el silencio, pero ella no podía dormir. Estaba sentada en la cama con las rodillas apretadas contra el pecho, dándole vueltas a la extraña conversación que había tenido con Cliff en aquella misma habitación. Estaba convencida de que él se había alegrado cuando ella se había negado a aceptar que MacLachlan la cortejara, y empezaba a preguntarse a qué se debía su actitud.

Cliff se había mostrado beligerante con Garret desde el principio. Cuando habían salido a pasear por los jardines de Harmon House, lo había visto observándolos desde la ventana con clara suspicacia, y esa misma tarde se había mostrado muy sombrío y tenso cuando le había preguntado si quería casarse con el escocés.

Apoyó la cara en las rodillas, y no pudo evitar preguntarse si estaba celoso.

Sabía que aún se sentía muy atraído hacia ella, ya que a menudo, cuando la miraba, sus ojos revelaban que la deseaba con todas sus fuerzas. La atracción que sentían el uno por el otro había ido acrecentándose, y se había convertido en un anhelo casi doloroso.

A pesar de su poca experiencia, también sabía que le gustaba verla con los nuevos vestidos, porque no ocultaba su aprobación y su admiración. Ella se sentía cada vez más cómoda con los vestidos y los zapatos, y le resultaba más natural hablar y comportarse como una dama.

No hay palabras para describir lo hermosa que estás.

Se había sentido en el séptimo cielo cuando Cliff le había dicho aquello, y en ese momento experimentó la misma emoción al recordarlo... y al recordar también cómo la había mirado. En sus ojos había visto admiración, y un brillo extraño que parecía indicar que él compartía sus sentimientos.

Sabía que Cliff no la amaba, claro, pero como era obvio que estaba encariñado con ella y que la deseaba, era posible que estuviera celoso de MacLachlan. No le hacía falta ser terriblemente experimentada para saber que los hombres tenían tendencia a verse mutuamente como rivales, al margen de que lo que estuviera en liza fueran tierras, un premio, o una mujer.

Se estremeció y sonrió, porque no le molestaba que Cliff se hubiera puesto un poco celoso.

Se preguntó si él era consciente de los cambios que estaba sufriendo su relación, si había notado que la amistad que los unía parecía estar estrechándose a pasos agigantados. Eran innumerables las ocasiones en que se comunicaban sin necesidad de palabras, con una mera sonrisa o con una mirada; a menudo, lo pillaba observándola en silencio, y él sonreía con calidez, admiración o afecto. Sabía con una certeza absoluta que nunca dejaría de amarlo, y por lo menos él parecía apreciarla más que nunca, estaba convencida de que no eran imaginaciones suyas.

Y por eso la situación la desconcertaba tanto. Cliff era su benefactor, su paladín y su amigo, pero estaba más enamorada que nunca de él. El afecto que compartían y el hecho de que fuera un hombre tan viril y siguiera deseándola sólo contribuían a acrecentar su confusión. Le habría gustado no tener que casarse con nadie y poder permanecer bajo su tutela de forma indefinida, para que nada cambiara, aunque en momentos como aquél le resultara tan difícil controlar el deseo que sentía por él.

Apretó con más fuerza las rodillas contra su pecho, y no pudo evitar recordar la noche en que él había ido a su habitación de Harmon House y había estado a punto de tomar su virginidad. Al recordar también lo que había sucedido en el barco durante la tormenta, el momento en que Cliff había hundido el rostro en su entrepierna y la había saboreado a placer, se mordió el labio para contener una exclamación. Deseó con todas sus fuerzas que al menos pudieran ser amantes, pero él era demasiado noble; además, si se convertía en la amante de Cliff de Warenne, aunque fuera por un tiempo, acabaría con el corazón roto, ¿no?

Agarró una almohada, y se tumbó mientras la apretaba contra sí. Deseó ser capaz de dejar de pensar en todo aquello, pero ya era demasiado tarde. Cada noche soñaba con los besos de Cliff, con su cuerpo musculoso, y sentía que ardía de deseo; sin embargo, se había convertido en una dama, y al parecer, las mujeres elegantes y educadas no sufrían los envites de la pasión, al menos hasta que se casaban.

Era incapaz de imaginarse en el lecho con un hipotético marido, pero a pesar de que Cliff era el único hombre con el que podía imaginarse haciendo el amor, sabía que no se casaría jamás con ella, por muy refinada que fuera. Tanto la noche en que se había enterado de que su madre no quería saber nada de ella como el día siguiente, el día en que Cliff se había negado a ser su amante, parecían pertenecer a un lejano pasado.

De repente, se le ocurrió una solución simple y chocante: intentarlo una vez más. Podría conseguir Ashford Hall sin casarse... si Cliff accedía a quedársela como amante.

La almohada cayó al suelo. Él la deseaba, pero estaba comportándose con nobleza y se negaba a ceder ante la pasión porque creía que era mejor que ella se casara; en cierto modo tenía razón, al menos desde el punto de vista de la sociedad, ya que si se convertía en la amante de Cliff, iba a tener que renunciar a su sueño de convertirse en una dama. Pero por muy duro que pudiera resultarle dejar a un lado ese sueño, lo cierto era que no quería casarse con ningún otro hombre.

Se tensó al oír sus pasos en el pasillo. Supo sin lugar a dudas que Cliff estaba deambulando por la casa porque era incapaz de conciliar el sueño, al igual que ella, y también supo de inmediato a qué se debía su insomnio. Vaciló por un instante, y la dama en la que estaba convirtiéndose protestó por lo que estaba a punto de hacer. Si iba a buscarlo y empleaba sus armas de seducción con más ahínco que nunca, su sueño iba a llegar a su fin... pero amaba y deseaba a Cliff, y no a Garret MacLachlan ni a ningún otro.

Tragó con dificultad antes de salir de la cama. Fue hacia la puerta, y la abrió de par en par. Cliff ya había pasado de largo, pero se detuvo en seco y se volvió hacia ella. Sólo llevaba puestos los pantalones, y tenía al descubierto tanto el pecho como los pies.

Amanda no pudo sonreír ni articular palabra, y se quedó mirándolo mientras rezaba para que ocurriera un milagro. A pesar de que le daba miedo la decisión que había tomado, estaba decidida a seguir adelante. Sólo tenía que convencerlo de que lo que ella había planeado era la mejor opción, y a juzgar por el deseo que relucía en sus ojos azules, era posible que no le resultara tan difícil como esperaba.

El pasillo estaba iluminado por la luz tenue de las velas y las lámparas de gas, pero a pesar de que estaban envueltos en sombras, lo veía con claridad y se dio cuenta de que él deslizaba la mirada por su boca, por el escote de su nuevo camisón rosa de seda, y por sus senos. Consiguió respirar hondo, y alzó la mano. Tenía los pezones tan rígidos y erectos, que el roce de la seda le resultaba doloroso; en ese momento, se olvidó de posibles decisiones y sueños. Sólo era consciente del hombre al que amaba, y de la tensión insoportable que palpitaba entre los dos.

–Cliff...

Él negó con la cabeza, pero tardó unos segundos en conseguir arrancar la mirada de sus pechos y centrarla en su rostro.

Amanda se humedeció los labios, y consiguió susurrar a duras penas:

–Ven a la cama conmigo.

Él inhaló con brusquedad, y su erección empujó de forma visible contra la tela de sus pantalones.

–Soy tu tutor, Amanda.

–No quiero casarme con otro hombre.

–Hablaremos de esto... mañana –le dijo él con voz ronca.

–Podría quedarme aquí, y ser tu amante. Podría ser tuya.

Él se sonrojó, y tardó unos segundos en poder contestar.

–Vuelve a la cama, Amanda.

–¿Te gusta mi nuevo camisón? –le preguntó con voz suave.

Él se sonrojó aún más. Tenía la respiración tan agitada, que parecía que había estado corriendo.

Al darse cuenta de que seguía allí quieto a pesar de que debería haberse marchado, Amanda se llevó la mano a la cadera y se alisó el camisón. Al levantar la mirada y ver el deseo ardiente que brillaba en sus ojos, se preguntó si el pasillo iba a estallar en llamas. Se sintió un poco culpable por seducirlo con tanto descaro, y durante un segundo interminable esperó para ver si podía hacerle caer en la tentación; sin embargo, no supo qué pensar cuando él le dio la espalda y apoyó jadeante la frente contra la pared.

Se acercó a él, lo rodeó con los brazos, y apoyó primero el rostro y después todo el cuerpo contra su espalda. Se sintió eufórica al notar que lo sacudía un estremecimiento cuando aplastó los senos contra él y colocó las manos sobre su vientre.

Él se volvió de repente, la abrazó con fuerza, y la miró con una mezcla de furia y de desolación.

–¡Maldita sea! –enmarcó su rostro entre las manos para mantenerla sujeta, y la besó.

Fue un beso ardiente, duro, exigente, lleno de pasión y de rabia. La obligó a abrir la boca, y no le dio tregua hasta que obtuvo su completa rendición. Amanda intentó devolverle el beso mientras respiraba jadeante, pero él tenía el control de la situación y siguió devorándola sin piedad, penetrándola con la lengua sin darle más opción que permanecer pasiva.

Sin dejar de besarla, bajó las manos hasta sus senos. Ella gimió al sentir la sensual caricia de la seda, y se aferró a su muñeca mientras él le metía un muslo entre las piernas y la obligaba a colocarse a horcajadas.

Empezó a sollozar contra su boca mientras se restregaba contra su pierna musculosa, y cuando él la agarró de las nalgas y la alzó aún más, sintió el roce de su enorme erección contra la cadera. Le rodeó el cuello con los brazos y jadeó extasiada al sentir una explosión de placer, pero cuando él la colocó de espaldas a la pared sin dejar de besarla y alzó aún más la pierna, empezó a sollozar al sentir que las convulsiones se intensificaban.

Cuando el placer empezó a desvanecerse, Cliff dejó de besarla y apretó la mejilla contra su pelo mientras la abrazaba con fuerza y la bajaba hasta el suelo. Ella se aferró a sus hombros mientras el clímax daba paso a un sinfín de emociones. Estar en sus brazos era lo más maravilloso del mundo. Se sentía arropada por su cuerpo masculino, y quería permanecer allí para siempre.

Cuando la agarró de los hombros y la apartó sin más, alzó la mirada hacia él. A pesar de lo aturdida que estaba, se dio cuenta de que seguía furioso, y sintió una punzada de miedo.

–No me rechaces. Me conformo con esto, con disfrutar de tu pasión. ¡Por favor, no me hables de honor ahora!

Él retrocedió varios pasos antes de contestar.

–¿Es que no te he hecho ya bastante daño? No soy más que un hombre, Amanda, y al parecer, ni siquiera soy lo bastante noble como para resistirme a tus encantos. ¡Maldita sea! Hemos venido a echarle un vistazo a una casa que formará parte de tu dote, una dote que compartirás con tu futuro marido. ¡No voy a convertirte en mi amante!, ¿por qué quieres conformarte con tan poca cosa?

Nunca lo había visto tan furioso.

–No me importa, de verdad...

–¡A mí sí! –le gritó a viva voz.

Amanda dio un respingo, y decidió hacer un último intento a pesar de que era inútil. Cliff tenía una voluntad de hierro.

–Te deseo, siempre te desearé. ¿Qué tiene de malo? Tú también me deseas, y sé que te importo al menos un poquito. ¡Además, somos amigos!

–¡Soy tu tutor! Tengo la responsabilidad de encontrarte marido, y no pienso tomarte como amante –estaba tembloroso. Se llevó la mano a la bragueta para aflojarse un poco los pantalones y aliviar en algo el dolor de su entrepierna, y alzó la mano para impedir que hablara–. Te has convertido en una dama muy hermosa, ¿por qué quieres echar a perder tu futuro? ¡Mi familia se burla de lo mucho que me esfuerzo por ser noble contigo, y esto no me ayuda en nada!

Amanda estaba pasando de golpe del éxtasis a la desesperación. Le costó hacer acopio de algo de dignidad, pero lo consiguió y le dijo:

–Mi única justificación es que te amo.

Cliff inhaló con fuerza, y se estremeció de pies a cabeza.

–Te tengo mucho aprecio, por eso no voy a convertirte en mi amante. Si necesitara a una mujer, hay infinidad de rameras disponibles en la ciudad. Estoy intentando proporcionarte un buen futuro, pero está claro que no voy a conseguirlo si continuamos pasando tanto tiempo juntos.

–¿Qué quieres decir?

–Que no podemos volver a estar a solas nunca más.

–¡No lo dirás en serio!

–No voy a seguir posponiendo lo inevitable, tienes que casarte cuanto antes –lo dijo con firmeza. Era obvio que estaba decidido.

Amanda se desplomó contra la pared, y susurró:

–¿Cómo puedes hacer algo así?

Él ni siquiera pareció oírla.

–Mañana te llevaré de vuelta a Londres, y le pediré a Eleanor y a mi madrastra que preparen una lista de posibles candidatos; de hecho, le pediré a mi padre que ayude también. Estarás casada en cuestión de meses.

Amanda soltó una exclamación ahogada y lo miró horrorizada, pero él se mostró inflexible.

–Mientras tanto, aprovecharé que uno de mis barcos tiene que ir a Holanda para realizar un pequeño viaje.

–¡Cliff, no! ¡La fiesta de los Carrington se celebra dentro de tres semanas, y me prometiste el primer baile!

–Te di mi palabra, así que estaré allí para el primer vals –le dijo él con rigidez.

–No te vayas –le suplicó con voz queda.

Sus miradas se encontraron, y él le contestó con firmeza:

–No me queda otra opción, esta situación es insostenible.

CAPÍTULO 17

Hacía más de una semana que Cliff se había ido, y Amanda lo echaba muchísimo de menos. Era consciente de que había cometido un grave error. Habían regresado a Londres en carruajes separados, ya que Cliff había decidido realizar el trayecto junto a Ariella y Anahid, y ni siquiera la había mirado cuando *monsieur* Michelle la había ayudado a subir en el otro vehículo. En cuanto habían llegado a la ciudad, lo había seguido en silencio cuando él había ido a despedirse de Alexi, y había permanecido llena de ansiedad en la puerta de la habitación del niño mientras padre e hijo se abrazaban. Después de despedirse también de Ned, de ordenar a los niños que se portaran bien y de negarse a ceder ante las súplicas de Alexi, que quería acompañarle a Holanda, Cliff había ido a despedirse de Ariella a pesar de que había pasado medio día con ella en el carruaje, pero de repente se había vuelto a mirarla y le había dicho:

–No hace falta que me persigas por toda la casa, Amanda.

–Por favor, Cliff, no te marches así –le había pedido ella con desesperación.

Su expresión se había endurecido aún más, y había acelerado el paso mientras se alejaba de ella. La había dejado allí plantada, en medio del pasillo y al borde de las lágrimas, y ella había tenido la impresión de que era el fin de su relación.

–¿Qué le has hecho a papá?, ¿por qué está tan enfadado contigo? –le había preguntado Alexi, con los ojos como platos.

Ella no recordaba la excusa que le había dado al niño. Se había refugiado en su dormitorio mientras luchaba por controlar las lágrimas, y deseó no haber intentado seducirlo. Se dijo que había sido una locura pensar que podía tentarlo hasta lograr que dejara a un lado su honra, y desde la ventana había visto cómo se marchaba con una pequeña maleta. Por mucho que se repitiera que a su vuelta la miraría sonriente de nuevo, como si no hubiera pasado nada, tenía la horrible sensación de que su amistad jamás volvería a ser igual. Cliff no estaba marchándose del país sin más, lo que quería era distanciarse de ella todo lo posible. Su súbita marcha y su decisión de casarla cuanto antes hablaban por sí solas, era obvio que no iba a cambiar de opinión. Pronto estaría llevándola del brazo por el pasillo de una iglesia, y entregándosela a otro hombre; cuando lo hiciera, la distancia que se abriría entre los dos sería insalvable y permanente.

Pero ella no podía seguir adelante con aquello, porque estaba profundamente enamorada de Cliff de Warenne. No podía casarse con un hombre al que ni conocía ni amaba, ni siquiera por conseguir la seguridad de un hogar como Ashford Hall. Sentía una tristeza infinita, porque sabía que tampoco podía permanecer así en Harmon House, con el corazón hecho trizas, dependiendo de Cliff y anhelando lo que nunca iba a tener.

Iba a regresar a su casa, pero después del baile.

Se acercó al armario, y sacó con cuidado el precioso vestido que iba a ponerse para asistir al baile de los Carrington, que era el más hermoso que había visto en toda su vida. Era tan elaborado y elegante como un vestido de novia, tenía un corpiño de corte cuadrado y escote bajo, manga corta, y una falda de gasa dorada en capas sobre una tela de seda estampada con motivos florales. Cliff la habría mirado con deseo al verla vestida con una prenda así en circunstancias normales, pero tal y como estaban las cosas, seguro que apenas se dignaba a mirarla; de hecho, estaba convencida de que no habría bailado el primer vals con ella si no se lo hubiera prometido.

Cliff de Warenne jamás rompía sus promesas, así que volvería a tiempo para el baile y los dos se sentirían de lo más incómodos cuando tuviera que tomarla en sus brazos. Después del baile, pensaba darle las gracias por todo lo que había hecho por ella, y después le diría adiós.

Mientras luchaba contra la angustia que amenazaba con abrumarla, apretó el vestido contra su pecho y se miró en el espejo. No quería volver a ser La Sauvage, ni deambular por la isla llevando ropa de chico. Iba a regresar a casa siendo una dama, y si dejaban que se llevara consigo la ropa nueva, la vendería casi toda y abriría una tienda. Si no podía llevarse la ropa, pediría dinero prestado; como era una experta en navegación y comercio, importaría un cargamento de las telas más delicadas. En Kingston escaseaban las tiendas de ropa elegante, así que pondría unos precios bien altos y no tardaría en obtener beneficios. En cuanto pudiera, compraría un barco, y entonces podría importar lo que quisiera y navegaría por todo el mundo en busca de mercancías exóticas. En vez de robar y mentir, iba a dedicarse al comercio, y sería la primera empresaria de la isla; en teoría, las damas no debían dedicarse al comercio, pero ella iba a ser la excepción. Sí, iba a romper con las convenciones, igual que Eleanor O'Neill. Seguiría los consejos de la hermana de Cliff, se mostraría modosita, cortés y elegante en público, y en privado haría lo que le diera la gana. Podría nadar en la cala, y zambullirse desde los acantilados que había al oeste de Belle Mer.

En su interior aún quedaban restos de la fierecilla, pero eso ya no la preocupaba.

El único problema era que Cliff regresaría a Windsong tarde o temprano, y sabía que no podría evitar ir a verlo. Se imaginó yendo a su casa siento una dama rica, independiente y respetada, quizás unos doce años mayor, luciendo joyas que se habría comprado ella misma, y se le aceleró el corazón. La emoción que sentía al verlo no se desvanecería jamás.

Cerró los ojos con fuerza. Era una necia si pensaba que, al cabo de doce años, él la miraría con admiración y deseo, que esbozaría aquella sonrisa llena de promesas y la tomaría en sus brazos...

Dejó el vestido sobre la cama. La tentación de soñar con el amor de Cliff no iba a desaparecer jamás, pero no podía olvidar que era sólo eso, un sueño alocado e imposible.

Tenía que centrarse en el presente. La noche anterior había ido a ver su primera ópera con los condes, Lizzie, y el esposo de ésta, Tyrell. Se había quedado tan fascinada, que se había olvidado de Cliff, al menos por un rato. Se lo había pasado muy bien, era una pena que no hubiera ópera en Kingston. Iba a echar mucho de menos a los de Warenne, y también aquella ciudad.

Alguien llamó a la puerta, pero estaba tan sumida en sus pensamientos, que no se dio cuenta.

Estaba pensando que quizás Eleanor iría a visitarla algún día junto a Sean y a Rogan, cuando de repente la vio mirándola con compasión a través del espejo. Se apresuró a borrar la tristeza de su rostro, y se obligó a sonreír.

–He llamado, pero no has contestado. Supongo que estabas absorta en tus pensamientos –cuando Amanda se volvió a mirarla, posó una mano en su brazo y añadió–: No hace falta que finjas, Amanda. Todos sabemos lo triste que estás, y estoy planeando varias estrategias para conseguir que mi hermano entre en razón cuando vuelva.

Como no quería hablar de Cliff, Amanda le dijo sin dejar de sonreír:

–Me encanta mi vestido –se puso seria, y comentó con voz suave–: Cliff se ha portado muy bien conmigo, no te enfades con él.

–Deja de defenderlo, ¿quieres decirme de una vez lo que pasó en Ashford Hall?, ¿por qué salió huyendo?

Amanda se sonrojó, y apartó la mirada.

–Tenía que ocuparse de unos asuntos en el extranjero.

–¡Podría haber enviado a uno de sus encargados! Eres demasiado modesta, te iría bien tener un poco de vanidad. Me parece que mi hermano se fue a toda prisa porque está encandilado contigo.

–Me tiene aprecio, él mismo lo ha admitido –Amanda tomó el vestido, y volvió a meterlo con cuidado en el armario. No quería hablar de lo que sentía por Cliff–. No está encandilado conmigo.

–Tendrías que seducirlo, seguro que entonces entraría en razón.

Amanda se sintió avergonzada; si Eleanor supiera la razón por la que Cliff se había marchado, no estaría diciéndole todo aquello.

–En fin, piénsatelo. He venido a buscarte, tenemos visita... y no, no se trata de MacLachlan.

Desde que habían regresado de Ashton, habían recibido una buena cantidad de visitas. Blanche Harrington había ido a verla, y habían disfrutado de un agradable paseo por los jardines; se habían encontrado con Rex, que volvía de montar a caballo, pero él se había mostrado tan taciturno como siempre. La condesa era una mujer admirada y muy apreciada, así que había recibido numerosas visitas, y la propia Eleanor había recibido a varias damas a las que conocía desde hacía años.

Amanda había estado presente en todas las visitas, y nadie había parecido sospechar que meses antes llevaba una vida muy diferente. Cada vez le resultaba más fácil mantener una conversación, ya no tenía que preocuparse por lo que debería hacer o decir, y nadie sabía que en su corazón albergaba un profundo dolor.

También había recibido la visita de varios caballeros, pero desde que había decidido regresar a casa en breve, se sentía un poco culpable al darles esperanzas. MacLachlan había regresado a pesar de la prohibición de Cliff; al parecer, su padre y Adare eran amigos, y contaba con la aprobación del conde. En algunas de las visitas, había llegado acompañado de amigos solteros, y Adare y su esposa habían invitado a varios caballeros a los que consideraban buenos partidos, aunque ella no podía recordar ni sus rostros ni sus nombres.

Sentía que estaba engañando a los de Warenne, pero aún no podía contarle a nadie sus planes, porque sabía que Cliff acabaría enterándose antes de tiempo. Quería decírselo ella misma, a la mañana siguiente del baile. Sabía que no iba a resultarle nada fácil y que él iba a oponerse, pero estaba decidida y pensaba salirse con la suya.

–¿De quién se trata? –intentó mostrar algo de interés; al fin y al cabo, conversar era mejor que hundirse en la angustia, y no tenía que planear nada más.

–Unas damas a las que apenas conozco, pero han venido a visitar a Lizzie y tienen tu edad más o menos –Eleanor sonrió, y añadió–: Eres todo un éxito, Amanda. Debes de estar encantada.

Amanda sonrió mientras bajaban por la escalera, y comentó:

–Parece que hace una eternidad desde que llegué vestida con pantalones.

–Sí, pero no ha pasado tanto tiempo.

–Sólo llevo seis semanas en la ciudad –sintió que se le encogía el corazón. También había pasado seis semanas a bordo del barco de Cliff, y sentía como si lo conociera y lo amara desde siempre.

–Amanda, sabes que puedes confiar en mí, ¿no? Te considero una hermana de verdad.

Aquellas palabras hicieron que se sintiera aún más culpable.

–Eres una amiga maravillosa, Eleanor –le dijo con sinceridad. Para intentar cambiar de tema, añadió–: Háblame de las visitas.

–Lady Jane Cochran es la hija de la baronesa de Lidden-Way. He oído hablar de ella, es la heredera de una fortuna considerable. Las otras dos tienen herencias más modestas –mientras cruzaban el vestíbulo, comentó con cierta ironía–: A lo mejor entablamos amistad con ellas.

Amanda sabía que Eleanor echaba de menos Irlanda, y que sólo toleraba Londres porque Harmon House era el lugar de reunión habitual de su familia.

–Puede que sí.

–Lady Cochran parece un poco vanidosa, espero que no se ponga celosa de ti.

Amanda estuvo a punto de echarse a reír.

–¿Por qué iba a ponerse celosa de mí?

–Porque es bastante normalita, y tú eres una belleza. Todas ellas están solteras y buscan marido. Teniendo en cuenta su herencia, lady Cochran no tiene de qué preocuparse, pero a juzgar por lo que sé de ella, creo que puede verte como a una competidora.

–Eleanor, no me interesa competir con nadie.

–Lo sé, y entiendo tus razones –le susurró, justo antes de que entraran en el salón.

Amanda se sintió incómoda, porque estaba claro que su amiga se había dado cuenta de lo que sentía por Cliff; sin embargo, la cuestión quedó relegada cuando vio a las tres damas que se volvieron en cuanto las oyeron llegar y la observaron con atención. Una de ellas era alta, delgada, y poco agraciada, y llevaba un precioso vestido y un collar de perlas; al ver su actitud altiva, supo de inmediato que se trataba de lady Cochran, y no le cayó nada bien. La segunda muchacha estaba un poco regordeta, era bastante guapa, y tenía una sonrisa cordial. La tercera era de lo más anodina; no era ni alta ni baja, ni gorda ni flaca, pero su expresión reflejaba una curiosidad descarada.

Lizzie se encargó de las presentaciones de rigor.

–Ya conocéis a mi cuñada, la señora O'Neill. Permitid que os presente a la señorita Amanda Carre, que está bajo la tutela de mi cuñado. Amanda, te presento a lady Jane Cochran, lady Honora Deere, y lady Anne Sutherland.

Amanda hizo una reverencia mientras las tres damas se limitaban a inclinar la cabeza. Se dio cuenta de que pasaba algo, ya que notó una extraña tensión en el ambiente.

–Hemos oído hablar mucho de vos, y todas conocemos en cierta medida a vuestro tutor –comentó lady Cochran–. Cuando viene a la ciudad, causa estragos entre las damas. Hemos creído que era indicado venir a daros la bienvenida a la ciudad.

–Sois muy amables –dijo Amanda con cautela. A pesar de que Jane Cochran estaba sonriendo, su actitud no era cordial ni franca. Rezó para que aquel encuentro fuera breve y sin incidentes.

–Sí, ha sido toda una cortesía, teniendo en cuenta que apenas nos conocemos –comentó Lizzie.

Lady Cochran se volvió hacia ella, y le dijo:

–Creo que deberíamos entablar una buena amistad, porque algún día seréis la condesa de Adare y yo la baronesa de Lidden-Way.

Lizzie asintió sin demasiado entusiasmo, y dijo:

–Voy a ver por qué Masters se demora tanto con los refrescos –sin más, se apresuró a salir del salón.

–¿Está vuestro tutor en casa? –le preguntó a Amanda la muchacha rellenita, lady Deere.

Amanda se dio cuenta de que parecía enamoriscada de Cliff, pero como era algo comprensible, no se sintió molesta; en todo caso, sabía que él jamás se interesaría en la joven, aunque se mostraría cortés y encantador con ella.

–Por desgracia, ha tenido que marcharse por asuntos de negocios. Estará de vuelta antes del baile de los Carrington.

–Lady Warenne ha mencionado que debutaréis en sociedad en ese baile –comentó Jane Cochran.

–Es tan guapo... –susurró lady Deere. Era obvio que la ausencia de Cliff la había decepcionado.

–Sí, muy guapo... ¿verdad, señorita Carre? –dijo lady Sutherland, antes de intercambiar una mirada con lady Cochran.

Amanda se puso tensa, y contestó con firmeza:

–Claro que lo es, una tendría que estar ciega para no darse cuenta.

Lady Cochran se echó a reír.

–¡Y vos no lo estáis, desde luego! ¿Es cierto que es un bucanero?

Eleanor se apresuró a intervenir.

–Un bucanero es un pirata, lady Jane. Mi hermano es un comerciante la mayor parte del tiempo, y un corsario cuando le apetece. No tiene nada que ver.

Al darse cuenta de que su amiga estaba enfadada, Amanda le tocó la mano para intentar calmarla y le preguntó a Jane Cochran con calma:

–¿Qué es lo que queréis en realidad?

Lady Cochran esbozó una sonrisa sibilina, y se volvió hacia Eleanor.

–No hemos venido a insultar al capitán de Warenne, señora O'Neill. Como es muy atractivo y un buen partido, nos hemos sentido decepcionadas al saber que no está aquí. Hemos venido a visitar a lady de Warenne, y a conocer a la señorita Carre.

–Qué amables –dijo Eleanor con ironía.

Amanda se dio cuenta de que aquella visita iba a ser un desastre. Tenía la sensación de que aquellas mujeres no tenían buenas intenciones.

Lady Cochran la miró, y le dijo:

–A pesar de las murmuraciones, jamás creí que fuera un bucanero. Es demasiado elegante, aunque siempre lleve una daga y espuelas.

–Sin duda sabéis que es el corsario más grande de nuestro tiempo. Persigue a piratas, así que está acostumbrado a ir armado.

Jane la miró con una sonrisa gélida, y le dijo:

–Decidme, señorita Carre... ¿persiguió a vuestro padre?

Al darse cuenta de que aquella mujer se había enterado de la verdad, Amanda sintió que el corazón le martilleaba en el pecho. La malicia de Jane Cochran era casi tangible, y era obvio a qué se debía su actitud agresiva. Las tres habían ido a denigrarla.

–¿Qué significa eso? –Eleanor parecía horrorizada.

–Supongo que los horribles rumores no son ciertos... es imposible que ajusticiaran a vuestro padre por piratería, ¿verdad? –lady Cochran estaba sonriendo de oreja a oreja–. Al fin y al cabo, es inconcebible que el capitán de Warenne haya asumido la tutela de la hija de un pirata, y que tenga la osadía de intentar presentarla en sociedad, ¿no?

Amanda fue incapaz de articular palabra, y las imágenes se agolparon en su mente. Vio a Cliff abriéndose paso entre el gentío en la plaza de Spanish Town, haciéndola salir de debajo del patíbulo donde iban a ahorcar a su padre; lo vio al timón junto a ella, bajo un manto de velas y estrellas; lo vio al pie de las escaleras, mirándola con admiración mientras ella bajaba luciendo un vestido por primera vez; y lo vio bailando el vals con ella en el salón.

La Sauvage había dejado de existir, había trabajado muy duro para convertirse en la mujer que había llegado a ser. Jane y sus amiguitas no tenían derecho a tratarla con desdén, y no iba a permitir que lo hicieran.

–¿Cómo os atrevéis a venir a esta casa para dejar caer tales calumnias? –dijo Eleanor con indignación–. Es mentira, lady Cochran. El padre de Amanda era dueño de una plantación, y murió ahogado.

–Qué extraño, había oído que de Warenne la había rescatado durante la ejecución de su padre –lady Cochran miró a Amanda como si fuera un insecto al que deseaba pisotear–. He oído que sus aires de grandeza son postizos, que ha navegado y dormido con piratas, ¡que hasta se ha bañado con ellos! ¿Cómo se atreve a venir a la ciudad y a fingir que está a nuestra altura?

Amanda estaba temblando, pero hizo acopio de toda su dignidad y alzó la barbilla.

–Es verdad.

–¡Amanda! –exclamó Eleanor, mientras la agarraba del brazo.

Amanda sacudió la cabeza y se apartó mientras la furia iba ganando fuerza en su interior. Jane Cochran no iba a despojarla de todos sus logros. Sí, iba a marcharse de Londres, pero iba a regresar a las islas siendo la señorita Carre, una dama con buenos modales que sabía bailar.

–Mi padre fue ajusticiado por piratería, aprendí a subir a la arboladura de un barco a los cuatro años, y sé blandir la espada mejor que la mayoría de caballeros de esta ciudad. Pero también sé bailar, lady Cochran, y leer y escribir, y he conseguido muchas nuevas amistades en esta ciudad.

–No os molestéis –empezó a decir Jane Cochran.

Amanda se colocó delante de ella. Estaba temblando de rabia.

–Sois vos la que está demostrando ser una mal educada. Mi padre era un oficial y un caballero antes de dedicarse a la piratería; de hecho, la mitad de los piratas del Caribe fueron en otra época oficiales navales, lady Cochran.

–¿Cómo os atrevéis a hablarme en ese tono?

–¡Y mi madre era una dama, una Straithferne de Cornwall! Puede que no me haya criado en una casa elegante y rodeada de servidumbre, pero tendría que haberlo hecho. Tengo todo el derecho del mundo a hablaros como crea conveniente y a estar aquí, y no sólo porque Cliff de Warenne sea mi tutor, ni porque los condes de Adare me hayan abierto las puertas de su casa. Es mi derecho de nacimiento.

Jane soltó una exclamación ahogada, y Eleanor se le acercó con actitud beligerante.

–Será mejor que salgáis de esta casa ahora mismo, antes de que os eche a patadas –como era más alta, se cernía sobre ella.

Lady Cochran las miró con indignación, y les hizo un gesto lleno de impaciencia a sus amigas; cuando las tres llegaron a la puerta, se detuvo y se volvió de nuevo hacia Amanda.

–A pesar de la dote que vuestro padre pirata os haya dejado, de los aires de grandeza que habéis adquirido y de lo que podáis pensar, no vais a poder llegar a ser como nosotras. Lamento que os hayáis puesto de su parte, señora O'Neill. Esto es un escándalo infame.

–Lo que es infame es que os consideréis una dama –le contestó Amanda con calma–. Las damas de verdad no se comportan así.

Jane Cochran soltó una exclamación indignada, y al ver que Amanda se limitaba a sonreír, se puso aún más furiosa y se marchó como una exhalación con lady Sutherland pisándole los talones; sin embargo, Honora vaciló por un momento. Miró a Eleanor y a Amanda, y exclamó:

–¡Lo siento mucho! –sin más, echó a correr tras sus amigas.

Amanda se dio cuenta de que estaba conteniendo el aliento, y consiguió soltarlo a pesar de que seguía muy rígida. Alguien se había enterado de la verdad y la había sacado a la luz, pero no tenía sentido. ¿Por qué querían herirla de aquel modo? No tenía ni idea de quién sería capaz de hacer algo así.

–¡Menudas brujas! –Eleanor estaba furiosa–. ¡Voy a hacer que lo paguen muy caro!, ¡se van a enterar cuando Cliff sepa lo que han hecho! Pero tú has estado fantástica, Amanda.

Ella apenas la oyó. Había llegado muy lejos, pero Jane Cochran parecía decidida a destruir todo lo que había conseguido; sin embargo, ni siquiera se conocían, así que todo aquello lo había maquinado otra persona.

–Incluso yo sé que las damas no se comportan con tanta vileza.

–¡Es una arpía delgaducha y fea, un ser despreciable! Jamás encontrará amor o afecto, seguro que acaba con algún cazafortunas. Tenemos que planear nuestra venganza.

Amanda estuvo a punto de sonreír, y le dijo:

–Eres una buena amiga.

Eleanor la abrazó con fuerza.

–Hablaba en serio al decir que eres como una hermana para mí, Amanda. Bueno, ¿qué vamos a hacerle a esa bruja? ¿Hacemos circular algún terrible rumor sobre ella?

–Es tentador, pero a pesar de lo hiriente y maleducada que ha sido, lo que ha dicho es la pura verdad.

–Amanda, las habladurías pueden dañar tu reputación, tenemos que cortarlas de raíz.

Amanda se sentó, y empezó a relajarse un poco. Sabía que Cliff se pondría furioso cuando se enterara de lo que había pasado.

–Eleanor, no son habladurías –le habría gustado poder decirle a su amiga que no le importaban los rumores, porque en breve se marcharía de la ciudad–. Cuando llegué a Londres, me aterraba que pudiera pasar algo así, porque he soportado actitudes condescendientes y desdeñosas durante toda mi vida. Supliqué y robé cuando mi padre salía a navegar y me quedaba sola en la isla, pero he cambiado. He aprendido a leer y a escribir, y tu padre me dijo que bailo bien. Papá fue un caballero en el pasado, y mi madre es lady Belford. No pienso esconderme, ni de Jane Cochran ni de nadie –estaba convencida de que Cliff aprobaría su actitud firme.

Eleanor se sentó a su lado, y le dijo:

–Ya sé que no te gusta hablar de tu madre, pero todo esto sería mucho más fácil si diera la cara.

Amanda se levantó de golpe.

–¡Ni hablar!, ¡no necesito su ayuda!

Eleanor la agarró del brazo.

–Amanda, tenemos que dejar claro que esas acusaciones no son más que mentiras maliciosas.

–Puede que tengas razón –admitió al cabo de unos segundos–. Pero si alguien vuelve a arremeter contra mí, no voy a acobardarme ni a negar la verdad. Mañana tenemos que realizar tres visitas. Le prometí a la condesa que la acompañaría, y no pienso echarme atrás.

Eleanor la miró en silencio, y al final le dijo:

–No conoces a la alta sociedad tan bien como yo. No quiero que te hagan daño.

Amanda no pudo evitar pensar en Cliff, que le había roto el corazón.

–Las habladurías no pueden herirme –contuvo las ganas de admitir que Cliff era el único que podía conseguir tal cosa–. Me voy a estudiar, *monsieur* Michelle me va a hacer un examen esta tarde y voy bastante atrasada. Será mejor que no pensemos más en lady Cochran –vaciló antes de añadir–: No tiene importancia, Eleanor. Ya no soy la hija de un pirata.

Su amiga sonrió, y volvió a abrazarla.

–Eres muy valiente.

Amanda acababa de salir del salón cuando Lizzie regresó. Tenía en los brazos a Chaz, que estaba forcejeando para lograr que lo dejara en el suelo.

–¿Dónde están las demás?

–Me parece que no conocías demasiado bien a nuestras visitantes, ¿verdad? –le dijo Eleanor con ironía.

–No las conozco de nada. Me presentaron a lady Cochran en una cena hace años, pero ni siquiera conversamos. Pareces bastante alterada, ¿qué ha pasado?

–Han venido a denigrar a Amanda, se han enterado de toda la verdad.

Lizzie empalideció, y dejó a Chaz en el suelo. El niño echó a correr, y volcó una mesita a su paso.

–Dios mío... ¿qué vamos a hacer?

–Amanda ha decidido quedarse de brazos cruzados y fingir que no ha pasado nada, pero está claro que hay que pasar a la acción cuanto antes. Necesitamos la ayuda de mamá, tenemos que asegurarnos de acabar con las habladurías de inmediato.

Amanda ni siquiera abrió el libro. Mientras acariciaba el collar de perlas que llevaba al cuello, no pudo evitar pensar en

Cliff y en lo mucho que lo echaba de menos. Le resultaba difícil alterarse por lo de Jane Cochran y sus amigas cuando tenía el corazón roto, pero seguía estando furiosa. No se merecía que la desdeñaran así, pero había capeado la tormenta con facilidad; de hecho, sentía un poco de lástima por Jane, porque estaba claro que era una arpía infeliz. Aunque al día siguiente todo el mundo volviera a tratarla con desprecio, podría arreglárselas. Estaba orgullosa de lo lejos que había llegado, y no estaba dispuesta a volver a esconderse de nada ni de nadie. Un rumor no iba a hacer que La Sauvage resurgiera.

Cliff estaba en algún lugar de Holanda, pero si hubiera presenciado lo ocurrido, se habría enfurecido con aquellas mujeres y la habría defendido a pesar de lo enfadado que estaba con ella. Sonrió al pensar que a lo mejor seguiría siendo su paladín desde la distancia, al igual que ella seguiría amándolo a pesar de todo.

Se volvió al oír que llamaban a la puerta, y vio entrar a la condesa de Adare. Al ver su expresión solemne y la compasión que brillaba en sus ojos, supo que Eleanor le había contado lo sucedido.

–Me he enterado de que has pasado por un momento muy delicado.

Amanda estuvo a punto de fingir que no la comprendía, pero acabó suspirando con resignación y se sentó.

–Lamento que haya habido un encuentro tan desagradable en vuestra casa.

–¡No te disculpes, querida! Estoy preocupada por ti. Eleanor me ha dicho que estás bien, y lo cierto es que no pareces demasiado alterada.

Amanda vaciló por un momento antes de admitir:

–Me ha dolido, por supuesto. No he hecho nada para provocar un ataque así.

Mary se sentó junto a ella en otra silla, y la tomó de la mano.

–Amanda, querida, tienes el apoyo de toda mi familia. Sabes que nunca te daremos la espalda, ¿verdad?

El carácter generoso y gentil de la condesa quedó más patente que nunca; en ese momento, Amanda deseó llegar a convertirse en una gran dama como ella... una dama de buen corazón, generosa a más no poder, y capaz de mantener la compostura ante cualquier provocación.

–Sí, creo que sí. Ya os he agradecido vuestra hospitalidad, condesa, pero quiero que sepáis que vuestro afecto significa mucho para mí.

–Te considero una hija más, Amanda –con un brillo acerado en la mirada, añadió–: pero Eleanor tiene razón, debemos vengar esta afrenta –al ver que la miraba boquiabierta, esbozó una sonrisa–. Soy irlandesa de pies a cabeza, querida. Todos mis ancestros fueron grandes guerreros, incluso las mujeres, y algo de su sangre caliente corre por mis venas.

–Pero... ¡sois la condesa de Adare!

–Sí, es cierto. No estaba pensando en agarrar tu daga y utilizarla a diestro y siniestro, sino en una venganza más personal. La madre de Jane es muy amiga de lady Carrington, así que no hay duda de que asistirá al baile. Veamos... podría dejarte mis diamantes... sí, y la tiara de perlas y diamantes... Jane se morirá de envidia.

Amanda se mordió el labio, y se echó a reír.

–Se pondría verde como un guisante, pero no puedo permitir que me prestéis vuestras joyas.

–Claro que puedes –Mary le dio unas palmaditas en la mano, y la miró a los ojos–. Pero vayamos por partes; aunque apruebo tu orgullo, no tiene sentido que permitamos que ese rumor arruine tu reputación, así que mañana vamos a hacer una cuarta visita.

Era obvio que tenía un plan.

–¿A quién vamos a visitar?

–A mi buena amiga lady Marsden, una condesa viuda muy respetada y poderosa. Vamos a cortar de raíz este disparate que ha puesto en marcha lady Cochran.

–Pero... no es un disparate –le dijo Amanda con voz suave.

Mary de Warenne le dijo con una firmeza férrea:

–Claro que lo es, querida. De eso me encargo yo.

Al día siguiente por la tarde, un mayordomo condujo a Amanda y a Mary de Warenne hasta un opulento salón. Las acompañaban Eleanor, Lizzie y Tyrell de Warenne. El heredero del condado se parecía mucho a su hermano Rex, y aunque Amanda se había sentido cómoda al conversar con él el día de la ópera, le parecía tan imponente como el conde.

A pesar de lo decidida que estaba, no pudo evitar sentir cierto nerviosismo, porque sabía que las primeras visitas iban a ser bastante complicadas. Lady Marsden era tan digna como se la había imaginado; tenía una constitución recia, el pelo blanco azulado, y era lo bastante osada como para llevar puestos durante el día un vestido de terciopelo azul oscuro y zafiros. Estaba acompañada de dos caballeros y tres jóvenes damas, y Amanda tragó con dificultad al ver a Garret MacLachlan. Estaba dispuesta a enfrentarse a gente que no le importaba lo más mínimo, pero apreciaba al escocés.

Él pareció sorprendido al verla, pero sonrió con naturalidad, como si no hubiera oído los rumores.

Antes de que pudiera entrar en el salón, Tyrell de Warenne la detuvo. Lo miró sobresaltada, y él sonrió y le dijo:

–Estáis bajo la tutela de mi hermano, señorita Carre, por lo que yo también soy responsable de vos.

Ella asintió, pero se preguntó adónde quería llegar a parar.

–Estáis bajo mi protección, bajo la protección de Adare, así que no tenéis nada que temer. Vamos a solucionar este pequeño pero engorroso problema, y para cuando el cabezota de mi hermano regrese a casa, nos habremos olvidado de lo sucedido.

–Ojalá sea así –Amanda aún no se sentía cómoda del

todo estando en compañía del heredero del conde, pero sonrió y añadió–: Tenéis muchas obligaciones, milord. No hace falta que me suméis a ellas.

–Mi esposa me daría un buen escarmiento si no me ocupara de vos. Lady Marsden puede resultar bastante imponente, pero le tiene mucho cariño a mi madre. Mantened la cabeza en alto, y sed vos misma. Os la ganaréis de inmediato, tal y como habéis hecho con mi familia.

–Si fuera yo misma de verdad, mantendría la cabeza en alto y al mismo tiempo le daría una buena patada a Jane Cochran, porque está pisando terreno peligroso.

Él se echó a reír, y comentó:

–Me recordáis a mi hermana. ¿Vamos?

Le ofreció el brazo, y al agarrarlo Amanda se dio cuenta de lo simbólico que era aquel gesto, porque iba del brazo del futuro conde de Adare.

–Gracias por ser tan caballeroso conmigo –susurró.

Él respondió con una sonrisa.

Lady Marsden fue hacia ellos cuando entraron en el salón tras la condesa, y Amanda fue más que consciente de que acababa de convertirse en el centro de todas las miradas; sin embargo, a pesar de que se ruborizó, mantuvo la cabeza y la mirada en alto. Era obvio que, con excepción de Garret, todo el mundo estaba al tanto de su dudoso pasado.

–¡Mi querida condesa de Adare!, ¡querida Mary! –exclamó lady Marsden, mientras la abrazaba sonriente.

–Me alegro de verte, Dot –le dijo Mary, mientras se tomaban de la mano.

Al ver que las tres mujeres que estaban al otro lado del salón no dejaban de cuchichear y de lanzarle miradas encubiertas, Amanda se tensó y las miró con una sonrisa.

Lady Marsden pasó a centrarse en Eleanor.

–Te conozco bien, muchacha. Te casaste con un plebeyo, que además era tu hermanastro. ¿Por qué no has venido a visitarme hasta ahora, Eleanor?

–Porque sabía que no aprobaríais que me hubiera casado por amor –le contestó ella con atrevimiento.

Lady Marsden se echó a reír.

–Claro que lo apruebo. No necesitabas una fortuna, y es un granuja de lo más apuesto. Espero que te acompañe la próxima vez que vengas a visitarme... a finales de esta semana sería conveniente.

Eleanor asintió. Parecía de lo más recatada, pero tenía un brillo de diversión en la mirada.

Lady Marsden siguió haciendo caso omiso de Amanda. Se volvió hacia Tyrell, que se inclinó y la besó en la mano.

–Ya veo que seguís tan bien como siempre, lady Marsden. Igual de elegante y hospitalaria. Qué reunión tan espléndida.

–Déjate de zalamerías. ¡Vaya, veo que has cambiado! Aunque parezca imposible, estás más guapo que nunca. Ven aquí, Lizzie. ¿Está embarazada de nuevo? ¡Tyrell, eres un desvergonzado!

Él se echó a reír, y Lizzie hizo una reverencia y comentó sonriente:

–La culpa es mía, lady Marsden. Soy yo quien insiste en tener una familia numerosa.

–Creía que no iba a volver a veros, porque parecéis decididos a hibernar en esa tierra dejada de la mano de Dios que insistís en considerar vuestro hogar.

Tyrell y Lizzie conversaron durante unos minutos con ella, y la invitaron a ir a Adare. Ninguno de los dos parecía sentirse intimidado por su actitud directa. Mientras esperaba a que la presentaran, Amanda miró hacia el otro extremo del salón; al ver que Garret sonreía de inmediato y echaba a andar hacia ella, se dio cuenta de que no tenía escapatoria.

–Buenas tardes, señorita Carre. Me alegro de veros.

–Buenas tardes, milord. Hace un buen día, ¿verdad?

–Sí, pero veo una sombra en esos ojos tan hermosos.

Amanda se sonrojó. Aquel hombre era de lo más directo cuando flirteaba.

–Estoy bien.

–Vuestra valentía es admirable, señorita Carre. Tenéis suficiente para una docena de hombres –le dijo él con voz suave.

Amanda se quedó mirándolo consternada al darse cuenta de que también había oído los rumores.

Él la condujo a cierta distancia de los demás, y comentó:

–He oído las acusaciones que ha lanzado Jane Cochran. Me parece que esa bruja necesita una lección de buenos modales.

Amanda se puso aún más tensa, y admitió:

–Lo que dice es cierto.

Él la observó en silencio, y finalmente esbozó la misma sonrisa cálida y demoledora con la que Cliff solía mirarla.

–Creo que ya lo sabía, porque una rosa silvestre no puede confundirse con otra de invernadero. El hecho de que estéis aquí demuestra lo excepcional que sois.

Amanda se sorprendió tanto, que se quedó sin palabras.

–Lady Marsden, aún no habéis conocido a la señorita Amanda Carre, que está bajo la tutela de mi hermano.

Amanda se tensó al oír las palabras de Tyrell, pero estaba lista para enfrentarse a la condesa viuda.

Lady Marsden frunció el ceño cuando la vio acercarse, y dijo con frialdad:

–Ya sé quién es –se volvió hacia la condesa, y le preguntó–: Mary, no puedo creer que tengas algo que ver en este asunto.

Amanda se obligó a permanecer impasible, pero Tyrell se enfureció y abrió la boca para protestar. Mary lo agarró del brazo para detenerlo, y sonrió con calma.

–La señorita Carre se ha convertido en una hija más para mí. Su padre, un oficial naval retirado que pasó a ser dueño de una plantación, murió ahogado en Jamaica. Era amigo de Cliff, y su último deseo fue que mi hijo se ocupara de ella.

Estamos introduciéndola poco a poco en nuestros círculos de amistades, y como es una joven ejemplar y fuera de lo común, he querido traértela para que la conozcas.

Lady Marsden miró a Amanda con suspicacia, y le preguntó:

–¿Es cierto que tu padre murió ahogado, muchacha? ¡No es eso lo que he oído!

Amanda vaciló por un instante. Tenía la verdad en la punta de la lengua, pero se dio cuenta de que Mary estaba suplicándole con la mirada que le siguiera el juego. Como le debía mucho a aquella mujer, asintió y dijo:

–Sí, es cierto. Mi padre se ahogó recientemente.

Mary soltó un sonoro suspiro.

–Dot, Jane Cochran se ha enfurruñado porque está prendada de Cliff, y él no le hace ningún caso. La actitud de mi hijo es comprensible; al fin y al cabo, se trata de una muchacha insulsa, carente de atractivo y de decoro, y él no necesita su fortuna. El hecho de que haya difundido unas mentiras tan repugnantes sobre mi nueva hija demuestra la bajeza de su carácter.

Lady Marsden pareció desconcertada, y al cabo de unos segundos comentó:

–Nunca me ha gustado esa muchacha. Tienes razón, siempre ha carecido del decoro que corresponde a su rango. En fin, si la señorita Carre es tu nueva hija... –se volvió hacia Amanda, y le ordenó–: acércate, muchacha.

Amanda obedeció de inmediato, y volvió a hacer una reverencia.

–Has sufrido mucho, pero el hecho de que te hayas atrevido a venir a verme demuestra tu fuerza de voluntad.

Amanda sonrió al darse cuenta de que aquella dama no era tan terrible como creía.

–La condesa deseaba que os conociera, y no vi razón alguna para esconderme –le dijo con sinceridad–. Es un gran honor conoceros.

–Así que te criaste en Jamaica... eso está en las Indias Occidentales, ¿verdad?

–Sí, así es.

–Me gusta mucho viajar, así que quiero que me lo cuentes todo sobre esa isla. ¿Crees que debería ir a visitarla, a pesar de mi edad avanzada?

CAPÍTULO 18

Amanda estaba cada vez más nerviosa. Habían pasado dos semanas, eran las seis de la tarde, a las siete y media iban a salir rumbo al baile de los Carrington, y Cliff aún no había regresado.

Estaba mirando por la ventana, incrédula y consternada, vestida con una bata. Ya le habían recogido el pelo, y llevaba puestos el collar que Cliff le había regalado y la impresionante tiara de perlas y diamantes de la condesa. Sólo quedaba que una doncella la ayudara a ponerse el vestido, los guantes, y el brazalete que la condesa había insistido en dejarle también.

Se mordió el labio, y se dijo que Cliff no sería capaz de dejarla en la estacada. Seguramente, había sucedido algo horrible que lo había retrasado... o estaba más enfadado con ella de lo que pensaba.

No estaba dispuesta a ir al baile sin él; a pesar de todo lo que había sucedido, el primer baile seguía siendo suyo, y no pensaba concedérselo a ningún otro hombre.

Permaneció allí, temblando bajo la fresca brisa otoñal. Llevaba todo el día debatiéndose entre los nervios, la emoción y la aprensión. Aunque sabía que era una tonta, había rezado para que él la hubiera perdonado por lo que había pasado en Ashford Hall, para que hubiera cambiado de opinión y hubiera decidido dejar de erigir tantas barreras entre los dos; y aunque no fuera así, tenía que volver a verlo. Estaba exhausta desde un punto de vista emocional.

Al ver que un carruaje de alquiler pasaba entre los dos pilares que precedían al camino de entrada, gritó entusiasmada y abrió la ventana del todo. El vehículo negro se detuvo delante de la casa, y Cliff bajó al cabo de unos segundos.

Se aferró con fuerza al alféizar mientras el corazón se le aceleraba. No la había dejado en la estacada. Mientras lo miraba, el amor que sentía por él la dejó sin aliento.

Cliff alzó la mirada, y a pesar de la distancia, sus ojos se encontraron.

Amanda fue incapaz de sonreír, y aunque él permaneció serio, siguió mirándola mientras caminaba hacia la casa, hasta que cruzó el pórtico y se perdió de vista.

Amanda cerró la ventana, y se estremeció. Cliff había regresado a casa.

Cliff se esforzó por mantener un paso pausado al entrar en el vestíbulo, a pesar de que lo que quería era echar a correr. Fue directamente hacia la escalera mientras el corazón le martilleaba en el pecho. Primero iba a ir a ver a los niños, y después iría a saludar a Amanda con naturalidad. Era consciente de que tenía que mantener las distancias con ella, pero jamás había echado tanto de menos a alguien. Durante aquellas dos semanas, no había dejado de pensar en ella día y noche; de hecho, todas sus noches habían sido un verdadero infierno, porque había sido incapaz de conciliar el sueño. Pero a pesar de todo, seguía convencido que había hecho bien en marcharse, y en pedirle a su padre que ayudara a encontrar un buen partido para ella.

Cada vez que pensaba en el posible matrimonio de Amanda, se le retorcían las entrañas. No sabía si iba a ser capaz de entregársela a otro hombre en el altar.

–Hola, Cliff.

Suspiró con impaciencia al oír la voz de Tyrell a su espalda, pero se detuvo y se volvió hacia él. Su hermano mayor estaba saliendo del saloncito, donde alcanzó a ver a Rex y a Sean. Todos llevaban ya el traje de etiqueta, así que era obvio que iba a tener que apresurarse.

Llevaba días pensando en el vals que iba a bailar con Amanda, y estaba deseando tomarla en sus brazos y girar al ritmo de la música por todo el salón; sin embargo, hacía casi un año que no veía a Tyrell, lo respetaba y lo apreciaba muchísimo a pesar de que cada día se parecía más a su padre. Esbozó una sonrisa, y fue a abrazarlo.

–Llegas tarde –comentó su hermano, sonriente.

–Sí, ya lo sé. ¿A qué hora nos vamos? –intentó controlar su impaciencia. No dejaba de preguntarse por qué lo había mirado tan seria desde la ventana, por qué no le había sonreído siquiera. A lo mejor estaba enfadada por cómo la había tratado antes de marcharse de Londres. Sería comprensible, porque había sido un grosero.

–A las siete y media. ¿Subías con tanta prisa a vestirte? –le preguntó Tyrell, con una despreocupación sospechosa.

–Claro, ¿por qué si no iba a darme tanta prisa? –le respondió, a la defensiva.

–No estábamos seguros de cuándo regresarías.

Cliff se relajó un poco.

–Me comprometí a llegar a tiempo para la fiesta, y Amanda me prometió el primer baile. ¿Cómo se encuentra?

–Muy bien, a pesar de que alguien se dedicó a difundir el rumor de que es hija de un pirata.

–*¿Qué?*

Para cuando Tyrell acabó de contarle lo sucedido, Cliff estaba temblando de rabia. Justo cuando Sean y Rex salían al vestíbulo, comentó:

–Debió de sentirse desconsolada.

–En absoluto, reaccionó con una gran serenidad; en todo caso, nos encargamos de atajar el rumor por completo.

Cliff no se creyó que Amanda se hubiera tomado tan bien la situación, porque sabía el temor que le tenía al posible desdén de la sociedad. Se volvió con la intención de subir la escalera a toda prisa, pero Sean le cortó el paso.

–Te dejaré pasar si piensas subir a saludar a tus hijos, o a cambiarte de ropa. Pero mi esposa me ha ordenado que no permita que veas a Amanda hasta que esté lista.

–Quiero hablar con ella, ¡está bajo mi tutela! –le dijo Cliff con incredulidad.

Sean se echó a reír, y comentó:

–Estás embobado con ella. ¿Por qué no te rindes, lo confiesas, lo admites de una vez?

Cliff tuvo ganas de darle un puñetazo a su hermanastro.

–Tú eres el que está embobado. Cada vez que entro en una habitación, tengo que asegurarme de que Eleanor y tú no estáis comportándoos como un par de adolescentes detrás de algún sofá.

Rex se acercó a ellos, y dijo sonriente:

–No puedes ver a Amanda hasta que baje, Cliff. Relájate, sólo han sido dos semanas.

–Dieciocho días –refunfuñó. Al ver que todos se echaban a reír, sintió que se ruborizaba.

–Te sugiero que vayas a ver a tus hijos, y que te des prisa –le dijo Tyrell, antes de regresar al saloncito seguido de Sean.

Rex se quedó junto a él, y se puso serio al decirle:

–Amanda está bien, Cliff. Es una mujer muy valiente, que tiene una gran dignidad. Dio la cara al día siguiente, acompañada de la condesa y de Tyrell, y los rumores acabaron antes de empezar.

–¿Estás seguro? Ya sabes cuánta condescendencia tuvo que soportar cuando vivía en las islas.

–Completamente seguro. Cliff, no queda ni rastro de la muchacha desgarbada que llegó a casa en agosto.

Cliff la recordó en el pasillo de Ashford Hall, vestida con un pálido camisón de seda rosa. Era la mujer más hermosa que había visto en su vida, no hacía falta que le dijeran que había dejado de ser una muchacha desgarbada.

–Necesito un buen baño caliente –comentó, a pesar de que era mentira. Lo que necesitaba era uno de agua fría, así que subió la escalera a toda prisa.

Cliff bajó a las siete y media en punto vestido de etiqueta, mientras acababa de ajustarse la corbata. Era más que consciente de por qué tenía el corazón acelerado, y era inútil intentar negar la realidad. Tenía la impresión de que habían pasado dieciocho meses desde la última vez que había visto a Amanda, en vez de dieciocho días.

La familia al completo estaba ya esperándolo en el vestíbulo, pero no vio a ninguno de ellos. Se detuvo en seco, y tuvo que aferrarse a la barandilla para no caerse.

Amanda estaba entre los demás, y era un sueño en blanco y oro.

El corazón le dio un brinco en el pecho cuando ella lo miró y le sonrió con timidez. Se quedó mirándola enmudecido, mientras sus exóticos ojos verdes permanecían fijos en él. Tenía el pelo recogido, y algunos mechones sueltos le enmarcaban el rostro; el vestido que llevaba recordaba al estilo griego, y se amoldaba con sensualidad a las curvas de su cuerpo. Se había puesto el collar que él le había regalado, y también llevaba algunas joyas de la condesa. Su belleza lo dejó sin aliento, y no pudo seguir negando lo que sentía.

La había echado de menos con tanta desesperación durante aquellos dieciocho días, que había estado a punto de regresar antes de lo previsto en infinidad de ocasiones, y en ese momento supo por qué.

Amanda se había convertido en el centro de su vida, lo era todo para él. Jamás podría soportar otra separación así.

Se quedó atónito al darse cuenta de que estaba enamorado, y se quedó allí como un pasmarote, sin poder apartar la mirada de ella, sobrecogido por la enormidad de sus sentimientos.

Aquel extraño torbellino de emociones que sentía era amor, no podía seguir negando la evidencia. Era una felicidad enorme e irrefrenable, una mezcla de plenitud, euforia y anhelo. Necesitaba a Amanda tanto como el viento y el mar para vivir, para respirar. La pasión que sentía por ella era primaria, descarnada y emocional. No iba a permitir que nadie volviera a herirla o a tratarla con desdén.

Había luchado contra sus sentimientos con todas sus fuerzas. Alguien le había dicho que se rindiera de una vez, pero estaba tan aturdido, que no alcanzaba a recordar de quién se trataba; fuera quien fuese, tenía razón. Ya era hora de que se diera por vencido, de que se rindiera ante Amanda.

De repente, fue consciente de que en el vestíbulo reinaba un silencio absoluto, y de que se había quedado mirándola como un tontorrón embobado y encandilado. Bajó los últimos escalones, y sonrió al darse cuenta de que eso era exactamente lo que era... un hombre encandilado, locamente enamorado.

Amanda lo vio acercarse con los ojos muy abiertos, como si hubiera adivinado de algún modo lo que estaba pensando.

Sin pensárselo dos veces, la tomó de la barbilla con suavidad para que alzara la cara hacia él.

–Estás demasiado hermosa, Amanda. Tu belleza me ha dejado sin palabras.

Ella lo miró con asombro y alivio, y por fin sonrió. Sus ojos revelaban que también lo había echado muchísimo de menos.

Cliff no pudo contener una sonrisa enorme y bobalicona.

–¿No estás enfadado conmigo? –le preguntó ella con voz queda.

–No –le acarició la mejilla, deslizó la mano por su cuello,

y sintió que su miembro se excitaba. Tenía ganas de besarla, se imaginó haciendo el amor con ella por fin, pero al oír que alguien carraspeaba, luchó por controlarse–. Te he traído un regalo.

Se sacó una cajita de terciopelo del bolsillo, y cuando la abrió y le mostró los pendientes de perlas y diamantes, ella lo miró con ojos relucientes y susurró:

–Te has acordado de mí cuando estabas fuera.

–Sí –admitió, a pesar de que aquello era quedarse corto. No había dejado de pensar en ella.

Después de darle la cajita, tomó uno de los pendientes y se lo puso. En cuanto le rozó el lóbulo de la oreja sintió que su miembro se endurecía aún más, y notó que ella también se tensaba.

Cuando sus miradas se encontraron, vio que Amanda había dejado de sonreír.

Aquella noche iba a poseerla, iba a acariciar y a saborear hasta el último centímetro de su cuerpo desnudo... pero como pensar en eso no le ayudaba en nada en ese momento, se apresuró a ponerle el otro pendiente y bajó las manos, que estaban temblorosas.

–Gracias –le dijo ella.

Cliff se limitó a sonreír, ya que seguía abrumado por las emociones que se le agolpaban en el pecho. Más tarde las analizaría con calma, y reflexionaría sobre las consecuencias que comportaban para los dos. Aún le costaba asimilar el hecho de que estaba enamorado.

–Vamos, tenemos un baile al que asistir.

Amanda tomó el brazo que le ofrecía, y contestó sonriente:

–Sí, es cierto.

Amanda estaba en el séptimo cielo. Se encontraba en una palaciega mansión de Greenwich, en un salón imponente tan grande como el barco de Cliff, rodeada por cientos de elegantes damas y caballeros de la alta sociedad, y además iba del brazo de Cliff. Él había ido presentándola prácticamente a todos los invitados con los que iban cruzándose mientras se abrían paso entre la multitud. Nadie la había tratado con condescendencia ni había sido el centro de miradas curiosas, así que era obvio que el rumor que Jane Cochran había intentado difundir había sido atajado con éxito.

Pero lo más importante de todo era que Cliff no estaba enfadado con ella; de hecho, cada vez que sus miradas se encontraban, él sonreía con una calidez que la dejaba sin aliento.

No acababa de entender lo que pasaba, y lo único que tenía claro era que no quería que aquella noche acabara jamás. Pero sabía que era un sueño imposible, y que al día siguiente iba a tener que decirle a Cliff que iba a marcharse.

–El baile está a punto de empezar –le dijo él.

Se habían detenido cerca del borde de la pista de baile, y algunos caballeros salían ya junto a sus parejas.

Cuando Cliff le soltó el brazo por primera vez en horas, se volvió hacia ella e inclinó la cabeza, Amanda hizo una reverencia, y se sintió embriagada por su apostura y su masculinidad, por el amor que la inundaba. Lo amaba tanto, que el corazón le dolía al intentar contener la inmensidad de aquella emoción. La velada prometía ser perfecta, y estaban construyendo un recuerdo que atesoraría durante el resto de su vida.

Se dijo que no debía pensar en lo que iba a suceder al día siguiente, que ya tendría tiempo de preocuparse cuando llegara el amanecer. Iba a disfrutar como si aquélla fuera su última noche.

Cliff alargó la mano, y cuando ella la aceptó, la condujo a la pista de baile. Se acercó más a él, y colocó la mano en su hombro mientras él la tomaba de la cintura. La orquesta empezó a tocar el vals, y empezaron a bailar.

Amanda se rindió en cuerpo y alma a la felicidad que

sentía al estar en los brazos del hombre al que amaba, y tuvo la impresión de que el suelo se desvanecía y flotaban entre las nubes.

Al mirarlo a los ojos, vio que estaba contemplándola con un extraño brillo en la mirada; de no ser porque sabía que era imposible, habría creído que estaba tan profundamente enamorado como ella, pero no quería engañarse a sí misma. Cliff nunca había ocultado que le tenía afecto, pero sus sentimientos no iban más allá.

–Pareces feliz –comentó él con voz suave.

–Lo estoy, jamás me había sentido tan feliz en toda mi vida.

–Me alegro –bajó la mirada hasta su escote, y volvió a alzarla sin dejar de sonreír.

Amanda sintió que se le aceleraba el corazón.

Siguieron bailando en silencio, y cuando la música terminó, lo miró a los ojos deseando repetir la experiencia.

–¿Vas a volver a bailar conmigo?

–Me encantaría, pero tu carné de baile está lleno –le dijo él, con voz un poco tensa. Apartó la mirada por un instante, y cuando se volvió de nuevo hacia ella le dijo–: Me conformaré con el último baile, Amanda.

Ella sonrió aliviada, pero se tensó cuando él le preguntó con un tono de voz bastante extraño:

–¿Han ido a visitarte muchos pretendientes mientras yo estaba fuera?

–Sí, tu padre se aseguró de que así fuera.

–En ese caso, hablaré con él mañana por la mañana –le dijo él, mientras salían de la pista de baile.

Amanda se quedó boquiabierta. A pesar de las miradas cálidas y de la cercanía que habían compartido, seguía decidido a casarla con otro hombre. Sintió que se le caía el alma a los pies, a pesar de que ya sabía con qué facilidad podía herirla. Era el precio que tenía que pagar por el amor que sentía por él.

Se apartó ligeramente. Ella también estaba decidida a seguir adelante con sus planes, aunque Cliff aún no tenía ni idea de la decisión que había tomado.

–Disfruta del resto de la velada, Amanda. Puede que también podamos disfrutar juntos del postre –le dijo él, antes de despedirse con una reverencia formal.

–Cuento con ello –Amanda logró esbozar una sonrisa.

Mientras veía cómo se alejaba, deseó que el baile que habían compartido hubiera durado para siempre. Se sobresaltó al oír un ligero carraspeo, y al volverse vio a su siguiente pareja esperando su turno. Lo saludó con una reverencia mientras intentaba recordar su nombre, y dejó que la condujera a la pista de baile. Cuando sonaron los primeros acordes de otro vals, miró hacia el gentío y vio a Cliff observándola con expresión tensa. No alcanzó a entender por qué parecía tan contrariado, y supuso que el hombre con el que estaba bailando no le caía demasiado bien. Soltó un profundo suspiro, y decidió que sería mejor que dejara de esforzarse por intentar comprender a aquel hombre. Iba a tener que conformarse con el hecho de que volvían a ser amigos.

Varias horas después, Amanda estaba sola cerca de una columna dorada. La vorágine de actividad y de atenciones la habían dejado exhausta, por no hablar de su estado emocional. Ya había bailado dos tercios de los bailes que tenía concedidos, y deseó que su carné no estuviera lleno. No sabía cómo iba a arreglárselas para aguantar doce bailes más, pero estaba decidida a hacerlo, porque el último se lo había concedido a Cliff.

La pista de baile seguía abarrotada. Al ver a Eleanor y Sean mirándose tan embobados como una pareja de recién casados, sonrió y se preguntó cómo debía de ser compartir un amor así, pero se apresuró a apartar aquel pensamiento de su mente. Ese tipo de afecto no iba a formar parte de su vida, así que tenía que centrarse en el futuro que la esperaba. Iba a ser una dama respetable dedicada al comercio en las islas.

El corazón le dio un brinco cuando vio a Cliff. Era uno de los hombres más altos del salón, y su pelo leonado parecía relucir bajo las tres enormes arañas de luces. No pudo evitar sonreír al ver que estaba bailando con Honora Deere, que estaba muy sonrojada y claramente cautivada. Entendía a la perfección la reacción de la joven, y se alegró de que Cliff la hubiera sacado a bailar a pesar de que era amiga de Jane Cochran.

–¿Señorita Carre? –Garret MacLachlan la saludó con una reverencia.

Amanda sonrió al verlo, ya que no se había dado cuenta de que también había asistido al baile. Al ver su atuendo propio de las Tierras Altas, se quedó asombrada. Llevaba una chaqueta azul, unos calcetines del mismo color, una falda escocesa azul y negra que le dejaba al descubierto las rodillas, una boina, y una espada ceremonial. Estaba más guapo que nunca.

Empezó a inclinarse para saludarlo con una reverencia, pero él la tomó del codo para detenerla y la ayudó a incorporarse.

–Llevo un buen rato sin poder apartar la mirada de vos, sois la mujer más hermosa del salón.

Amanda se ruborizó, y le dijo con una sonrisa:

–Sois un adulador empedernido.

Él permaneció serio, y la tomó desprevenida al tutearla por primera vez.

–Lo digo con sinceridad, Amanda. He venido a despedirme.

–¿Os marcháis? –le preguntó con consternación.

–Sí, tengo que volver a casa. ¿Me echarás de menos?

Amanda vaciló antes de contestar, porque no quería darle falsas esperanzas.

–Claro que sí.

Él la observó con atención, y al final le dijo:

–Estás enamorada de tu tutor. Te he visto bailando con él, he visto cómo lo mirabas.

Amanda no supo qué decir. Al recordar que aquel hombre había aceptado con naturalidad y nobleza la verdad sobre su pasado, y que la había elogiado por sus logros en vez de denigrarla, posó una mano en su brazo y le dijo con calma:

–Sí, estoy enamorada de él.

–En ese caso, te deseo lo mejor de corazón.

–No lo entendéis...

–Claro que lo entiendo.

–No, no es lo que piensas, Garret. Amo a Cliff y siempre lo amaré, pero él no me corresponde. Voy a regresar a las islas, y jamás me casaré.

Él esbozó una extraña sonrisa, y comentó:

–No creo que llegues tan lejos.

Ella no entendió a qué se refería y lo miró desconcertada, pero él se limitó a besarle la mano.

–Adiós, Amanda –después de hacer una reverencia, se fue.

Amanda lo siguió con la mirada, al igual que todas las mujeres que lo vieron pasar. Habían llegado a ser buenos amigos, así que iba a echarlo de menos; en todo caso, él no se le había declarado, así que enterarse de que estaba enamorada de Cliff no debía de haberle roto el corazón. Deseó con todas sus fuerzas que algún día encontrara a alguien que lo amara como se merecía.

–¿Amanda?

Como no reconoció la voz femenina que oyó a su espalda, le resultó extraño que la llamaran por su nombre, ya que no era el tratamiento correcto. Cuando se volvió, se puso rígida al ver a una desconocida hermosa y elegante, que lucía un precioso vestido de satén rosa y un collar de diamantes. Inhaló con fuerza, pero se sentía como si alguien acabara de darle un puñetazo en el pecho.

La mujer era rubia, tenía los ojos verdes, y le resultaba

extrañamente familiar. Era como si estuviera viéndose a sí misma en unos diez años.

–Así que sabes quién soy –le dijo Dulcea, con voz tensa.

–Sí, Dulcea Belford.

Tras una pequeña vacilación, la mujer le dijo:

–Soy tu madre, querida.

CAPÍTULO 19

Amanda luchó por mantener la compostura. Aquélla era su madre, la mujer que le había asestado un golpe brutal. Creía que había superado la angustia que le había provocado su rechazo, pero en ese momento resurgió con fuerza y la paralizó. Esperaba que tarde o temprano se produjera aquel encuentro, pero la había tomado por sorpresa.

–Soy tu madre –repitió Dulcea.

–No –le dijo al fin, con firmeza.

Mantuvo la frente bien alta, y se sintió agradecida de llevar las joyas que Cliff le había regalado y los diamantes de la condesa. El corazón le latía a una velocidad alarmante y no podía pensar con claridad, pero no iba a permitir que su madre supiera lo mucho que le había dolido su rechazo.

–No tengo madre, nunca la he tenido. Me crié con mi padre, pero está muerto –luchó por controlar las emociones que intentaban salir a la superficie–. No quiero que finjamos ni por un segundo que somos madre e hija –apoyó la espalda contra la pared, y añadió–: No lo somos.

–¡Eres muy cruel! –a pesar de su aparente indignación, Dulcea estaba observándola con atención, y su mirada se centraba una y otra vez en la tiara de perlas y diamantes.

–Me parece que la cruel eres tú... *lady Belford* –se dijo que podía marcharse sin más, que no tenía por qué hablar con aquella mujer. Estaba cerca de una sala de billar, podía ir allí y entablar conversación con alguien. Pero fue incapaz de moverse, y empezó a temblar–. Vine a Londres tras la muerte de mi padre para encontrarme contigo, porque fue su última voluntad. ¿Crees que quería irme de las islas?, ¿piensas que llegué a creer por un solo instante que me recibirías con los brazos abiertos? Pero no pude decirle que no a mi padre. ¿Cómo te atreves a decir que soy cruel?

–Me quedé atónita cuando de Warenne me dijo que estabas en Harmon House. Quiero que hablemos, Amanda, quiero contarte la historia desde mi punto de vista, pero prefiero que sea en privado. Anda, vamos a la terraza.

–No hay nada de qué hablar –Amanda se horrorizó al darse cuenta de que estaba a punto de echarse a llorar. ¿Cómo era posible que el rechazo de su madre siguiera afectándola tanto?

Como sus pies parecían negarse a acatar las órdenes de su cerebro, permaneció inmóvil y la contempló en silencio. Aquélla era la mujer que había renunciado a ella sin pensárselo dos veces en cuanto había dado a luz. Por fin había conocido a su madre, la madre que se había negado a aceptarla.

–¿No quieres oír mi versión de la historia? –le preguntó Dulcea, mientras intentaba agarrarle la mano.

Amanda intentó mostrarse indiferente y se apartó, pero empezó a vacilar. Se preguntó si debería permitir que su madre intentara explicarse.

–Ésta es una gran velada para ti, eres todo un éxito. Estoy muy orgullosa de ti, Amanda –le dijo con voz suave.

Aquellas palabras la hirieron de verdad.

–No, no lo estás. ¡No me mientas! No te importo, nunca te he importado.

–Eso no es cierto, ¡claro que me importas! –protestó Dulcea con indignación–. ¿No quieres saber la verdad... toda la verdad?

A pesar de lo aturdida que estaba, Amanda sabía de

forma instintiva que debía alejarse de aquella mujer que tenía el poder de herirla como muy pocos; sin embargo, iba a marcharse de Inglaterra tan pronto como pudiera y no volvería a ver a Dulcea Belford, así que quizás era la única oportunidad que iba a tener de averiguar lo que había sucedido cuando había llegado a Londres... y también dieciocho años atrás.

–De acuerdo –asintió con rigidez, mientras se aferraba a los jirones de compostura y dignidad que le quedaban.

Salieron a una enorme terraza donde había unas cuantas parejas y algunos grupitos de gente tomando el aire, pero nadie les prestó atención.

–No tenía ni diecisiete años cuando me quedé embarazada, Amanda. Sentí pánico –le dijo Dulcea, cuando estuvieron en una zona más apartada.

Amanda sintió que se le aceleraba el corazón. Era comprensible que su madre se hubiera asustado en aquellas circunstancias.

–¿Estabas enamorada de mi padre?

–En aquella época, sí. Estaba muy apuesto y gallardo con su traje de la armada. Era un hombre muy carismático, y muchas jóvenes se quedaban embobadas al verlo pasar.

–Él no dejó de amarte nunca, pero tú te casaste con lord Belford.

–¡Tuve mucha suerte de poder casarme con él! Amanda, tu padre zarpó al cabo de tres semanas de que nos conociéramos. Cuando me di cuenta de que estaba embarazada, no supe qué hacer. Era muy joven y mi madre ya había empezado a presentarme a hombres como Belford, nobles con pequeñas fortunas pero de rancio abolengo y títulos de peso. Me inculcaron desde pequeña que ése era el tipo de esposo que iba a tener. El matrimonio no tiene nada que ver con el amor. He tenido suerte, porque he llegado a apreciar bastante a Belford –tras una ligera pausa, añadió–: Los dos éramos muy jóvenes, Amanda. No era amor, sino pasión... era lo que tú sientes por de Warenne.

Amanda negó con la cabeza, y le dijo con voz firme:

–Jamás he admirado a nadie tanto como a Cliff. No me da miedo admitir que es mi héroe, mi paladín, y que le amaré hasta el día en que me muera –no se inmutó cuando Dulcea la miró boquiabierta–. Y estoy segura de que papá te amaba a ti de forma parecida. Muchas veces me hablaba de tu belleza, tu elegancia y tu bondad. Te tenía en un pedestal, y se aseguró de que yo te admirara. Dios, lo siento tanto por él...

–No lo sabía, Carre nunca me dijo lo que sentía. Amanda, no te he pedido que saliéramos para discutir.

Amanda la miró desconcertada. No entendía cómo era posible que su padre no le hubiera revelado a Dulcea lo que sentía.

–No soy fría ni insensible, Amanda. Soy una mujer de carne y hueso que tiene un corazón, un hogar, un marido, y dos hijos. Di por sentado que Carre se había olvidado de mí, no tenía razón para creer lo contrario.

Amanda se dijo que no podía dejar que su madre la ablandara, porque sabía que no podía fiarse de ella.

–Has dicho que te importo, pero eso no es verdad –no podía serlo, se negaba a creerlo.

–¡Claro que es verdad! ¿Cómo no va a importarme mi propia hija? Te apartaron de mí en cuanto naciste. Tenía diecisiete años, no me dieron opción.

Amanda se negó a creerla.

–Estoy convencida de que tampoco te habrías quedado conmigo de haber podido.

–¡Lloré durante días cuando te apartaron de mi lado! –Dulcea se secó los ojos–. Mi madre había hecho planes para concertarme un buen matrimonio y yo acaté su voluntad, pero pensé mucho en ti y no dejé de preocuparme, sobre todo cuando me enteré de que Carre se había pasado a la piratería.

Amanda se sentía cada vez más confundida. Dulcea parecía sincera, pero no había protestado cuando le había dicho que no se habría quedado con ella de haber podido.

–Papá y yo nos adorábamos. Fue un buen padre, no tenías de qué preocuparte –siempre lo defendería, sobre todo ante Dulcea–. Si estabas tan preocupada, ¿por qué no mandaste una carta?

–Belford me habría repudiado si se hubiera enterado de tu existencia, así que tenía que mantener una distancia prudencial. Lo entiendes, ¿verdad? Querida, has tenido una vida tan dura... ¡no sabes cuánto lo lamento! Desearía haber podido hacer algo.

Aquellas palabras enfurecieron a Amanda.

–¡Pudiste hacerlo cuando llegué hace dos meses, pero no quisiste saber nada de mí! Así que no te molestes en decirme cuánto te importo y lo mucho que te preocupas por mí, porque no te creo.

–¡El capitán de Warenne me tomó por sorpresa al presentarse de pronto para decirme que estabas en la ciudad!

–Fue él quien me ayudó. Es tan noble, tan honorable, que me rescató, me protegió y me trató con generosidad. Me acogió en su casa, y me proporcionó una dote. ¡A diferencia de ti, su familia me ha recibido con los brazos abiertos! –Amanda tenía la respiración agitada. Su madre había reabierto una herida que ya creía cicatrizada.

–¡Creía que era Carre quien se había encargado de tu dote! –exclamó Dulcea con asombro.

–No, me la proporcionó Cliff de su propio bolsillo –Amanda se dio cuenta de que su madre se había centrado de inmediato en el tema de la dote–. Papá no le pidió que fuera mi tutor, Cliff se lo inventó. Cuando me rechazaste, se hizo cargo de mi tutela por pura generosidad. Me proporcionó una dote, porque se comprometió a darme un buen futuro.

–¿Sois amantes?

Amanda retrocedió unos pasos y negó con la cabeza, pero no pudo evitar ruborizarse.

–Nuestra relación no es asunto tuyo, y yo tampoco –fue

incapaz de contener las lágrimas–. ¡Cliff siempre se ha comportado de forma honorable!

–¿No ha intentado seducirte?

–No, fui yo la que intentó seducirlo a él –se mostró desafiante, pero empezó a inquietarse. Intuía que su madre estaba tramando algo, tenía la sensación de que estaba diciéndole una mentira tras otra.

–Pobrecita mía...

Cuando Dulcea la tomó de la mano, la inquietud de Amanda se acrecentó y se apresuró a apartarse.

–No te atrevas a fingir compasión a estas alturas.

–¡Soy tu madre! No puedo obligarte a que me creas, pero sé lo que es enamorarse perdidamente de alguien. Nadie te echará en cara que hayas caído rendida a los pies de Cliff de Warenne, la mitad de las mujeres que hay en este salón darían lo que fuera, incluso sus reputaciones, por tenerlo como amante. Te entiendo, querida. De verdad.

–Tengo que irme –Amanda se dio cuenta de que no habían resuelto nada con aquella charla. Le habría gustado poder confiar en Dulcea, pero le resultaba imposible.

–¡Espera! Hace poco, fui a Harmon House para verte. Le supliqué a de Warenne que me dejara decir en público que somos primas, que me permitiera ayudarle a buscarte un buen partido, incluso le dije que quería que te vinieras a vivir conmigo, pero él se negó en redondo y ni siquiera me dejó hablar contigo.

Amanda la miró con incredulidad.

–¡No te creo!, ¡Cliff sería incapaz de hacer algo así! Y si lo hizo, seguro que tuvo una buena razón.

–¡No tengo motivo alguno para mentirte! Fui a verte, pregúntaselo al mayordomo de los de Warenne si quieres. ¡Quería formar parte de tu vida, y de Warenne me negó ese derecho!

Amanda sabía que, a pesar de que Cliff no la amaba, estaba dispuesto a hacer lo que fuera por ayudarla.

–Confío ciegamente en Cliff. Si te echó de su casa, seguro que fue porque sabe que eres una mentirosa. ¿Por qué intentas convencerme de que te importo?, ¿qué es lo que quieres?

–Sólo intento decirte cuánto deseo ser tu madre, lo mucho que te extraño. Quiero que vengas a vivir a Belford House.

–*¿Qué?* –Amanda tuvo que agarrarse a la barandilla, porque le flaquearon las piernas.

–Diremos que eres una prima lejana, y cumpliré con mi deber de encontrarte un buen marido.

–¡He decidido que voy a volver a casa! Voy a regresar a las islas, y no pienso casarme con nadie.

–¡No lo dirás en serio! No puedes volver a la piratería, tu vida está aquí, junto a mí.

–No voy a dedicarme a la piratería, *madre* –le dijo con rigidez–. Por si no lo has notado, llevo un collar de perlas que me pertenece, el vestido que tengo puesto es mío, y mi carné de baile está lleno; de hecho, me han dicho en incontables ocasiones que soy una dama muy hermosa.

–No era mi intención insultarte, querida. Ésta es nuestra oportunidad de llegar a conocernos, de llegar a ser una familia, porque me temo que cuando te cases ya será demasiado tarde. Quiero ayudarte a encontrar al marido adecuado.

La situación era tan absurda, que Amanda se echó a reír. Era más que sospechoso que su madre hubiera decidido de repente que quería que se fuera a vivir con ella a Belford House, era obvio que estaba tramando algo.

–Ya es demasiado tarde, no tengo ningún interés en llegar a conocerte. Voy a regresar a Jamaica, y abriré un negocio. Pienso devolverle a Cliff la dote.

Dulcea empalideció de golpe.

–¡Eso es una locura! No puedo permitir que vayas a esa isla siendo tan joven. Tu futuro está aquí, junto a mí. Te casarás con un buen partido, y tendrás un hogar propio. ¿No te das cuenta de lo afortunada que eres al tener una dote como la que te ha dado de Warenne? Sin ella, tus posibilidades de casarte serían nulas. Con lo que te ha dado vivirás sin grandes lujos, pero con comodidad.

–¿A qué viene todo esto?, ¿qué es lo que pretendes? Ya te he dicho dos veces que no voy a casarme.

–Es por de Warenne, ¿verdad?

Amanda sintió una punzada de dolor al pensar en él. Estaba resignada a no tener jamás lo que anhelaba con tanta desesperación.

–Por fin aciertas en algo. Sí, es por Cliff, pero también por mí misma. Quiero llegar a ser una mujer independiente –le dijo, con calma y orgullo–. Soy incapaz de casarme con otro hombre, me niego a hacerlo –cuando su madre soltó una exclamación de horror, añadió–: Nadie puede hacerme cambiar de opinión.

De repente, se sintió exhausta, y tuvo ganas de vomitar. Quería alejarse de Dulcea cuanto antes y marcharse del baile, porque aquella mágica velada había quedado arruinada. Quizás, cuando estuviera a solas en su habitación, podría acurrucarse en la cama y darse el lujo de ceder ante las lágrimas, aunque ni siquiera estaba segura de por qué tenía ganas de llorar. Lo único que tenía claro era que seguía sin entender a Dulcea Belford.

Empezó a dar media vuelta para marcharse, pero se detuvo cuando su madre le dijo con voz acerada:

–Puedo hacer que cambies de opinión.

Se quedó helada, se volvió poco a poco hacia ella, y le dijo:

–No lo creo.

Su madre sonrió, y le preguntó con voz suave:

–¿Y si te ayudo a conseguir tus sueños más imposibles?

–No me conoces de nada, así que no tienes ni idea de cuáles son mis sueños.

–¿No sueñas con ser la esposa de Cliff de Warenne? –Dulcea la miró con una sonrisa taimada–. Puedes conseguir lo que quieras, Amanda.

–No sigas –le dijo, temblorosa.

Dulcea se acercó hasta que sus rostros estuvieron a escasa distancia.

–Yo puedo ayudarte, querida. He visto cómo te mira, sólo tienes que seducirlo. Lo harás en Belford House, y yo me aseguraré de que mi esposo os descubra en la cama –con una sonrisa triunfal, añadió–: Estaréis casados antes de finales de año.

–¡No pienso tenderle una trampa a Cliff para conseguir que se case conmigo! –le dijo, asqueada.

–¿Por qué no?

En ese momento, Amanda sintió un enorme desprecio por su madre.

–No creo que fueras capaz de entenderlo –se levantó un poco la falda, y echó a correr. No pudo seguir conteniendo las lágrimas, Dulcea Belford era una mujer horrible.

Su madre fue tras ella, y gritó:

–¡No seas tonta, ésta es la solución perfecta a todos nuestros problemas!

Al darse cuenta por fin de lo que quería su madre, Amanda se detuvo y se volvió con furia hacia ella.

–¿Qué significa eso?, ¿qué problemas tienes? ¡Dime de una vez qué es lo que quieres! Si intentas ser honesta por una vez en tu vida, a lo mejor te ayudo... no porque me importes lo más mínimo, sino porque eres mi madre biológica a pesar de todo.

Dulcea la tomó de las manos, y la miró con un brillo febril en los ojos.

–Estoy en una situación desesperada, Amanda. Belford tiene tantas deudas, que la semana pasada nos quedamos sin crédito. Estamos arruinados, y te suplico que nos ayudes.

–Quieres que me case por dinero –Amanda apenas podía creer lo que estaba oyendo.

–Olvídate de esa condenada dote que te ha dado de Warenne, tienes que ir a por él. Aún eres virgen, ¿verdad? Le amenazaremos con montar un escándalo si no se comporta de forma honorable y se casa contigo.

De modo que ése era el plan. Al principio, Dulcea estaba interesada en la dote, pero después había decidido que era mejor conseguir que ella se casara con Cliff para poder tener acceso a su inmensa fortuna.

Amanda se secó las lágrimas. Había acertado al pensar que no podía confiar en su madre.

–En otra época, hace mucho tiempo, soñaba como una tonta con abrazarte, pero ese sueño se ha esfumado. Es tarde, buenas noches –sin más, se alejó de ella.

–Ven a visitarme mañana, querida –le dijo Dulcea, como si no la hubiera oído–. Te presentaré a Belford y a mis hijos, y empezaremos a planearlo todo.

Amanda tuvo miedo de vomitar en público, y se apresuró a entrar en la casa. Se había quedado sin fuerzas, y el mundo entero empezó a dar vueltas a su alrededor. Se aferró a la puerta del salón. No quería que Cliff la viera así, porque sabía que querría saber lo que había pasado. No quería hablar jamás de lo que acababa de pasar con Dulcea. Por otro lado, anhelaba con todas sus fuerzas que él la abrazara, aunque entonces corría el riesgo de acobardarse, de ser incapaz de decirle que iba a marcharse al día siguiente... y también corría el riesgo de cambiar de idea, de decidir quedarse.

El mareo fue desvaneciéndose poco a poco. Respiró hondo, porque aún estaba temblorosa y las náuseas no habían remitido. Por fin había conocido a su madre, por fin sabía cómo era realmente. Empezó a tener arcadas, y se dio cuenta de que tenía que marcharse de allí antes de que hiciera algo que echara por tierra el éxito que había conseguido esa noche.

Recorrió el salón con la mirada, con la esperanza de ver a alguien que pudiera llevarla a casa... cualquiera, menos Cliff. Se sintió aliviada cuando no lo vio por ninguna parte, pero alcanzó a ver a los condes bailando sonrientes. Estaba helada, el frío le llegaba a lo más hondo del corazón y le calaba hasta los huesos; al menos, las náuseas ya no eran tan fuertes. Al mirar hacia el otro extremo del salón, vio a Rex. Estaba apoyado en una columna con expresión taciturna, y tenía la mirada fija en algún punto del salón.

Fue hacia él de inmediato, abriéndose paso entre el gentío. Estaba tan absorto, que cuando llegó a su lado ni siquiera notó su presencia. Estaba mirando algo con una sensualidad encubierta, como intentando ocultar su interés. Al seguir la dirección de su mirada, se dio cuenta de que estaba observando a Blanche Harrington, que estaba arrebatadora con un precioso vestido verde y rodeada de un pequeño grupo de damas y caballeros. Se preguntó asombrada si Rex estaba interesado en ella; si era así, era una pena, porque una rica heredera como Blanche sólo se casaría con un hombre que tuviera un título importante.

Rex se sobresaltó al verla junto a él. La miró con atención, y le preguntó:

–¿Os encontráis bien?

–Sí, pero estoy exhausta –consiguió sonreír, pero volvió a marearse y Rex tuvo que agarrarla del brazo–. Empiezo a encontrarme un poco mal... ¿os importaría llevarme a casa?

–Voy a por Cliff, él se encargará de todo. Me parece que está en la sala de fumadores.

–No, por favor... lamento importunaros de esta forma, pero preferiría no ver a Cliff en este momento –al ver que la miraba con asombro, decidió hablar claro–. Se dará cuenta de que estoy alterada, y no estamos ni en el sitio ni en el momento oportunos. Hablaré con él a primera hora de la mañana. Por favor, cada vez me encuentro peor.

–Os llevaré a casa de inmediato; en todo caso, ya estaba harto de este baile. Este tipo de reuniones me aburren.

Amanda sintió un alivio tremendo. Se apresuró a salir del salón con él, pero el mal sabor de boca que le había dejado el encuentro con Dulcea Belford no desapareció; de hecho, estaba convencida de que seguiría notándolo durante el resto de su vida.

CAPÍTULO 20

Cliff entró en Harmon House muy alarmado. Ya eran casi las dos de la madrugada, y justo cuando se había dado cuenta de que llevaba una hora sin ver a Amanda en el baile, un criado se le había acercado para avisarle de que Rex la había llevado de vuelta a casa. Era obvio que había pasado algo. Estaba convencido de que alguien la había tratado con desdén, pero no entendía por qué no había acudido a él.

Por si eso fuera poco, justo antes de marcharse del baile había pillado a Dulcea Belford observándolo con una mirada taimada y llena de rencor, que además contenía un extraño brillo triunfal. Era una mirada que no le había hecho ninguna gracia, y empezaba a sospechar que Amanda había estado hablando con su madre. Eso explicaría por qué se había marchado de forma tan súbita, pero no por qué había acudido a Rex en vez de ir a buscarlo a él.

La casa estaba en silencio. Lizzie, Tyrell y los condes se habían marchado del baile poco después de la medianoche, pero Eleanor y Sean se habían quedado y seguramente tardarían una o dos horas en regresar. Subió los escalones de dos en dos, y al llegar a la puerta de Amanda vaciló por un momento. Era tarde, y no debería irrumpir en su habitación a aquellas horas.

Durante toda la velada, no había podido dejar de pensar en sus desconcertantes sentimientos, y en la mujer que había conseguido despertarlos. No había hecho más que imaginarse un largo y profundo beso de buenas noches... y mucho más. Se había pasado horas deseando que llegara el momento de tomarla en sus brazos, de tumbarla en la cama y acariciarla de pies a cabeza.

Esbozó una sonrisa, y se apoyó en la pared.

Era un de Warenne, y los hombres de su familia se enamoraban una sola vez y para siempre. Podía aguantar aquella noche sin ella, porque cuando fuera su esposa no pasarían ni una sola noche separados; conociendo a Amanda, sabía que lo acompañaría en todos sus viajes, al menos hasta que se quedara embarazada.

Su esposa... jamás había creído que pensaría en tales palabras, ni que querría comprometerse de esa forma; sin embargo, Amanda iba a ser su esposa cuanto antes, de eso no tenía ninguna duda. A primera hora de la mañana iría a comprarle un anillo, para poder proponerle matrimonio. Incluso hincaría una rodilla en el suelo. Solía pensar que el romanticismo era una tontería, pero con ella quería ser tan romántico como pudiera.

Embarazada... adoraba a sus dos hijos, y ser padre era la mayor felicidad del mundo para él. Sería maravilloso que Amanda se quedara embarazada y le diera más hijos, pero como había padecido tantas privaciones a lo largo de su vida, quería cubrirla de regalos y darle todo lo que se había perdido hasta el momento... la ópera y champán, rubíes y perlas, obras de arte y vestidos de las modistas más selectas de París, seguridad, protección, amor. Sí, podían esperar un poco antes de tener más hijos. Estaba tan entusiasmado, que estaba adelantándose a los acontecimientos.

Miró hacia la puerta, y recordó lo magnífica que había estado en el baile. Había sido la mujer más hermosa de todas, la más valiente, la única. Nunca antes se había declarado, así que estaba nervioso e incluso un poco inseguro. Jamás se le había pasado por la cabeza que un día le pediría a una mujer que se casara con él, pero lograría encontrar las palabras adecuadas a pesar de que a menudo Amanda lograba dejarlo sin habla.

De repente, se dio cuenta de que tenía la mano en el pomo de la puerta. Si entraba en la habitación, no había duda de que iban a acabar haciendo el amor... pero Amanda se merecía tener antes una proposición formal, y una boda, y una noche de bodas inolvidable.

Luchó contra el deseo de hacer el amor con ella sin más dilación. A pesar de que se había acostado con muchas mujeres, lo cierto era que jamás había hecho el amor con ninguna de ellas.

Soltó un suspiro de resignación, y bajó hacia el ala oeste de la mansión. Al llegar a la puerta de la habitación de Rex, llamó sin miramientos aunque no sabía si estaría interrumpiendo algo. Su hermano también era bastante mujeriego, y la amputación de la pierna no había sido un impedimento para que siguiera con sus conquistas.

–Rex, ¿estás durmiendo?

–Ya no –refunfuñó.

Cliff entró en la habitación mientras su hermano se sentaba en la cama y encendía una lamparita; afortunadamente, estaba solo.

–¿Qué ha pasado?, ¿por qué no me has avisado? El acompañante de Amanda era yo, tendría que haberme encargado de traerla a casa.

–Vete a dormir, Cliff. Ya hablarás con ella por la mañana. Parecía bastante alterada –apagó la luz, y volvió a tumbarse. Era obvio que estaba dando la conversación por concluida.

–¿Te ha dicho qué le pasaba?

–No. Buenas noches.

–¿Estaba muy alterada?

–¡No lo sé! ¡Buenas noches, Cliff!

Cliff decidió no seguir insistiendo y salió de la habitación, ya que sabía que Rex le habría avisado si se hubiera tratado de algo grave; además, podría hablar con Amanda por la mañana, antes de salir a comprarle el anillo de diamantes más imponente que pudiera encontrar. En caso de que no alcanzara a encontrar las palabras adecuadas para expresar sus sentimientos, la joya hablaría por sí sola.

Sonrió de oreja a oreja, y se fue a dormir.

Cliff apenas había podido pegar ojo. Eran poco más de las ocho de la mañana, y Tyrell y él eran los únicos que habían bajado a desayunar de momento. Su hermano estaba leyendo el *Herald* y el *Dublin Times*, mientras él jugueteaba con la taza de café con nerviosismo. Seguramente, Amanda tardaría un par de horas más en despertarse, y las tiendas de Bond Street no abrían hasta las once. Quería verla antes de salir, pero el tiempo parecía avanzar con una lentitud exasperante.

–¿Qué es lo que te pasa? –le preguntó Tyrell.

–Nada –se limitó a decir. No se había dado cuenta de que estaba tamborileando con los dedos en la mesa.

–Pareces un caballo de carreras primerizo justo antes de la salida.

Así era como se sentía, pero se mordió la lengua. De repente, oyó el sonido de pasos que se acercaban, y se puso de pie de golpe cuando vio entrar a Amanda. Llevaba puesto un vestido de seda color marfil con listas doradas, y a juzgar por el cansancio que se reflejaba en su rostro, tampoco había dormido demasiado.

Era obvio que en el baile había pasado algo grave. Maldijo para sus adentros a Rex por haberle restado importancia al asunto, y se apresuró a acercarse a ella.

–Buenos días –Amanda miró a Tyrell con una sonrisa forzada antes de volverse hacia él–. Me gustaría hablar contigo en privado, Cliff.

En aquel momento, se sintió como si ella fuera la adulta y él un niño al que estaban a punto de darle una buena reprimenda.

–Por supuesto –miró a su hermano, y le dijo–: Discúlpanos.

Tyrell se limitó a asentir, y volvió a centrarse en el periódico.

Amanda lo condujo a la biblioteca, y cerró la puerta en cuanto entraron.

–Empiezo a preocuparme de verdad, Amanda –la observó con atención, y comentó–: No has dormido bien.

–Parece que tú tampoco –le dijo ella, con una pequeña sonrisa.

–¿Qué pasó anoche?, ¿por qué te marchaste de repente?, ¿por qué no acudiste a mí? ¡Me habría encargado de traerte a casa de inmediato!

–Era obvio que estabas disfrutando de la velada.

Cliff se preguntó de qué demonios estaba hablando, y le dijo:

–Estaba disfrutando viendo tu increíble éxito –se puso rojo como un tomate, porque no era eso lo que quería decir–. Estaba disfrutando viéndote, y punto.

–Quiero hablar contigo de un asunto.

La preocupación de Cliff se acrecentó aún más.

–¿Estás molesta conmigo?, ¿te he ofendido en algo?

–¡Claro que no! –Amanda lo miró con una sonrisa sincera–. Siempre te estaré agradecida por todo lo que has hecho por mí, y lo de anoche fue maravilloso. Nunca olvidaré el vals que compartimos.

–¡Hablas como si no fuéramos a bailar juntos nunca más! –se acercó más a ella. No estaba dispuesto a perderla–. Hablas como si estuvieras a punto de marcharte.

Amanda se humedeció los labios, lo miró a los ojos, y susurró:

–He tomado una decisión.

–¿De qué estás hablando? –Cliff empezó a sentir miedo de verdad.

–Mientras estabas fuera, me di cuenta de que no quería casarme. Voy a regresar a casa.

Se quedó mirándola boquiabierto durante unos segundos.

–*¿Qué?*

–Me voy a casa. No puedo casarme, me niego a hacerlo. Por favor, no me malinterpretes... te estaré eternamente agradecida por todo lo que has hecho por mí, pero mi lugar está en Jamaica. Pediré un préstamo para abrir una tienda allí, y con el tiempo pienso dedicarme al comercio con mi propio barco.

Cliff sintió como si alguien acabara de asestarle un golpe demoledor. Estaba tan aturdido, que apenas podía pensar.

–¿Quieres volver a la isla? Pero... ¡éste es tu hogar!

–No, Harmon House es tu hogar. Ya sé que es toda una sorpresa y que tenías otros planes para mí, pero mi decisión es irrevocable.

–¿Quieres abrir una tienda? ¿A qué viene todo esto? –su cerebro empezó a funcionar de nuevo, y fue recuperando la capacidad de razonar–. ¿Qué fue lo que pasó anoche?

–Esto no tiene nada que ver con lo de anoche... bueno, no exactamente. Tanto tu familia como tú ya me habéis dado demasiado. Tracé mis planes mientras estabas fuera, cuando pude pensar con claridad. Ya sé que quieres lo mejor para mí, y te lo agradezco de verdad, pero no quiero casarme con un desconocido. A pesar de lo mucho que me gusta Ashford Hall, Jamaica es mi hogar. Si no me caso, voy a tener que ganarme la vida, y es lo que voy a hacer. Soy experta en navegación y en comercio, y lo tengo todo planeado. Estoy convencida de que puedo salir adelante con éxito.

Cliff luchó por mantener la calma, pero tardó unos segundos en poder articular palabra.

–Es comprensible que no quieras casarte con un desconocido –vaciló por un instante. Quería decirle lo que sentía, pero no sabía si su declaración de amor sería bien recibida. Era la primera vez que se sentía tan inseguro–. No tienes que casarte hasta que desees hacerlo –si había perdido el corazón de la mujer a la que amaba, iba a volver a ganárselo–. Puedes quedarte aquí de todas formas, yo me encargaré de deshacerme de tus pretendientes.

–De eso se trata, Cliff. No puedo quedarme aquí. Quiero regresar a casa, y abrir mi negocio cuanto antes.

Cliff sintió que le flaqueaban las piernas, y tuvo que aferrarse a una silla. No alcanzaba a entenderla.

–¿Es por Dulcea?, ¿te dijo algo anoche? No pareces angustiada...

–Hablé con ella. Quiere que me vaya a vivir a Belford House, entre otras cosas.

–Pero prefieres salir huyendo rumbo a las islas, ¿no?

Amanda alzó la cabeza, y le dijo con tono firme:

–No voy a salir huyendo, y no me voy por culpa de Dulcea. No me cayó especialmente bien, y me da igual si no vuelvo a verla en toda mi vida. No pienso discutir contigo, aunque me gustaría que me entendieras. Rescataste a una niña en Spanish Town, pero ahora soy una mujer. No puedes cuidar de mí de forma indefinida, ya es hora de que cuide de mí misma.

–¿Por qué no puedo cuidar de ti?, ¡me gusta hacerlo!

–Porque quiero llegar a ser una mujer independiente.

Cliff se quedó mirándola sin saber qué decir. ¿Por qué quería ser independiente justo cuando se daba cuenta de lo mucho que la amaba? ¡Las mujeres no eran independientes!

–Si quieres regresar a la isla, yo te llevaré. Te prestaré gustoso el dinero que necesites para abrir la tienda, y en cuanto a dedicarte al comercio con tu propio barco...

–¡No!

–¿No quieres que te ayude? –le preguntó, boquiabierto.

–¿Es que no lo entiendes? ¡Tengo que hacerlo sola!

Cliff se preguntó horrorizado si estaba a punto de perderla. No, no podría soportarlo. Estaba dispuesto a hacer lo que fuera con tal de volver a ganarse su corazón.

–¿Por qué? No entiendo nada, Amanda.

Ella se mordió el labio, apartó la mirada, y esbozó una sonrisa cargada de tristeza.

Mientras la veía ir con paso pausado hacia la chimenea, se dio cuenta de que la transformación se había completado. La noche anterior había creído verla cambiada, pero en ese momento vio la verdadera diferencia. Amanda estaba diciéndole que no quería seguir dependiendo de nadie, ni siquiera de él. Una dama elegante estaba recorriendo la habitación poco a poco, escogiendo con cuidado las palabras con las que estaba a punto de rechazarlo.

Finalmente, se volvió a mirarlo y le dijo con voz suave:

–No te enfades conmigo.

–No puedo darte la espalda, Amanda. Por favor, no me pidas que lo haga –se dio cuenta de que estaba suplicando, pero no le importó.

–No estoy pidiéndote que me des la espalda, sino que me dejes libre.

–¿Eso es lo que sientes? –le preguntó, horrorizado.

Estaba pálida, pero asintió.

Cliff lo entendió por fin. Él siempre se había sentido como un animal enjaulado en la alta sociedad, y por eso se marchaba en su barco, para disfrutar de la libertad. Era normal que Amanda se sintiera así. Llevaba dos meses en la ciudad, y estaba harta. La Sauvage seguía viva bajo aquella apariencia refinada y deslumbrante.

A pesar de lo aterrado que estaba, sintió una satisfacción enorme.

–Te llevaré de vuelta a las islas.

La vigilaría desde las sombras, porque le gustara a ella o no, siempre sería su protector y su guardián. Por primera vez en su vida, no satisfaría su deseo, y esperaría todo el tiempo que fuera necesario hasta que volviera a enamorarse de él.

Se acercó a ella, y la tomó de las manos.

–Te traje a Londres para que fueras libre, no para aprisionarte entre las rejas de la alta sociedad –le dijo con voz ronca.

–Ya lo sé.

–¿Lamentas llevar vestidos, haber tenido que tomar clases, y haber aprendido a bailar?

–¡Claro que no! No lo entiendes... –le acarició la mejilla con dulzura–. No voy a regresar siendo La Sauvage, sino como la señorita Carre. Sí, echo de menos la caricia de la brisa en el pelo, pero no estoy huyendo de la alta sociedad. Tengo que regresar a casa porque no puedo seguir estando bajo tu tutela.

Cliff le soltó las manos, porque acababa de darle una certera puñalada en el corazón.

–Creía haberlo entendido... ¿quieres huir de mí?

–Te repito que quiero abrirme camino en la vida por mí misma sin un marido, sin un tutor... sin ti. Pero siempre seremos amigos, ¿verdad?

Cliff le dio la espalda. ¿Estaba rechazándolo? Intentó pensar, pero el corazón le sangraba. Todo aquello carecía de sentido, y apenas podía creer lo que estaba sucediendo. No podía ser que estuviera perdiendo a la única mujer a la que había amado en toda su vida. Si Amanda estuviera huyendo de la alta sociedad, la habría dejado marchar, la habría seguido, y la habría esperado. Pero si lo que quería era huir de él, no podía dejarla ir.

Cuando se volvió hacia ella lentamente, Amanda empalideció y exclamó:

–¡Te he hecho daño! Cliff, has sido el mejor protector que una mujer podría llegar a tener. Siempre te consideraré mi paladín, y un día, cuando sea rica y respetada, iré a visitarte a Windsong y recordaremos estos tiempos.

–¡Y un cuerno!

–Además, te devolveré hasta el último céntimo que te has gastado en mí. ¡Por fin soy yo la que puede prometerte algo a ti!

–¡No quiero que me devuelvas nada! Todo esto se debe a lo que pasó en Ashford Hall, ¿verdad? –al verla retroceder, supo que había dado en el clavo.

–¡No sé a qué te refieres!

Fue hacia ella con paso decidido. Recordó cómo había intentado seducirlo, cómo la había rechazado sin miramientos, y deseó con todas sus fuerzas haberla poseído por entero cuando había tenido ocasión.

–Te rechacé.

–Eres un hombre muy noble, y tenías razón. Cometí un error al intentar seducirte.

–Y por eso quieres huir –Cliff empezó a sentirse triunfal.

–¡No!

La atrapó contra la pared, y le dijo:

–Has dicho que tomaste la decisión de irte mientras yo estaba en Holanda. Me fui de Londres porque era incapaz de controlar el deseo que sentía por ti, me fui al extranjero para no caer en la tentación de tomar lo que me ofrecías. Y mientras estaba fuera, decidiste... decidiste abandonarme.

Amanda respiró hondo, y admitió:

–Sí.

Cliff empezó a sentirse aliviado, pero su cuerpo estaba tenso y excitado. Su erección resultaba casi dolorosa.

–Por fin estás siendo sincera –susurró, mientras le rozaba la mejilla con los dedos.

Amanda soltó una exclamación ahogada, y le preguntó con nerviosismo:

–¿Qué estás haciendo?

Aquella noche en Ashford Hall la había deseado con locura, pero había sentido la misma pasión meses atrás, en el barco, cuando aún era una fierecilla ingenua sin modales. Mientras el corazón le martilleaba en el pecho, se inclinó hacia ella y susurró:

–Sabes muy bien lo que estoy haciendo.

Amanda se quedó mirándolo boquiabierta al darse cuenta de que por fin iba a ceder ante el deseo.

–Cliff...

La rodeó con los brazos, la apretó contra su pecho, y le cubrió la boca con la suya. Estaba decidido a besarla con una pasión salvaje y posesiva, pero en cuanto sintió el contacto de sus labios, tanto la furia como el miedo y la fiereza se desvanecieron. Amaba a aquella mujer, y la necesitaba en ese momento y para siempre.

Le rozó la boca con los labios una y otra vez, instándola a que fuera abriéndola cada vez más. Amanda jadeó cuando la penetró con la lengua, y empezó a devolverle el beso mientras la pasión se acrecentaba.

La apretó con más fuerza contra la pared mientras la devoraba, y movió la entrepierna contra su cadera. A pesar de que apenas acababan de empezar, se sentía a punto de perder el control.

Finalmente, se apartó un poco y la tomó de la mano.

–Vamos –le dijo con firmeza.

Antes de que ella pudiera articular palabra, ya estaban cruzando la biblioteca. Cuando salieron al vestíbulo, que estaba desierto, Cliff lanzó una rápida mirada hacia el comedor, pero Tyrell seguía enfrascado en el periódico. Se volvió hacia ella con una mirada que hablaba por sí sola, y cuando ella asintió, echaron a correr escaleras arriba.

En cuanto llegaron al dormitorio de Amanda, la soltó y cerró la puerta con llave. Se quitó la chaqueta, y la miró a los ojos. Ella estaba junto a la cama, y aunque parecía haberse quedado paralizada, su respiración era casi tan jadeante como la de él.

Se acercó a ella, y la abrazó con fuerza.

–Quiero hacerte feliz, Amanda –le dijo con voz ronca. Le acarició la mejilla, y se preguntó si iba a poder controlarse.

–Cliff... date prisa.

Había temido que se echara atrás en el último momento. Soltó una exclamación victoriosa, la alzó en brazos, y la llevó hacia la cama. Cuando ella le rodeó el cuello con los brazos y empezó a salpicarle de besos el cuello, la mandíbula, y el rostro, se echó a reír, lleno de felicidad. No había nada más importante que poseer a aquella mujer, a su mujer, y darle todo el placer del mundo.

La tumbó en la cama, y los botones que formaban el cierre trasero del vestido salieron volando por todas partes cuando los arrancó de un fuerte tirón.

Amanda sonrió sin aliento y le abrió la camisa de la misma manera, con lo que más botones se desperdigaron por la alfombra. Al ver su musculoso pecho desnudo inhaló con fuerza, y lo acarició con manos temblorosas.

Cliff acabó de quitarse la camisa, y cuando ella soltó una exclamación ahogada y contempló con avidez su pecho y sus brazos, él se echó a reír y se las ingenió para quitarle el vestido. La risa se desvaneció, y dio paso a una tensión sexual casi tangible. Rodaron por la cama en una vorágine de almohadas, sábanas, y ropa interior.

La besó de nuevo mientras intentaba quitarle la camisola y el corsé, y luchó por controlar el deseo de restregarse entre sus muslos. Se dio cuenta de que iba a quedar en evidencia, porque su autocontrol se había esfumado.

Ella le desabrochó el cinturón, y lo miró a los ojos mientras intentaba abrirle los pantalones. Cliff no pudo evitar sonreír, porque su miembro iba endureciéndose cada vez más bajo sus manos, y le dijo:

–Cariño, estoy intentando ser un caballero...

–¡No te molestes! –exclamó, antes de liberar por fin su erección.

Se quedó inmóvil encima de ella, pero como Amanda empezó a acariciarlo, acabó rindiéndose. Soltó un grito de placer al arquearse hacia ella, aunque milagrosamente logró mantener algo de control. La rodeó con los brazos, la abrió de piernas, y restregó su miembro contra su sexo húmedo y cálido.

–Cliff, no puedo esperar –jadeó, mientras se retorcía contra él y le mordisqueaba la mandíbula.

–No quiero hacerte daño... quiero darte placer... –consiguió decir con voz ronca, mientras empezaba a penetrarla.

–¡Oh! –abrió los ojos como platos, y lo miró sobresaltada.

Cliff se había quedado inmóvil, porque el intenso inicio de su unión lo había sorprendido tanto como a ella.

–Agárrate a mí, cariño... amor mío... –susurró, antes de ir hundiéndose poco a poco en su interior.

Cuando por fin atravesó la barrera de su virginidad, no pudo contener un grito de alegría descarnada. Amanda se estremeció y empezó a llorar, pero sus lágrimas no eran de dolor, sino de placer. Al sentir los espasmos que empezaron a sacudirla, Cliff enloqueció y la penetró una y otra vez con embestidas duras y rápidas mientras sentía que el clímax se aproximaba. Cuando oyó que ella gritaba su nombre, se rindió y lo golpeó de lleno la explosión de placer más intensa y salvaje que había experimentado en toda su vida.

Cuando el placer fue desvaneciéndose, Amanda siguió abrazándolo. Lo amaba más que nunca, pero no se atrevía a pensar más allá de las emociones que le llenaban el corazón y el alma. Deslizó la mano por su espalda musculosa, y se sintió maravillada al sentir tanto poder bajo sus dedos. Al notar que su miembro se movía en su interior, esbozó una sonrisa.

Cliff alzó la cabeza para mirarla, y le devolvió la sonrisa.

–¿Te he complacido, Amanda?

Cerró los ojos, y lo besó. Iba a ser un beso breve, pero pareció cobrar vida propia. Cuando los dos estuvieron jadeantes y excitados de nuevo, consiguió abrir los ojos y le dijo con coquetería:

–Estoy muy complacida.

Se retorció seductora contra él, y saboreó la sensación de tener aquella enorme erección en su interior.

–Sólo ha sido un aperitivo, querida. Se pueden saborear varios platos antes del principal.

–¿En serio?

Amanda jadeó, y se le llenaron los ojos de lágrimas al sentir que iba sacando su miembro poco a poco. Cuando la penetró de nuevo con la misma lentitud, creyó que iba a desmayarse, pero se sintió consternada cuando él salió del todo de su cuerpo y se apartó un poco.

–El primer plato, cariño –le dijo él, antes de inclinarse hacia su entrepierna.

Empezó a trazar su sexo con la lengua, y cuando succionó y chupó su clítoris, Amanda gritó de placer.

Cuando se recuperó un poco, se dio cuenta de que él la había penetrado de nuevo y estaba moviéndose rítmicamente en su interior. Tenía la mirada fija en ella, y el rostro tenso de deseo.

Le acarició la mejilla, y alcanzó a decirle:

–Quiero otro plato.

–Sí –le dijo él.

Salió de su interior y se inclinó de nuevo hacia ella, dispuesto a darle placer igual que antes, pero Amanda lo agarró de la muñeca y consiguió lanzarle una mirada más que elocuente.

–No, Cliff... quiero saborear otro tipo de plato, uno muy grande.

Él se quedó inmóvil.

Amanda tenía el corazón tan acelerado, que temió estar a punto de desmayarse. Lo empujó para que se tumbara de espaldas, y él obedeció sin rechistar. Su erección era imponente. Se inclinó hacia él, y lo saboreó a placer.

Cliff gritó extasiado.

Amanda estaba sentada en su secreter. Tenía puesto el camisón, y estaba leyendo bajo la luz de una vela la carta que acababa de redactar. Cliff estaba durmiendo a pierna suelta en la cama. Hacía mucho que había anochecido, y habían hecho el amor durante todo el día.

Había visto su firma muchas veces, así que había podido falsificarla sin problemas. Dobló las instrucciones que ella misma había escrito, secó una lágrima que había caído sobre el papel, y después lo metió en un sobre que selló. El corazón se le rompió por enésima vez.

Aquella mañana la había tomado por sorpresa. Si hubiera

tenido tiempo de reflexionar sobre las consecuencias que podía tener hacer el amor con él, quizás le habría rechazado, pero estar en sus brazos lo era todo para ella. Una mujer más inteligente habría evitado aquella situación... no porque no lo amara, sino porque él no sentía lo mismo.

Estaba convencida de que en cuanto despertara se sentiría obligado a proponerle matrimonio, por una cuestión de honor.

No había cambiado nada, seguía enamorada de un hombre que no correspondía sus sentimientos. Se preguntó lo que sentiría si se casaba con él y se enteraba de que tenía una aventura, o aún peor, si un día lo veía con otra mujer. Ya era hora de que se convirtiera en una mujer independiente.

La tentación de quedarse con él, aunque sólo fuera por un tiempo, era enorme. Ser su amante sería maravilloso, pero él insistiría en que se casaran, y no estaba dispuesta a aceptar un matrimonio bajo aquellos términos. Saber que todo acabaría tarde o temprano sería como una espada de Damocles que echaría a perder todos los momentos compartidos; además, no sabía si sería capaz de marcharse si se quedaba junto a él como amante.

Se puso de pie, y dio un respingo cuando una de las tablas del suelo crujió un poco. Se acercó al armario con la carta en la mano, y después de ponerse una bata, fue hacia la puerta y la abrió con sigilo.

–¿Qué haces, Amanda?

Se obligó a sonreír mientras se volvía a mirarlo, pero se quedó sin aliento al verlo sentado desnudo en la cama. Por un momento, se le olvidó lo que estaba haciendo, pero de repente recordó la carta que tenía en el bolsillo de la bata.

–Iba a pedirle a alguna doncella un poco de vino, y algo para comer.

En realidad, pensaba encargarse de que alguien llevara la carta al puerto. Si MacIver se creía las instrucciones que estaba a punto de recibir, al día siguiente la llevaría de vuelta a casa. Como había visto a Cliff escribiendo instrucciones para sus empleados en muchas ocasiones, estaba casi convencida de que MacIver seguiría las órdenes sin sospechar nada.

Se le rompió el corazón. Al día siguiente estaría navegando, y no podía ni pensar en lo dolido y furioso que estaría Cliff; en todo caso, tarde o temprano encontraría a otra amante. La mera idea fue como una puñalada en el pecho.

Al verlo bostezando y estirándose, le dio un vuelco el corazón y sintió una oleada de deseo.

–Buena idea. Pide champán, y vuelve a la cama cuanto antes –le dijo él, con una sonrisa seductora.

Nunca dejaría de amar a aquel hombre. Sintió una tristeza avasalladora, porque estaba segura de que él no tardaría en perder el afecto que le tenía, y con el tiempo la olvidaría por completo.

–Ahora vuelvo –le dijo con una sonrisa forzada, antes de salir de la habitación.

–Date prisa.

Mientras iba en busca de una doncella, Amanda no pudo dejar de pensar en lo furioso que iba a ponerse cuando se enterara de que lo había traicionado.

CAPÍTULO 21

Amanda estaba en un carruaje de alquiler delante de Belford House, con varias bolsas pequeñas de viaje a los pies. Le resultaba difícil pensar, y aún más bajar del vehículo. Había decidido ir a hablar con su madre por última vez antes de marcharse de Londres. Estaba consumida por la angustia, porque no se había despedido de Cliff, pero le habría resultado demasiado difícil después de la noche que habían compartido. Era obvio que era una cobarde.

Cerró los ojos con fuerza para contener las lágrimas, aunque tenía ganas de llorar por los dos. Aquella mañana, se había despedido de ella de muy buen humor, le había dicho que la vería antes de la cena sin saber que para entonces ella ya estaría en mar abierto. Lo había visto marcharse desde la ventana con el corazón destrozado, mientras deseaba con todas sus fuerzas llamarlo para que regresara. Había tenido que recordarse a sí misma una y otra vez que los caminos de ambos volverían a cruzarse tarde o temprano en la isla, pero sabía que eso no iba a suponer ninguna diferencia. No pensaba ser su amante ni aunque él quisiera, porque no resolvería nada, y no pensaba aceptarlo como esposo sólo porque él se sintiera obligado a proponerle matrimonio. Respiró hondo, se secó los ojos, y bajó del carruaje.

El cochero escupió una bola de tabaco al suelo.

Amanda se acercó a la casa, llamó a la puerta, e intentó hacer acopio de toda su compostura; poco después, estaba en el vestíbulo, preparándose para aquel último encuentro con su madre. Le resultaba muy extraño pensar en la palabra «madre» sin sentir ningún afecto, pero lo que no podía obviar era que Dulcea Belford era su madre biológica, y que tenía dos hijos que eran sus hermanastros. Quería hablar con ella una última vez antes de marcharse de Londres para siempre.

Dulcea llegó al vestíbulo a toda prisa, y muy sonriente.

–¡Amanda! Has cambiado de opinión, ¿verdad? Me alegro de que hayas venido –se detuvo, y se mostró sorprendida–. ¿Dónde están tus cosas?, ¿no has venido a quedarte a vivir conmigo?

–No, he venido a despedirme. Ya te dije que voy a regresar a casa –Amanda se dio cuenta de que en parte tenía la esperanza de que aquella mujer le diera alguna pequeña muestra de afecto, a pesar de la conversación anterior que habían tenido.

–¡No puedo creerlo! ¿Vas a renunciar a la vida que tienes aquí, en la ciudad, para irte a vivir a una isla infestada de piratas?

–Ya te dije que pienso abrir una tienda. Seguiré siendo una dama, y con el tiempo seré una comerciante con un barco propio.

–¡Estás loca, y eres una desagradecida! Te he ofrecido un hogar de verdad, pero decides irte en busca de aventuras. Eres igual que tu padre.

–No me has ofrecido nada –le dijo, muy tensa–. Lo único que quería de ti era algo de afecto sincero, pero en tus ojos sólo he visto codicia y maquinaciones. He venido con la esperanza de que tu actitud en el baile hubiera sido un error, pero no lo fue, ¿verdad?

–Estoy enfadada contigo porque estás echando a perder tu futuro. Si ves maquinaciones en mis ojos, es porque quiero lo mejor para ti. Eres... –se detuvo en seco, y bajó la voz–. Eres mi hija a pesar del pasado, y quiero que tengas un futuro brillante.

Amanda no creyó ni una sola de sus palabras.

–¿Por qué te importo tan poco?, ¿quién de las dos tiene la culpa?

–Claro que me importas, te lo dije en el baile.

–Lo que te importa es el dinero que pueda aportarte. A pesar de que ahora soy una dama, sigo sin merecerme tu afecto. ¿Es porque soy ilegítima?, ¿acaso tengo que pagar por tus pecados? A lo mejor lo que ves al mirarme es la hija de un pirata. He hecho todo lo que he podido por cambiar, pero no basta, ¿verdad?

–No, no basta, pero yo podría ayudarte a convertirte en una gran dama de verdad. Sigo decidida a lograr que te cases con de Warenne, llegarás a ser una de las reinas de la alta sociedad.

–Y tú reinarás a mi lado, mientras las dos vivimos rodeadas de lujos gracias a la fortuna de Cliff, ¿verdad? –Amanda se sintió asqueada.

–¿Por qué no? –le dijo su madre con entusiasmo.

En aquel momento, Amanda sintió que perdía el sueño de la madre idealizada que su padre le había inculcado; la pérdida, sumada a la angustia que sentía porque iba a alejarse de Cliff, le resultó insoportable. Se quitó con manos temblorosas los pendientes de perlas que Cliff le había regalado, y se los dio a Dulcea. Jamás renunciaría al collar, que era el primer regalo que él le había dado.

–Ten, véndelos. A lo mejor te ayuda en algo. En cuanto obtenga mis primeros beneficios, te enviaré algo, todo lo que pueda. Con un poco de suerte, servirá para que tus hijos y tú salgáis adelante –apenas podía creerse lo que estaba ofreciéndole, pero estaba siendo sincera. Dulcea Belford no se preocupaba ni lo más mínimo por ella, pero era su madre, y tenía problemas; además, sus dos hijos eran su hermanastro y su hermanastra.

–¿Cómo puedes hacer algo así? ¡Estoy ofreciéndotelo todo, Amanda!

No estaba ofreciéndole nada.

–Adiós... madre –sin más, se fue de allí.

Cliff no había dejado de sonreír desde que había dejado a Amanda en la cama, y como la tarde ya estaba bastante avanzada, empezaba a dolerle un poco el rostro. Pero por fin entendía realmente lo que era el amor... era un cúmulo enorme de alegría y felicidad. Le costaba creer que en el pasado se hubiera creído inmune a aquella emoción, y que hubiera afirmado que se trataba de una dolencia.

En cuanto entró en Harmon House, su mirada se desvió hacia la escalera. Tenía en el bolsillo de la chaqueta el anillo de compromiso que había comprado. Había ensayado un montón de proposiciones diferentes, pero todas ellas le parecían deficientes y absurdas. Quería expresar con claridad lo profundos que eran sus sentimientos, por si no se lo había dejado suficientemente claro a Amanda la noche anterior.

Seguía deseándola con toda su alma. La noche anterior habían hecho el amor de cien formas distintas, y estaba deseando poseerla de nuevo. Esperaba que ella hubiera entendido lo que estaba expresando cuando la besaba, la acariciaba y la abrazaba. Era posible que le costara un poco expresar su amor con palabras, pero después de lo de la noche anterior, Amanda debía de saber lo mucho que la amaba.

Estaba a punto de subir las escaleras a la carrera, pero vaciló a ver que su padre entraba en el vestíbulo y lo miraba con una expresión inescrutable. Se tensó de inmediato, y se sintió como si tuviera catorce años en vez de veintiocho. Soltó la barandilla, y se volvió hacia él.

–Antes de que empieces a regañarme, deberías saber que mis intenciones son honorables –se sacó del bolsillo la cajita azul de terciopelo, y la abrió. El diamante de ocho quilates brilló bajo la luz.

El conde sonrió, y le dijo:

–Estaba convencido de que pensabas casarte con ella, Cliff. Me lo dejaste claro el día de mi llegada, creo recordar que dijiste que te casarías con ella si la deshonrabas.

–Cuando hablamos del tema, no creía que llegaría a suceder.

El conde enarcó una ceja, como si no le creyera, y comentó:

–Es un anillo precioso, y quedará perfecto en Amanda. Felicidades –le dio una palmadita en el hombro–. Me alegro mucho por los dos.

Cliff se relajó por fin, y le preguntó:

–¿No vas a regañarme por ser tan impaciente?

–No. Los de Warenne somos hombres viriles, y no hay quien nos pare cuando nos enamoramos.

Al ver su mirada perdida, Cliff supo que estaba pensando en su esposa.

–¿Puedo decir una cosa? –añadió el conde, cuando regresó al presente.

Cliff estaba cada vez más impaciente, y se había vuelto ya hacia las escaleras. Miró de nuevo a su padre, y le dijo:

–Por supuesto.

–Estoy muy orgulloso de ti. Si he sido más duro contigo y menos tolerante con tu comportamiento, no es porque te quisiera menos que a Tyrell o a Rex, y tampoco porque a causa de tu temeridad mi esposa y yo pasáramos muchas noches en vela. El hecho es que era plenamente consciente de que eres mi hijo menor.

Las palabras de su padre habían conseguido centrar su atención. Cliff lo miró desconcertado, ya que no sabía adónde quería llegar a parar con aquello. Aunque era cierto que de niño le habían tratado de forma diferente a sus hermanos, la dureza de su padre estaba justificada, porque había sido un diablillo.

–No te entiendo.

–He sido más duro contigo porque, como eras mi hijo

menor, necesitabas tener más carácter, más fuerza, y más ambición para sobrevivir en este mundo. Teniendo en cuenta el hombre que tengo ante mí, me parece que acerté con la estrategia.

Cliff se sonrojó con orgullo, ya que su padre solía ser parco en elogios.

–Sé que muchas veces tuviste que contener las ganas de azotarme. Soy padre, y Alexi es muy travieso. Entiendo por qué tuviste que ser más duro conmigo que con mis hermanos.

–Has construido un reino a partir del agua y la arena, y es obvio que tu sentido del honor es tan fuerte como el de tus hermanos. Se ve a las claras no sólo en la forma en que tratas a tus hijos, sino en el hecho de que rescataras a una damisela en peligro y la tomaras bajo tu tutela. Estoy muy satisfecho con el hombre en que te has convertido.

–Gracias, papá –le dijo Cliff, sonriente.

El conde le devolvió la sonrisa.

–Venga, tu damisela te espera.

Cliff sintió que se le aceleraba el corazón.

–Sí, es cierto. Hay algo que tengo que hacer, espero no quedar como un tonto.

–Amanda nunca pensará que eres tonto, hijo. Le brillan los ojos cuando te mira.

Cliff se volvió hacia la escalera, pero en ese momento se le acercó un criado con un sobre.

–Capitán...

–Tengo prisa –le dijo con impaciencia.

–Señor, la señorita Carre me ordenó que os entregara esto a las cuatro en punto.

Cliff lo miró sorprendido, y empezó a tener un mal presentimiento.

–¿Dónde está la señorita Carre? –tomó el sobre, y se dio cuenta de que estaba dirigido a él en el puño y letra de Amanda. Empezó a formársele un nudo en el estómago.

–Se marchó poco después del mediodía –le dijo el criado.

Cliff abrió el sobre sin contemplaciones, y sacó la carta que había dentro.

Querido Cliff,

Para cuando recibas esta carta, estaré navegando de camino a casa. Espero que entiendas que tengo que regresar a las islas, y que me dejes marchar. Estoy en deuda contigo, y no tengo palabras para expresar lo mucho que te agradezco todo lo que has hecho. No te olvidaré jamás, y echaré mucho de menos nuestra amistad y a tus hijos, y también a tu maravillosa familia. Pero debo buscar mi propio camino en el mundo, rezo para que lo entiendas.

Si te parece bien, me gustaría poder ir a visitarte cuando regreses a Windsong, porque espero que podamos conservar nuestra amistad. Hasta entonces, me despido deseándote lo mejor, y también a tus hijos y a tu familia.

Afectuosamente, Amanda.

Cliff se quedó mirando la carta mientras intentaba asimilar lo que acababa de leer.

–¿Qué pasa, Cliff? –le preguntó su padre con preocupación.

Volvió a leer la carta palabra a palabra, y cuando terminó, sólo era consciente de que Amanda lo había abandonado. Alzó la mirada a duras penas.

–¿Se trata de Amanda? –el conde posó una mano en su hombro.

Lo había abandonado. Se había ido a pesar de que habían hecho el amor durante todo el día y toda la noche, a pesar de que él le había demostrado con su cuerpo lo que era incapaz de expresar con palabras. Por fin estaba profundamente, irrevocablemente enamorado, y la mujer a la que adoraba le había rechazado.

Ella le hablaba de amistad y afecto en la carta, mientras él llevaba un anillo de compromiso en el bolsillo.

–¿Me dejas que la lea?

Le dio la carta a su padre, mientras luchaba por entender lo que estaba pasando.

¿Amanda quería que fueran amigos?

Empezó a temblar de pies a cabeza. Era la mujer a la que amaba, la mujer con la que iba a casarse... ¿y estaba navegando sin él por el océano Atlántico?

Lo asaltaron imágenes sangrientas y terribles de piratas abordando barcos mercantes. Fue hacia la puerta con paso decidido. No acababa de entender lo que Amanda pensaba o deseaba, pero en ese momento, le daba igual. Lo único que tenía claro era que sólo iba a ir a las Indias Occidentales si él la acompañaba. No iba a permitir que corriera peligro.

¿Acaso había dejado de amarlo?

–¡Cliff, no te tomes lo que pone aquí de forma literal! –exclamó el conde.

Él ni siquiera le oyó, porque empezaba a asimilar la realidad.

–Consígueme ahora mismo un carruaje, un caballo, lo que sea –le espetó a uno de los criados.

Mientras se paseaba de un lado a otro y esperaba con impaciencia en los escalones de la entrada, su incredulidad fue en aumento. Multitud de mujeres habrían dado lo que fuera con tal de que las mirara siquiera, pero Amanda lo había abandonado.

¿Cómo había sido capaz de hacer algo así?

Sintió una punzada de dolor tan desgarradora, que se detuvo de golpe. Le habían herido con espadas y cuchillos, había recibido balazos, pero nunca había sentido un dolor tan grande, un dolor que iba más allá de lo físico.

¿No estaba enamorada de él semanas atrás, cuando se había ido a Holanda?

Empezó a enfurecerse, y masculló una imprecación. *¿Amistad?*, ¿acaso se había vuelto loca? No quería una amiga, sino una esposa... quería que lo amara.

–Señor –un criado se acercó corriendo por el camino de entrada con un caballo.

Cliff agarró las riendas y montó de inmediato. Si no había zarpado ya, podría detenerla sin problemas. Mientras galopaba por la calle y estaba a punto de provocar la colisión de dos carruajes, empezó a darse cuenta de que era poco probable que Amanda se hubiera marchado ya. Él iba a los muelles y a las oficinas de embarque a diario para encargarse de sus negocios, y estaba casi seguro de que no estaba previsto que ninguna embarcación zarpara ese día hacia las islas, aunque dos barcos habían zarpado el día anterior. Hizo que su caballo acelerara el paso aún más, y maldijo para sus adentros cuando se desviaron hacia el bordillo.

No estaba seguro al cien por cien del calendario de salidas, y era consciente de que aquella tarde a partir de las tres la marea había sido favorable para que los barcos pudieran zarpar.

Masculló una imprecación. Si Amanda se había ido ya, la perseguiría a bordo del Fair Lady. Su exasperante mujer no iba a salirse con la suya, aquello no iba a acabar así; de hecho, no iba a acabar, y punto.

Era un de Warenne. Amanda le pertenecía, le pertenecería siempre, así que iba a perseguirla hasta que la encontrara y volvería a conquistarla. Lo había amado una vez, y estaba decidido a conseguir que volviera a hacerlo.

Sin embargo, cuando llegó a los muelles se dio cuenta de que pasaba algo raro, y estaba a medio camino de las oficinas de embarque que usaba su compañía cuando se dio cuenta de qué se trataba. Hizo que el caballo se detuviera, se volvió de golpe, y miró con incredulidad el amarradero donde debería estar el Fair Lady, donde estaba anclado el día y la noche anteriores.

Permaneció inmóvil durante un instante, mientras el corazón le latía acelerado y la sangre empezaba a hervirle en las venas.

El mundo entero se detuvo a su alrededor, y lo envolvió

la calma que solía preceder a una batalla. Cuando habló, lo hizo en voz tan baja, que nadie lo oyó.

–¿Dónde demonios está mi barco?

Diez días después, Amanda estaba sentada en el escritorio del camarote de Cliff, leyendo un libro fascinante sobre la vida de Alejandro Magno. Estaba decidida a no ceder ante el dolor ni los remordimientos, y la única forma de hacerlo era distrayéndose leyendo. Por primera vez en su vida, evitaba subir a cubierta. Cada vez que veía a Mac o a algún otro oficial en el alcázar, se acordaba de Cliff, y recordaba con claridad todos y cada uno de los momentos que habían compartido al timón, bajo las estrellas... eran algunos de los momentos más felices de toda su vida. Si se permitía pensar en eso, no podría evitar recordar también la temporada que había pasado en Harmon House, las cenas familiares en las que Cliff la contemplaba con deseo desde el otro extremo de la mesa, la tarde en que habían bailado el vals, y la noche agridulce del baile de los Carrington. No podía evitar revivir una y otra vez el último día que habían pasado juntos, la pasión y la ternura con la que habían hecho el amor.

Cuando el dolor conseguía abrirse paso hasta la superficie, era como una ola que no podía detener, así que era mejor no pensar ni dormir. Por eso había leído unos doce libros a lo largo de aquellos diez días.

Como le dolían los ojos y la espalda, se detuvo por un segundo, pero de inmediato apareció en su mente la sonrisa de Cliff, su rostro sonriente y sus brillantes ojos azules llenos de calidez. Inhaló con fuerza, se puso de pie de golpe, y empezó a pasearse de un lado a otro mientras intentaba pensar en otra cosa. Lo único que consiguió fue imaginárselo mirándola con deseo, y sintió frío y calor a la vez. En cuanto pensaba en él, no podía evitar desearlo con desesperación, y la angustia que sentía por haberlo perdido era abrumadora.

Se preguntaba una y otra vez cómo había reaccionado, lo que había pensado y sentido al darse cuenta de que ella se había marchado. Sin duda se había puesto furioso al descubrir que se había llevado el Fair Lady, pero seguro que también se había sentido herido, porque a pesar de todo, habían sido buenos amigos. Lo había traicionado al marcharse, y también al llevarse su fragata después de todo lo que había hecho por ella. Sabía que él vería así la situación, en blanco y negro, sin pararse a pensar en los tonos intermedios de gris.

Se preguntó si seguiría considerándola una amiga. Sabía que sería incapaz de contener las ganas de ir a visitarlo a Windsong, pero se quedaría destrozada si él se negaba a recibirla. Quizás sería lo mejor que podría suceder, pero era incapaz de imaginarse una vida en la que Cliff no estuviera presente de una u otra forma.

Al oír que llamaban a la puerta, fue a abrir de inmediato.

–El capitán desea hablar con vos, señorita Carre –le dijo un marinero.

Amanda tragó con dificultad al imaginarse a Cliff al timón, vestido con su camisa de lino, el chaleco árabe, los pantalones blancos, y las botas altas; sin embargo, cuando salió a cubierta, era Mac quien la esperaba. El hombre no había puesto en duda la carta que ella había falsificado, aunque había comentado que era extraño recibir instrucciones escritas cuando su capitán estaba en tierra. Cuando ella se había apresurado a alegar que Cliff estaba atareado con sus hijos, Mac había aceptado la explicación sin más y habían zarpado poco después de las tres de la tarde.

Al verla acercarse al alcázar, Mac le entregó el timón al guardiamarina Clark y bajó a recibirla con expresión tensa.

–Buenas tardes, señorita Carre.

–Buenas tardes –inhaló el aire fresco, pero ni el aroma del mar logró animarla–. ¿Qué sucede?

–Nos están dando caza.

Amanda se tensó de inmediato, ya que conocía a la perfección la terminología que usaban los marineros. Mac podría haber dicho que estaban persiguiéndolos, pero las connotaciones no habrían sido las mismas.

–¿De quién se trata? –le preguntó, mientras sentía que se le aceleraba el corazón.

–No lo sé. Los han divisado al amanecer, pero al mediodía ha quedado claro que se trata de una cacería. Sea quien sea, es rápido y está ganándonos terreno con facilidad. Calculo que nos habrá alcanzado en una hora a lo sumo.

Amanda estaba convencida de que se trataba de Cliff, y sintió una oleada de emoción que no tardó en dar paso a una profunda inquietud. Si era él, seguro que a aquellas alturas la detestaba. Al mirar hacia atrás pudo notar su presencia y su poder, a pesar de que el barco que los seguía aún estaba a bastante distancia. Cliff estaba dando caza a su propio barco... aunque si estaba hecho una furia, era posible que fuera ella la presa que tenía en mente. No, eso era imposible, porque de ser así, querría decir que la amistad que los unía había terminado.

–Ningún pirata se atrevería a atacarnos, a menos que esté loco o que le hayan pagado por hacerlo. Parece una goleta. Le he echado un buen vistazo con el catalejo, y he contado unos quince cañones. No podemos ganar en velocidad a una embarcación tan ligera, pero podemos destrozarla con facilidad.

–Me parece que sé de quién se trata –susurró Amanda. A pesar del tupido vestido que llevaba, estaba temblando. Fijó la mirada en el horizonte, y su miedo se acrecentó cuando le pareció sentir de forma tangible la furia de Cliff.

–¿En serio? –Mac la miró sorprendido.

Hizo acopio de valor, y le dijo:

–Falsifiqué las órdenes del capitán, no os ordenó que me llevarais a casa. Fui yo quien escribió la carta, y falsifiqué su firma –se humedeció los labios mientras Mac la miraba con incredulidad–. Cliff no tenía ni idea de lo que pensaba hacer.

–¡Que Dios se apiade de nosotros! Va a pasarme por la quilla... ¡tenéis suerte de ser una mujer!

Amanda volvió a humedecerse los labios. Tenía miedo de verdad, porque había mucho en juego. ¿Había destruido los lazos de afecto que la unían a Cliff?

–¡Dios bendito! –Mac empalideció al acabar de asimilar la situación–. Claro que está dándonos caza, ¡le robasteis el barco! –sus mejillas se tiñeron de rojo de golpe–. ¡Le robasteis su mejor embarcación!

Amanda no apartó la mirada de la goleta, que estaba cada vez más cerca. Mac había calculado mal, en cuestión de media hora Cliff estaría abordando el Fair Lady y estarían cara a cara.

–Lo tomé prestado.

–No creo que él piense lo mismo –Mac se volvió, y ordenó que se bajara el sobrejuanete.

Amanda se dio cuenta de que, desde el punto de vista del capitán de una embarcación, había cruzado una fina línea. Quizás había cometido un error irreparable. Su miedo se intensificó, ya que su padre habría matado a cualquiera, ya fuera hombre o mujer, que se hubiera atrevido a hacer algo así. Cliff nunca le pondría la mano encima, pero seguro que estaría tan enfurecido como cualquier otro comandante en su lugar.

Dios, ¿había destruido el vínculo que los unía?

–Será mejor que esperéis bajo cubierta –le dijo Mac con brusquedad, antes de dar más órdenes a sus hombres–. Hacedle señas a la goleta. Cuando sepamos con certeza que se trata del capitán, le daremos permiso para que suba a bordo –la fulminó con la mirada, y subió al alcázar.

Amanda fue a toda prisa al camarote de Cliff. Tenía la respiración agitada, y estaba temblorosa. Estuvo a punto de cerrar la puerta con llave, pero se dio cuenta de que sería un gesto inútil. Cliff había ido en busca de su barco, y ella no pensaba intentar eludir su responsabilidad. Empezó a sudar, y se dio cuenta de que no quería defenderse ni intentar explicarse; lo único que deseaba era abrazarlo, y que todo volviera a ser como antes.

Pero había llegado demasiado lejos, y tenía que mantenerse firme. No podía ser la amante de Cliff, y tampoco quería casarse con él porque se sintiera obligado. Soltó una risita histérica. Cliff no estaría pensando en obligaciones, sino en castigarla y en recuperar su barco.

Oyó el golpeteo de las velas contra los mástiles, y el sonido de las olas contra el casco. La velocidad de la fragata se había reducido a un par de nudos. Se dijo que tenía que capear la tormenta que se avecinaba y reparar la amistad que la unía a Cliff, pero sabía que lo que estaba por llegar era un verdadero huracán.

Pasara lo que pasase, jamás dejaría de amarlo.

Al oír que los garfios de metal se enganchaban en la madera del barco, se mordió el labio. Tenía la ropa interior empapada de sudor. Se secó la cara, y se dijo que tenía que salvar su amistad con Cliff por muy furioso que estuviera.

Oyó que una barca golpeaba contra el casco de la embarcación, y que los hombres lanzaban una escalerilla de cuerda.

Corrió hacia una de las portillas, y la abrió de par en par. Necesitaba más aire.

Cuando la puerta del camarote se abrió con tanta fuerza que se salió de los goznes, gritó sobresaltada. Respiró hondo al ver a Cliff, que a pesar de estar tenso y claramente furioso, mantenía un control férreo. Quería decirle lo mucho que sentía lo que había hecho, pero se había quedado enmudecida.

Él la miró con un brillo salvaje en los ojos, y le dijo con firmeza:

–Hay dos cosas que quiero decirte, Amanda.

Ella asintió, y sintió que el alma se le caía a los pies. Estaba convencida de que la odiaba.

–Vas a volver a casa conmigo, y vamos a casarnos –sin añadir nada más, salió del camarote hecho una furia.

CAPÍTULO 22

Amanda corrió tras él, mientras intentaba asimilar lo sucedido. ¿Quería casarse con ella a pesar de todo? Tendría que haber sabido que su sentido del honor tendría más peso que la furia que sentía por su traición.

–Traedme una botella de whisky –dijo él, mientras iba hacia el alcázar.

Uno de los oficiales se apresuró a obedecer.

Amanda se detuvo en la cubierta principal, justo delante de los escalones que conducían al alcázar. No podía soportar verlo tan enfadado con ella, y no sabía qué hacer respecto a su afirmación de que iban a casarse. No quería enfrentarse a él, y sabía que de todas formas no iba a salir vencedora si estaba completamente decidido.

Y era obvio que lo estaba.

–¡Señor! –Mac había empalidecido.

Cliff le sonrió con frialdad, y le dijo:

–Explícame ahora mismo tu participación en los jueguecitos de la señorita Carre.

–Recibí una carta vuestra con órdenes, señor. Tenía vuestra firma. Está en mi camarote, iré a buscarla ahora mismo.

Cliff permaneció en silencio durante unos largos segundos con una expresión dura e implacable, pero Amanda se dio cuenta de que bajo toda aquella furia había dolor. Hizo acopio de valor, y le dijo:

–Falsifiqué las órdenes, y tu firma.

Él le lanzó una mirada tan gélida, que Amanda pensó que se había equivocado al pensar que lo había herido. Estaba furioso, seguro que la despreciaba.

–Eres muy lista, de eso no hay duda –se volvió hacia Mac, y le dijo–: Tráeme la carta cuando acabes la guardia.

Cuando el oficial que había ido a por el whisky se acercó, Cliff no se molestó en perder el tiempo con el vaso que le ofreció y bebió un largo trago directamente de la botella. Amanda lo miró temblorosa, y se dio cuenta de que estaba abrazándose a sí misma. Tendría que estar aterrada ante un hombre como él en aquel estado. Si la odiaba tanto como ella creía, ¿cómo era posible que estuviera decidido a casarse con ella?

«Porque es noble y un buen hombre», se dijo con tristeza.

Él tomó otro trago, y la tensión que le atenazaba los hombros pareció disminuir un poco. Se volvió a mirarla lentamente. No parecía tan controlado como antes, pero tampoco tan beligerante.

Cuando le indicó con un gesto de la cabeza que fuera a su camarote, Amanda alcanzó a vislumbrar el dolor que se reflejaba en su mirada, y en ese momento se dio cuenta de que su furia era pura fachada. No soportaba saber que le había herido, pero no había tenido más remedio que marcharse, ¿no?

Cruzó la cubierta con la frente en alto y el corazón acelerado, mientras intentaba mantener la compostura. Oyó que bajaba de un salto del alcázar y que iba tras ella. Al llegar al camarote, se colocó de espaldas a los pies de la cama, aunque no esperaba un ataque desde atrás. El ataque de Cliff iba a ser directo y brutal, de eso no tenía ninguna duda.

Él se detuvo en el centro del camarote. No pudo cerrar la puerta, que seguía fuera de sus goznes.

–Me abandonaste –le dijo con voz suave, sin apartar la mirada de ella.

–Lo siento. Lamento haber tomado prestada tu embarcación, y...

–Me abandonaste después de la noche que pasamos juntos.

Amanda intentó no pensar en lo que habían compartido; mientras hacían el amor, había estado a punto de creer que la amaba tanto como ella a él.

–Aquella mañana te dije lo que pensaba hacer. Lo que compartimos no cambió nada –al ver que se tensaba, se apresuró a añadir–: Fue maravilloso, pero hablaba muy en serio al decirte que tenía que regresar a casa. Sé que estás enfadado, que me comporté con cobardía y que no tendría que haber engañado a Mac, pero...

–¡El barco me da igual! Me alegro de que te llevaras mi fragata, porque así al menos sabía que estabas a salvo de los piratas. ¡Maldita sea...! ¡Te hice el amor, pero me abandonaste!

–Sabía que querrías casarte conmigo por razones equivocadas, y no podía aceptarlo. La noche que pasamos juntos sólo sirvió para convencerme aún más de que tenía que marcharme.

–¿Por razones equivocadas? ¿Nuestra pasión te convenció de que tenías que marcharte?

–¡No lo entiendes! No quería hacerte daño, pero sabía que querrías casarte conmigo después de tomar mi virginidad. No quiero que te cases conmigo por obligación.

Él se acercó un poco más, y la observó con una mirada penetrante.

–¿Crees que conoces mis razones, Amanda?

–Sí –alzó la barbilla, aunque no pudo contener las lágrimas–. Eres el hombre más noble que he conocido en mi vida. Sé que mi carta no alcanzaba a reflejar la profundidad de mis sentimientos, pero después de todo lo que tu familia y tú habéis hecho por mí, supongo que puedes llegar a entender lo difícil que me resultó marcharme.

–La profundidad de tus sentimientos... ¿te refieres a la

amistad que quieres que sigamos teniendo, y al afecto que me tienes? –le dijo con ironía, mientras se acercaba aún más.

Cuando pareció cernirse sobre ella, Amanda tuvo ganas de retroceder, pero se negó a dejarse amilanar.

–No creía que quisieras mantener nuestra amistad, pero para mí es muy importante. Estoy dispuesta a suplicar tu perdón con tal de que sigamos siendo buenos amigos.

–¡No quiero ser un buen amigo tuyo! ¡Maldita sea, no me digas que lo que sentías era amistad cuando hicimos el amor!

–Eso no es justo –protestó con rigidez.

–Lo que no es justo es que me abandonaras.

–Es verdad, no fue justo que me fuera así después de todo lo que habías hecho por mí, pero estaba desesperada.

–Jamás creeré que estés deseando abrir una tienda; además, las únicas mujeres realmente independientes son las solteronas o las viudas, y tú no eres ninguna de las dos cosas.

–Tenía pensado llegar a ser lo primero.

–¡Y un cuerno!

–Sé que me desprecias...

–¿Cómo es posible que estés tan equivocada, tan ajena a la realidad? ¿Cómo demonios voy a despreciarte?, ¿crees que estaría aquí, pidiéndote que te cases conmigo, si te despreciara?

Amanda lo miró sobresaltada, y sintió que se le aceleraba el corazón.

–¿Por qué has venido a buscarme?

–Soy un de Warenne. Tal y como mi padre me dijo hace poco, no hay quien nos pare cuando se trata de amor.

Amanda se quedó boquiabierta, y creyó que había oído mal.

–¡No me creo que quieras tener una tienda! Tengo delante a una hermosa dama, pero estoy seguro de que La Sauvage sigue viva debajo de ese elegante vestido.

Amanda tuvo miedo de haberle malinterpretado por completo.

–Jamás renunciaré a la mujer en la que me he convertido, me gusta demasiado. Pero tienes razón, porque en el fondo, sigo prefiriendo estar en la cubierta de un barco sintiendo la caricia del viento que en un salón de baile. ¿Qué has querido decir con lo de «cuando se trata de amor»?

–Que tengo que saber la verdad. Maldita sea, ¿acaso no me la merezco? Tus palabras me han atormentado... dijiste que no querías estar bajo mi tutela. No te marchaste para abrir una tienda, sino para huir de mí. ¿Qué he hecho para que me odies tanto? –sus ojos se llenaron de angustia–. Creía que el lazo que nos unía era muy diferente.

–¡No te odio! –Amanda vaciló por un instante. No soportaba saber que le había herido y se arrepentía de la decisión que había tomado, pero lo peor de todo era que él no entendía por qué se había marchado. Tenía miedo de confesarle lo mucho que lo amaba, pero no tenía otra opción. Cliff se merecía saber toda la verdad–. Mis sentimientos no han cambiado, nunca cambiarán.

Cuando alzó la mano para acariciarle la mejilla, él se la agarró y la apretó con fuerza contra su pecho musculoso.

–En ese caso, no lo entiendo. ¿Cómo pudiste abandonarme?, ¿aún me amas? Porque yo te hice el amor, Amanda, y jamás se lo había hecho a ninguna otra mujer.

Amanda soltó una exclamación ahogada, y lo miró con incredulidad.

–Fue la experiencia más milagrosa de toda mi vida, junto con el momento en que comprendí la verdad al verte en el vestíbulo lista para el baile. Creo que te amo desde que eras una fierecilla que deambulaba por las playas de la isla, o quizás empecé a enamorarme de ti en King's House, cuando intentaste enfrentarte al gobernador –sus ojos brillaban con una emoción incontenible–. Intenté con todas mis fuerzas negar tanto la pasión que sentía por ti como los sentimientos que albergaba en mi corazón, ¡nunca antes me había enamorado! Varios miembros de mi familia me han dicho que soy un necio, y tengo que darles la razón. Hizo falta una separación de dieciocho días para que me diera cuenta de que jamás había echado tanto de menos a alguien. Cuando te vi en el vestíbulo, me di cuenta de que no estaba enfrentándome a la lujuria, sino al amor –respiró hondo, y esbozó una pequeña sonrisa que se desvaneció cuando añadió–: Mi proposición de matrimonio no tiene nada que ver con la nobleza ni las obligaciones. Tengo que saber ahora mismo si me amas, Amanda.

Ella estaba aturdida. Lo abrazó con fuerza, y se echó a llorar.

–Nunca he dejado de amarte, me resultaría imposible –alzó la mirada, y le preguntó–: ¿Estoy en un sueño?, ¿es verdad que me amas? ¿Cómo es posible?

Cliff sonrió, y le dijo:

–Bueno, si dejamos a un lado lo obvio, como tu belleza y tu valentía... –su sonrisa se esfumó, y se puso muy serio–. Te admiro como jamás he admirado a nadie en toda mi vida, pero eso no es todo. Cuando no estabas a mi lado, cuando me abandonaste, me sentí incompleto y perdido, confuso –vaciló antes de admitir–: Sentí miedo y pánico.

Amanda lo abrazó con fuerza, ya que sabía que aquel hombre seguramente no había tenido miedo de nada en su vida hasta entonces.

–Nunca quise tener una tienda –susurró contra su pecho–. No quería marcharme, y no quiero volver a alejarme de ti nunca más.

Él la abrazó lo más fuerte que pudo con cuidado de no aplastarla, y susurró:

–Gracias a Dios –hizo que alzara la cabeza para que lo mirara a los ojos, y añadió–: En una ocasión, me dijiste que lo que querías hacer era navegar conmigo.

Amanda sintió que el corazón le daba un brinco. Enmarcó su rostro entre las manos, y le dijo sin aliento:

–Eso sería un sueño hecho realidad.

Él sonrió de oreja a oreja, y la levantó en brazos.

–En ese caso, vamos a navegar, cariño –mientras la llevaba hasta la cama, le dijo–: Te he echado muchísimo de menos, y voy a demostrártelo.

Cuando la besó, Amanda pensó que su corazón no iba a poder contener las emociones que la embargaban, y que acabaría estallándole de felicidad.

–Me siento como Cenicienta –susurró, cuando él la tumbó en la cama.

Cliff la miró con una sonrisa tierna mientras se colocaba encima de ella, y comentó:

–No soy un príncipe.

–Cliff, eres el Príncipe Azul en persona, y me parece que lo sabes –le dijo, con una carcajada.

Él sonrió, y empezó a besarla con lentitud.

–No voy a tomar el mando del barco –murmuró, cuando se separaron para poder respirar un poco.

Amanda supo de inmediato lo que quería decir con eso: iban a pasar diez días metidos en el camarote, haciendo el amor. Como la puerta seguía rota, le dijo:

–Me parece muy bien, pero... ¿acaso quieres que tengamos público?

–Lo cierto es que quiero darte algo, y no me importa quién pueda presenciar este momento –se sentó en la cama, y se sacó del bolsillo el espectacular anillo de compromiso. Al ver que se quedaba mirándolo boquiabierta, le dijo–: ¿Me permites?

–¿De dónde lo has sacado? –le preguntó, mientras alargaba la mano.

–Veamos... –dijo, mientras se lo colocaba en el dedo–, mientras estaba comprándolo, tú debías de estar subiendo a bordo de este barco y a punto de zarpar.

La sonrisa de Amanda se desvaneció, y lo miró a los ojos.

–Lo siento muchísimo.

–Tendría que haberte dicho que te amaba cuando hicimos el amor.

Cuando ella le acarició la mandíbula, Cliff volvió la cabeza para besarle la palma de la mano y la miró sonriente.

–Amanda, ¿tienes muchas ganas de que celebremos una gran boda?

–No me he planteado siquiera ese tema.

Se inclinó hacia ella, y la besó profundamente. Al cabo de unos segundos, se apartó un poco y susurró:

–¿Te parece bien que le pida a Mac que nos case?

Amanda se enderezó de golpe, y exclamó:

–¡Sí!

–Vaya, ha sido bastante fácil –comentó, complacido–. Pero esperaba tener oportunidad de usar mi capacidad de persuasión.

–Puedes usarla cuando estemos casados –lo miró con incredulidad–. Quieres decir... ¿ahora mismo?

Cliff se puso de pie, y alargó la mano hacia ella.

–Sí, ahora mismo.

Amanda se quitó el anillo, y se lo dio antes de agarrarse a su mano sin dejar de mirarlo a los ojos. Él sonrió con ternura, y la condujo hacia la puerta después de pararse a recoger su Biblia de la mesa.

–Mac, vas a celebrar una boda. Entrégale el timón a Clark.

–¡Sí, señor! –Mac sonrió de oreja a oreja, y se apresuró a bajar a la cubierta principal–. Señor, ¿permiso para llamar a toda la tripulación?

–No soy el capitán, haz lo que quieras.

Mac se volvió, y le hizo un gesto de asentimiento a Clark. Amanda se volvió hacia Cliff, que le dio un ligero apretón en la mano. Los marineros que estaban bajo cubierta se apresuraron a subir, y los que estaban en las vergas bajaron de inmediato.

En aquel momento, Amanda se dio cuenta de que todos sus sueños se estaban cumpliendo. Era una dama al fin, y el corazón de Cliff le pertenecía. Se imaginó la vida de ensueño que les esperaba. Se imaginó en Windsong junto a Cliff, Alexi y Ariella, disfrutando de una cálida tarde de verano en la terraza con vistas al mar. Se imaginó haciendo el amor con él en la cama de ébano, y con un bebé en sus brazos mientras Cliff la miraba sonriente.

Sintió que los ojos se le inundaban de lágrimas.

–¿Listo, señor? –dijo Mac.

–Sí –Cliff carraspeó ligeramente–. Pero antes me gustaría decir unas palabras, quiero hacer mis propios votos –la tomó de las manos, y le dijo–: Apenas sé por dónde empezar, Amanda –sus ojos tenían el brillo de las lágrimas contenidas–. Te convertiste en el centro de mi vida, de mi existencia, el día en que te rescaté de King's House. Poco después, prometí que te protegería y que me aseguraría de que tuvieras un buen futuro. Hoy estoy materializando esas promesas.

Sonrió cuando ella empezó a llorar. Él mismo tenía la nariz roja.

–Hoy voy a prometerte más cosas, cariño. Prometo honrarte, respetarte, y admirarte. Prometo serte fiel, y lo más importante de todo, prometo amarte con todo mi corazón y toda mi alma, ahora y para siempre. Prometo que moveré cielo y tierra para darte una vida llena de comodidades, lujos, felicidad y paz... la vida que te mereces. Prometo que haré todo lo que esté en mis manos por mantener los problemas y las tristezas a raya, y por conseguir que nuestro hogar esté lleno de alegrías y prosperidad. Quiero que seas completamente feliz.

Amanda era incapaz de dejar de llorar. Cliff de Warenne era un hombre de palabra, así que no había duda de que el futuro que la esperaba iba a ser maravilloso. Enmarcó su rostro entre las manos, y le dijo:

–Te amo tanto... has sido mi protector y mi amigo, mi tutor y mi paladín, mi amante y mi héroe. Lo has sido todo para mí, y sigues siéndolo... siempre serás mi vida entera. ¡Cliff, eres mi corazón! –tuvo que detenerse para secarse las lágrimas, y cuando él se inclinó para besarla con expresión seria y reverente, exclamó–: ¡Aún no he acabado!

–Disculpa. Continúa –le dijo, con una sonrisa.

Ella inhaló profundamente antes de poder continuar.

–Ya quiero de corazón a Alexi y a Ariella, Cliff. Prometo ser una madre buena, compasiva y cariñosa con tus hijos, y... y me gustaría darte muchos más, si tú quieres –añadió con timidez.

Él no pudo seguir conteniendo las lágrimas, y le dijo con voz ronca:

–Me encantaría.

–Te entregué mi corazón a bordo de este barco, hace meses, poco después de que zarpáramos –le dijo, con una sonrisa trémula–. Eres mi Príncipe Azul, y nunca dejaré de amarte.

Él la contempló arrobado, con los ojos húmedos por las lágrimas, y ella le devolvió la mirada, con el corazón rebosante de amor. Al cabo de unos segundos, sonrió y se inclinó con la intención de besarla.

Mac carraspeó sonoramente, y exclamó:

–¡Nada de besos aún, capitán!

Cliff se sobresaltó, y se apresuró a enderezarse mientras los presentes soltaban alguna que otra carcajada.

–Se me había olvidado –murmuró–. Adelante, Mac. Puedes proceder.

–Capitán de Warenne, ¿prometéis honrar, amar y respetar a esta mujer, y serle fiel en las alegrías y en las penas, en la salud y en la enfermedad, hasta que la muerte os separe?

–Sí, lo prometo.

–Y vos, Amanda Carre, ¿prometéis honrar, amar y respetar a este hombre, y serle fiel en las alegrías y en las penas, en la salud y en la enfermedad, hasta que la muerte os separe?

–Sí, lo prometo –dijo Amanda, con voz trémula.

–Por el poder que me es conferido como capitán de este barco, os declaro marido y mujer.

Cuando Cliff le puso el anillo en el dedo y se abrazaron, la tripulación en pleno los vitoreó.

De repente, Amanda se tensó y miró por encima del hombro.

Su padre estaba allí, mirándola sonriente, y la saludó con un gesto.

He estado esperando a que llegara este día, hija. Es hora de que me vaya.

Sin más, desapareció.

–Papá... –susurró ella.

–¿Qué pasa, Amanda? –le preguntó Cliff con preocupación.

Ella lo miró, y esbozó una sonrisa.

–¿Te he dicho últimamente lo mucho que te amo?

Él le devolvió la sonrisa, y le dijo:

–Dímelo otra vez –empezó a besarla–... y otra... –siguió besándola–... pero creo firmemente que hay que demostrar las cosas con hechos.

Amanda cerró los ojos mientras seguía besándola y demostrándole lo mucho que la amaba. Cliff no sólo había cimentado el futuro que la esperaba, también había cimentado sus sueños. Estaba equivocado al decir que no era un príncipe... sí, claro que lo era... era su príncipe, y nunca dejaría de serlo.

E P Í L O G O

Windhaven, Irlanda

El baile estaba en su apogeo. Como era el primero que se celebraba en la casa que el célebre capitán de Warenne había hecho construir para su esposa, la alta sociedad en pleno de los tres condados del sur había asistido al acontecimiento. La mansión estaba a dos horas de Adare, y estaba situada en los acantilados, con vistas al mar. Desde el exterior parecía un palacio francés, y el interior era una mezcla impactante y ecléctica de estilos con influencias orientales, europeas, y del Oriente Medio. Había muebles procedentes de todos los rincones del mundo.

Los rumores abundaban, porque nadie esperaba que Cliff de Warenne se casara, y mucho menos por amor. Se decía que no sólo había construido una mansión tan grandiosa como prueba de su amor imperecedero, sino que además había puesto la propiedad entera, incluyendo los terrenos, a nombre de su esposa.

–Forman una pareja maravillosa –comentó la baronesa viuda de O'Connell–. Él es el hombre más apuesto de Irlanda, y ella es delicada, elegante y hermosa.

–Sí, son una pareja perfecta –su amiga, la condesa viuda Marion, asintió mientras contemplaba a través de su monóculo a la pareja, que estaba bailando el vals. El capitán y su esposa estaban solos en la pista de baile, ya que se trataba del primer baile de la velada–. Es muy buen bailarín, pero ella es aún mejor. Mi querida Katherine, parece que flotan en vez de bailar.

–Es como si llevaran bailando juntos toda la vida, ¡qué pareja tan romántica! –soltó un sonoro suspiro. Mientras la familia de Warenne salía a la pista de baile con los condes de Adare a la cabeza, observó a los recién casados, que parecían absortos el uno en el otro, y volvió a suspirar–. Están tan enamorados... él es incapaz de apartar los ojos de ella.

–Sí, ése es el destino de los de Warenne... encontrar el amor verdadero, por muy escandalosa que sea la unión, y amar una sola vez y para siempre.

Al recordar varios escándalos relacionados con la familia, incluyendo el que habían protagonizado los condes de Adare, las dos amigas se echaron a reír, porque para ellas, era como si hubiera sucedido el día anterior.

La baronesa se acercó un poco más a su amiga, y susurró:

–Me contaron un rumor de lo más absurdo, una verdadera ridiculez.

–¡Cuéntamelo, Katherine!

–¡Me dijeron que la señora de Warenne es hija de un pirata!

La condesa la miró con asombro, y se echó a reír mientras negaba con la cabeza.

–¡Mírala, Katherine! Es la elegancia en persona... ¡todas las jóvenes damas deberían aspirar a llegar a tener su porte y su belleza! ¡Lo que has dicho es imposible!

–Estoy completamente de acuerdo –la baronesa soltó una carcajada–. ¡Es del todo imposible!

Las dos mujeres siguieron riendo ante aquella idea tan absurda.

Títulos publicados en Top Novel

Ladrón de corazones – SHANNON DRAKE
Nuevas oportunidades – DEBBIE MACOMBER
El vals del diablo – ANNE STUART
Secretos – DIANA PALMER
Un hombre peligroso – CANDACE CAMP
La rosa de cristal – REBECCA BRANDEWYNE
Volver a ti – CARLY PHILLIPS
Amor temerario – ELIZABETH LOWELL
La farsa – BRENDA JOYCE
Lejos de todo – NORA ROBERTS
Lacy – DIANA PALMER
Mundos opuestos – NORA ROBERTS
Apuesta de amor – CANDACE CAMP
En sus sueños – KAT MARTIN
La novia robada – BRENDA JOYCE
Dos extraños – SANDRA BROWN
Cautiva del amor – ROSEMARY ROGERS
La dama de la reina – SHANNON DRAKE
Raintree – HOWARD, WINSTEAD JONES Y BARTON
Lo mejor de la vida – DEBBIE MACOMBER
Deseos ocultos – ANN STUART
Dime que sí – SUZANNE BROCKMANN
Secretos familiares – CANDACE CAMP
Inesperada atracción – DIANA PALMER
Última parada – NORA ROBERTS
La otra verdad – HEATHER GRAHAM

CPSIA information can be obtained
at www.ICGtesting.com
Printed in the USA
LVHW031758280820
664466LV00010B/1712